GRAMMAR MENTOR JOY plus 1

GRAMMAR MENTOR JOY plus 1

지은이 교재개발연구소

발행처 Pearson Education

판매처 inkedu(inkbooks)

전 화 (02) 455-9620(주문 및 고객지원)

팩 스 (02) 455-9619

등 록 제13-579호

Longman

GRAMMAR MENTOR JOY plus

그래머
멘토
조이
플러스
하나

Preface

선택이 중요합니다!

인생에 수많은 선택이 있듯이 많은 시간 함께할 영어 공부의 시작에도 수많은 선택이 있습니다. 오늘 여러분의 선택이 앞으로의 여러분의 영어실력을 좌우합니다. Grammar Mentor Joy 시리즈는 현장 경험이 풍부한 선생님들과 이전 학습자들의 의견을 충분히 수렴하여 여러분의 선택에 후회가 없도록 하였습니다.

효율적인 학습이 필요한 때입니다!

학습의 시간은 유한합니다. 중요한 것은 그 시간을 얼마나 효율적으로 사용하는지입니다. Grammar Mentor Joy 시리즈는 우선 튼튼한 기초를 다지기 위해서 단계별 Syllabus를 현행 교과과정과 연계할 수 있도록 맞춤 설계하여 학습자들이 효율적으로 학습할 수 있도록 하였습니다. 또한 기존의 기계적 반복 학습 문제에서 벗어나 학습자들이 능동적 학습을 유도할 수 있도록 사고력 향상이 필요한 문제와 난이도를 조정하였습니다.

중학 기초 문법을 대비하는 교재입니다!

Grammar Mentor Joy 시리즈는 확고한 목표를 가지고 있습니다. 그것은 중학교 문법을 완벽하게 준비하는 것입니다. Grammar Mentor Joy 시리즈에서는 문법 기초를 확고하게 다루고 있기 때문에 중학교 문법은 새로운 것이 아닌 Grammar Mentor Joy 시리즈의 연장선에 지나지 않습니다. 또한 가장 힘들 수 있는 어휘 학습에 있어서도 반복적인 문제 풀이를 통해서 자연스럽게 기초 어휘를 학습하도록 하였습니다.

마지막으로 어떤 기초 교재보다도 처음 영어 문법을 시작하는 학습자들에게 더없이 완벽한 선택이 될 수 있다고 자신합니다. 이 교재를 통해서 영어가 학습자들의 평생 걸림돌이 아닌 자신감이 될 수 있기를 바랍니다. 감사합니다.

Guide to *Grammar Mentor Joy Plus Series*

❶ 단계별 학습을 통한 맞춤식 문법 학습

- 각 Chapter별 Unit에는 세부 설명과 Warm-up, Start up, Check up & Writing, Level Up, Actual Test, Review Test, Achievement Test, 마지막으로 실전모의 테스트로 구성되어 있습니다.

❷ 서술형 문제를 위한 체계적인 학습

- Check up & Writing에서는 서술형 문제에 대비할 수 있도록 하고 있습니다.

❸ 단순 암기식 공부가 아닌 사고력이 필요한 문제 풀이 학습

- 단순 패턴 드릴 문제가 아닌 이전 문제들을 함께 섞어 제시하고 있어 사고력 향상이 도움이 되도록 하였습니다.

❹ 반복적인 학습을 통해 문제 풀이 능력을 향상시킴

- 세분화된 Step으로 반복 학습이 가능합니다.

❺ 맞춤식 어휘와 문장을 통한 체계적인 학습

- 학습한 어휘와 문장을 반복적으로 제시하고 있어 무의식적으로 습득이 가능합니다.

❻ 중학 기초 문법을 대비하는 문법 학습

- 중학 문법에서 다루는 기초 문법을 모두 다루고 있습니다.

❼ 반복적인 문제풀이를 통한 기초 어휘 학습

- Chapter별 제공되는 단어장에는 자주 쓰는 어휘들을 체계적으로 제시하고 있습니다.

Syllabus

Grammar Mentor Joy Plus 시리즈는 전체 4권으로 구성되어 있습니다. 각 Level이 각각 6개의 Chapter 총 6주의 학습 시간으로 구성되어 있는데, 특히 Chapter 3과 Chapter 6은 Review와 Achievement Test로 반복 복습할 수 있도록 구성되어 있습니다. 부가적으로 단어장과 전 시리즈가 끝난 후 실전 모의고사 테스트 3회도 제공되고 있습니다.

Level	Month	Week	Chapter	Unit	Homework
1	1st	1	1 be동사	Unit 01 be동사의 현재형과 과거형	*각 Chapter별 단어 퀴즈 제공 *각 Chapter별 드릴 문제 제공 *각 Chapter별 모의 테스트지 제공
				Unit 02 be동사의 부정문과 의문문	
				Unit 03 There is / There are	
		2	2 일반동사	Unit 01 일반동사의 현재형	
				Unit 02 일반동사의 과거형	
				Unit 03 일반동사의 부정문	
				Unit 04 일반동사의 의문문	
		3	3 시제	Unit 01 진행 시제	
				Unit 02 현재완료 시제	
			Review/Achievement Test		
		4	4 조동사 I	Unit 01 can과 be able to	
				Unit 02 may, must	
				Unit 03 have to, should	
	2nd	5	5 조동사 II	Unit 01 will, be going to	
				Unit 02 would like to, had better, used to	
		6	6 문장의 형태	Unit 01 1형식, 2형식 문장	
				Unit 02 3형식, 4형식 문장	
				Unit 03 5형식 문장	
			Review/Achievement Test		
2		1	1 명사	Unit 01 셀 수 있는 명사	*각 Chapter별 단어 퀴즈 제공 *각Chapter별 드릴 문제 제공 *각 Chapter별 모의 테스트지 제공
				Unit 02 셀 수 없는 명사	
				Unit 03 명사의 격	
		2	2 관사	Unit 01 부정관사 a, an	
				Unit 02 정관사 the와 관사를 쓰지 않는 경우	
	3rd	3	3 대명사 I	Unit 01 인칭대명사	
				Unit 02 지시대명사와 비인칭 주어 it	
				Unit 03 재귀대명사	
			Review/Achievement Test		
		4	4 대명사 II	Unit 01 부정대명사 I	
				Unit 02 부정대명사 II	
				Unit 03 부정대명사 III	
		5	5 형용사와 부사	Unit 01 형용사	
				Unit 02 부사	
		6	6 비교	Unit 01 비교급, 최상급 만드는 법	
				Unit 02 원급, 비교급, 최상급	
				Unit 03 비교 구문을 이용한 표현	
			Review/Achievement Test		

Level	Month	Week	Chapter	Unit	Homework
3	4th	1	1 to부정사	Unit 01 to부정사의 명사적 쓰임	*각 Chapter별 단어 퀴즈 제공 *각 Chapter별 드릴 문제 제공 *각 Chapter별 모의테스트지 제공
				Unit 02 to부정사의 형용사적 쓰임	
				Unit 03 to부정사의 부사적 쓰임	
				Unit 04 to부정사의 관용 표현	
		2	2 동명사	Unit 01 동명사의 쓰임	
				Unit 02 동명사를 이용한 표현	
				Unit 03 동사 + 동명사 / 동사 + to부정사	
		3	3 분사	Unit 01 현재분사	
				Unit 02 과거분사	
				Unit 03 분사구문	
			Review/Achievement Test		
		4	4 수동태	Unit 01 능동태와 수동태	
				Unit 02 수동태의 여러 가지 형태 I	
				Unit 03 수동태의 여러 가지 형태 II	
				Unit 04 주의해야 할 수동태	
	5th	5	5 전치사	Unit 01 시간 전치사	
				Unit 02 장소 전치사	
				Unit 03 방향 전치사	
		6	6 접속사	Unit 01 등위 접속사	
				Unit 02 시간, 이유, 결과 접속사	
				Unit 03 조건, 양보 접속사, 상관접속사	
			Review/Achievement Test		
4		1	1 가정법	Unit 01 가정법 과거	*각 Chapter별 단어 퀴즈 제공 *각 Chapter별 드릴 문제 제공 *각 Chapter별 모의테스트지 제공 *최종 3회의 실전모의고사 테스트지 제공
				Unit 02 가정법 과거 완료	
				Unit 03 I wish 가정법	
		2	2 관계대명사 I	Unit 01 관계대명사	
				Unit 02 관계대명사 – 목적격, 소유격	
				Unit 03 관계대명사 that, what	
	6th	3	3 관계대명사 II	Unit 01 관계대명사 생략과 계속적 용법	
				Unit 02 관계부사	
			Review/Achievement Test		
		4	4 여러 가지 문장 I	Unit 01 의문사가 있는 의문문 I	
				Unit 02 의문사가 있는 의문문 II	
				Unit 03 명령문과 제안문	
		5	5 여러 가지 문장 II	Unit 01 부가의문문	
				Unit 02 간접의문문, 선택의문문	
				Unit 03 감탄문	
		6	6 시제의 일치 및 화법	Unit 01 수의 일치	
				Unit 02 시제 일치	
				Unit 03 간접 화법	
			Review/Achievement Test		

Construction

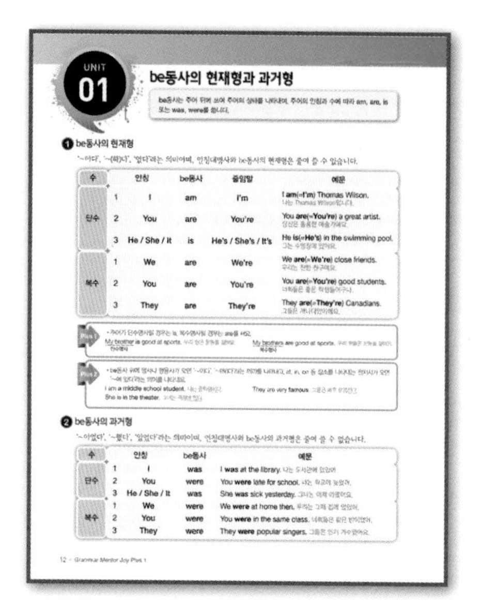
UNIT 01 be동사의 현재형과 과거형

❶ be동사의 현재형

수		인칭	be동사	줄임말	예문
단수	1	I	am	I'm	I am(=I'm) Thomas Wilson.
	2	You	are	You're	You are(=You're) a great artist.
	3	He / She / It	is	He's / She's / It's	He is(=He's) in the swimming pool.
복수	1	We	are	We're	We are(=We're) close friends.
	2	You	are	You're	You are(=You're) good students.
	3	They	are	They're	They are(=They're) Canadians.

❷ be동사의 과거형

수		인칭	be동사	예문
단수	1	I	was	I was at the library.
	2	You	were	You were late for school.
	3	He / She / It	was	She was sick yesterday.
복수	1	We	were	We were at home then.
	2	You	were	You were in the same class.
	3	They	were	They were popular singers.

Unit

각 Chapter를 Unit으로 나누어 보다 심층적이고 체계적으로 학습할 수 있도록 했습니다.

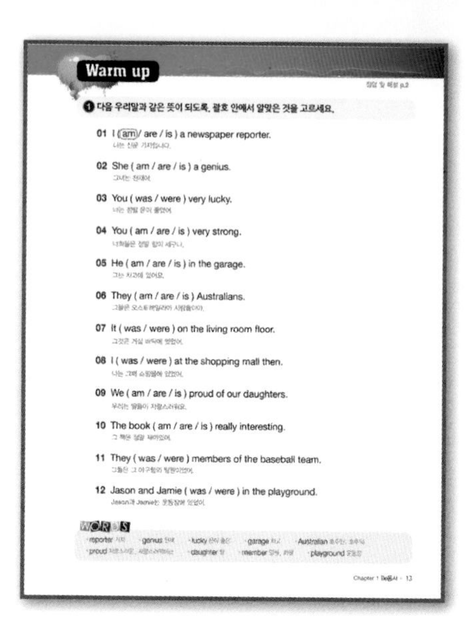
Warm up

❶ 다음 우리말과 같은 뜻이 되도록, 괄호 안에서 알맞은 것을 고르세요.

01 I (am / are / is) a newspaper reporter.
02 She (am / are / is) a genius.
03 You (was / were) very lucky.
04 You (am / are / is) very strong.
05 He (am / are / is) in the garage.
06 They (am / are / is) Australians.
07 It (was / were) on the living room floor.
08 I (was / were) at the shopping mall then.
09 We (am / are / is) proud of our daughters.
10 The book (am / are / is) really interesting.
11 They (was / were) members of the baseball team.
12 Jason and Jamie (was / were) in the playground.

WORDS
reporter · genius · lucky · garage · Australian · proud · daughter · member · playground

Chapter 1 be동사 · 13

Warm-up

본격적인 학습에 앞서 Unit의 기본적인 내용을 점검하는 단계입니다.

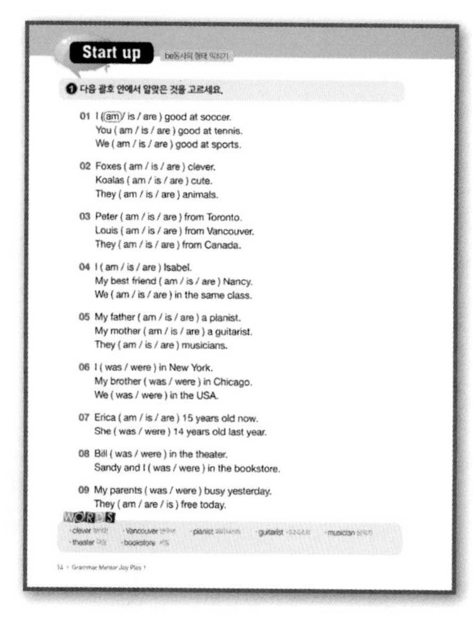
Start up be동사의 형태 익히기

❶ 다음 괄호 안에서 알맞은 것을 고르세요.

01 I (am / is / are) good at soccer.
You (am / is / are) good at tennis.
We (am / is / are) good at sports.

02 Foxes (am / is / are) clever.
Koalas (am / is / are) cute.
They (am / is / are) animals.

03 Peter (am / is / are) from Toronto.
Louis (am / is / are) from Vancouver.
They (am / is / are) from Canada.

04 I (am / is / are) Isabel.
My best friend (am / is / are) Nancy.
We (am / is / are) in the same class.

05 My father (am / is / are) a pianist.
My mother (am / is / are) a guitarist.
They (am / is / are) musicians.

06 I (was / were) in New York.
My brother (was / were) in Chicago.
We (was / were) in the USA.

07 Erica (am / is / are) 15 years old now.
She (was / were) 14 years old last year.

08 Bill (was / were) in the theater.
Sandy and I (was / were) in the bookstore.

09 My parents (was / were) busy yesterday.
They (am / are / is) free today.

WORDS
clever · Vancouver · pianist · guitarist · musician · theater · bookstore

14 · Grammar Mentor Joy Plus 1

Start up

각 Unit에서 다루고 있는 문법의 기본적인 내용들을 점검할 수 있도록 했습니다.

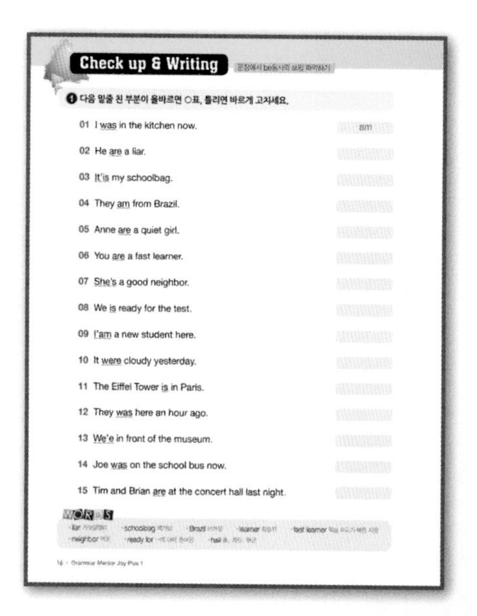
Check up & Writing

❶ 다음 밑줄 친 부분이 올바르면 ○표, 틀리면 바르게 고치세요.

01 I was in the kitchen now. am
02 He are a liar.
03 It's my schoolbag.
04 They am from Brazil.
05 Anne are a quiet girl.
06 You are a fast learner.
07 She's a good neighbor.
08 We is ready for the test.
09 I'am a new student here.
10 It were cloudy yesterday.
11 The Eiffel Tower is in Paris.
12 They was here an hour ago.
13 We'e in front of the museum.
14 Joe was on the school bus now.
15 Tim and Brian are at the concert hall last night.

WORDS
liar · schoolbag · Brazil · learner · fast learner · neighbor · ready for · hall

14 · Grammar Mentor Joy Plus 1

Check up & Writing

서술형 문제에 대비하는 단계로 단순 단어의 나열이 아닌, 사고력이 요하는 문제들로 구성되어 있습니다

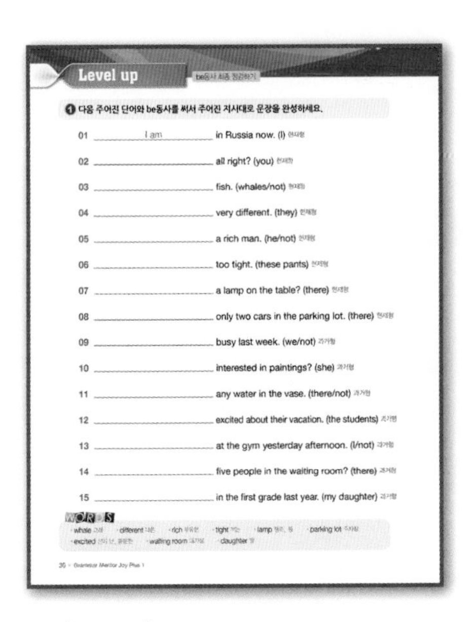

Level up

❶ 다음 주어진 단어와 be동사를 써서 주어진 지시대로 문장을 완성하세요.

01 I am in Russia now. (I)
02 ______ all right? (you)
03 ______ fish. (whales/not)
04 ______ very different. (they)
05 ______ a rich man. (he/not)
06 ______ too tight. (these pants)
07 ______ a lamp on the table? (there)
08 ______ only two cars in the parking lot. (there)
09 ______ busy last week. (we/not)
10 ______ interested in paintings? (she)
11 ______ any water in the vase. (there/not)
12 ______ excited about their vacation. (the students)
13 ______ at the gym yesterday afternoon. (I/not)
14 ______ five people in the waiting room? (there)
15 ______ in the first grade last year. (my daughter)

WORDS

36 Grammar Mentor Joy Plus 1

Level up

각 Chapter의 내용을 최종 점거하는 단계로 각 Unit의 내용들을 기초로 한 문제들로 구성되어 있습니다.

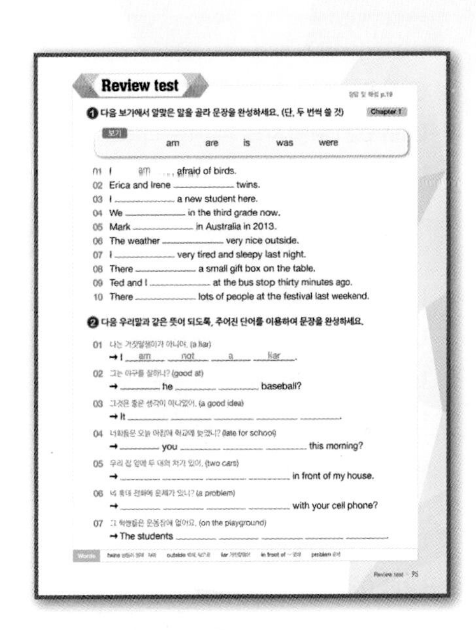

Review test

❶ 다음 보기에서 알맞은 말을 골라 문장을 완성하세요. (단, 두 번씩 쓸 것) Chapter 1

보기 am are is was were

01 I am afraid of birds.
02 Erica and Irene ______ twins.
03 I ______ a new student here.
04 We ______ in the third grade now.
05 Mark ______ in Australia in 2013.
06 The weather ______ very nice outside.
07 I ______ very tired and sleepy last night.
08 There ______ a small gift box on the table.
09 Ted and I ______ at the bus stop thirty minutes ago.
10 There ______ lots of people at the festival last weekend.

❷ 다음 우리말과 같은 뜻이 되도록, 주어진 단어를 이용하여 문장을 완성하세요.

01 → I am not a liar.
02 → ______ he ______ baseball?
03 → It ______.
04 → ______ you ______ this morning?
05 → ______ in front of my house.
06 → ______ with your cell phone?
07 → The students ______.

Review test 95

Review Test

Chapter 3개마다 구성되어 있으며, 앞서 배운 기본적인 내용들을 다시 한 번 풀어 보도록 구성했습니다.

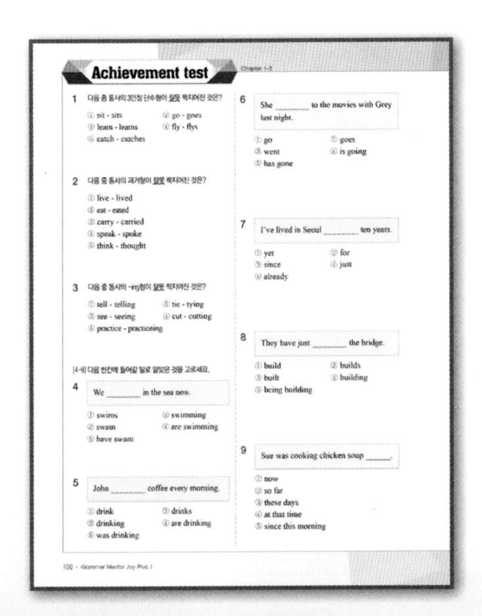

Achievement test

1 다음 중 동사의 3인칭 단수형이 잘못 짝지어진 것은?
① sit - sits ② go - goes ③ learn - learns ④ fly - flys ⑤ catch - catches

2 다음 중 동사의 과거형이 잘못 짝지어진 것은?
① live - lived ② eat - eated ③ carry - carried ④ speak - spoke ⑤ think - thought

3 다음 중 동사의 -ing형이 잘못 짝지어진 것은?
① tell - telling ② tie - tying ③ see - seeing ④ cut - cutting ⑤ practice - practiceing

[4-9] 다음 빈칸에 들어갈 말로 알맞은 것을 고르세요.

4 We ______ in the sea now.
① swims ② swimming ③ swam ④ are swimming ⑤ have swum

5 John ______ coffee every morning.
① drink ② drinks ③ drinking ④ are drinking ⑤ was drinking

6 She ______ to the movies with Grey last night.
① go ② goes ③ went ④ is going ⑤ has gone

7 I've lived in Seoul ______ ten years.
① yet ② for ③ since ④ just ⑤ already

8 They have just ______ the bridge.
① build ② builds ③ built ④ building ⑤ being building

9 Sue was cooking chicken soup ______.
① now ② so far ③ these days ④ at that time ⑤ since this morning

100 Grammar Mentor Joy Plus 1

Achievement Test

Chapter 3개마다 구성되어 있으며, 5지선다형 문제와 서술형 문제로 구성되어 있어 실전 내신문제에 대비하도록 했습니다.

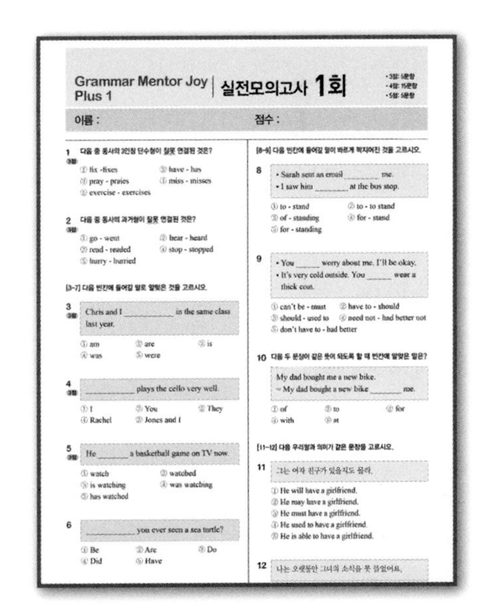

Grammar Mentor Joy Plus 1 | 실전모의고사 1회

이름 : 점수 :

1 다음 중 동사의 3인칭 단수형이 잘못 연결된 것은?
① fix - fixes ② have - has ③ pray - praies ④ miss - misses ⑤ exercise - exercises

2 다음 중 동사의 과거형이 잘못 연결된 것은?
① go - went ② hear - heard ③ read - readed ④ stop - stopped ⑤ hurry - hurried

[3-7] 다음 빈칸에 들어갈 말로 알맞은 것을 고르시오.

3 Chris and I ______ in the same class last year.
① am ② are ③ is ④ was ⑤ were

4 ______ plays the cello very well.
① I ② You ③ They ④ Rachel ⑤ Jones and I

5 He ______ a basketball game on TV now.
① watch ② watched ③ is watching ④ was watching ⑤ has watched

6 ______ you ever seen a sea turtle?
① Be ② Are ③ Do ④ Did ⑤ Have

[8-9] 다음 빈칸에 들어갈 말이 바르게 짝지어진 것을 고르시오.

8 • Sarah sent an email ______ me. • I saw him ______ at the bus stop.
① to - stand ② to - to stand ③ of - standing ④ for - stand ⑤ for - standing

9 • You ______ worry about me. I'll be okay. • It's very cold outside. You ______ wear a thick coat.
① can't be - must ② have to - should ③ should - used to ④ need not - had better not ⑤ don't have to - had better

10 다음 두 문장이 같은 뜻이 되도록 할 때 빈칸에 알맞은 말은?
My dad bought me a new bike. = My dad bought a new bike ______ me.
① of ② to ③ for ④ with ⑤ at

[11-12] 다음 우리말과 의미가 같은 문장을 고르시오.

11 그는 여자 친구가 있음지도 몰라.
① He will have a girlfriend. ② He may have a girlfriend. ③ He must have a girlfriend. ④ He used to have a girlfriend. ⑤ He is able to have a girlfriend.

12 나는 오랫동안 그녀의 소식을 못 들었어요.

실전모의고사

총 3회로 구성되어있으며 각 level의 모든 내용을 5지선다형 문제와 서술형 문제로 구성하여 여러분들이 최종적으로 학습한 내용을 점검 할 수 있도록 했습니다.

Contents

be동사

be동사의 현재형과 과거형

be동사는 주어 뒤에 쓰여 주어의 상태를 나타내며, 주어의 인칭과 수에 따라 am, are, is 또는 was, were를 씁니다.

1 be동사의 현재형

'~이다', '~(하)다', '있다'라는 의미이며, 인칭대명사와 be동사의 현재형은 줄여 쓸 수 있습니다.

수	인칭		be동사	줄임말	예문
단수	1	I	am	I'm	I **am**(=**I'm**) Thomas Wilson. 나는 Thomas Wilson입니다.
	2	You	are	You're	You **are**(=**You're**) a great artist. 당신은 훌륭한 예술가예요.
	3	He / She / It	is	He's / She's / It's	He **is**(=**He's**) in the swimming pool. 그는 수영장에 있어요.
복수	1	We	are	We're	We **are**(=**We're**) close friends. 우리는 친한 친구예요.
	2	You	are	You're	You **are**(=**You're**) good students. 너희들은 좋은 학생들이구나.
	3	They	are	They're	They **are**(=**They're**) Canadians. 그들은 캐나다인이에요.

• 주어가 단수명사일 경우는 is, 복수명사일 경우는 are를 써요.

My brother is good at sports. 우리 형은 운동을 잘해요. (My brother: 단수명사)

My brothers are good at sports. 우리 형들은 운동을 잘해요. (My brothers: 복수명사)

• be동사 뒤에 명사나 형용사가 오면 '~이다', '~(하)다'라는 의미를 나타내고, at, in, on 등 장소를 나타내는 전치사가 오면 '~에 있다'라는 의미를 나타내요.

I am a middle school student. 나는 중학생이다.

She is in the theater. 그녀는 극장에 있다.

They are very famous. 그들은 매우 유명하다.

2 be동사의 과거형

'~이었다', '~했다', '있었다'라는 의미이며, 인칭대명사와 be동사의 과거형은 줄여 쓸 수 없습니다.

수	인칭		be동사	예문
단수	1	I	was	I **was** at the library. 나는 도서관에 있었어.
	2	You	were	You **were** late for school. 너는 학교에 늦었어.
	3	He / She / It	was	She **was** sick yesterday. 그녀는 어제 아팠어요.
복수	1	We	were	We **were** at home then. 우리는 그때 집에 있었어.
	2	You	were	You **were** in the same class. 너희들은 같은 반이었어.
	3	They	were	They **were** popular singers. 그들은 인기 가수였어요.

정답 및 해설 p.2

1 다음 우리말과 같은 뜻이 되도록, 괄호 안에서 알맞은 것을 고르세요.

01 I (am / are / is) a newspaper reporter.
나는 신문 기자입니다.

02 She (am / are / is) a genius.
그녀는 천재야.

03 You (was / were) very lucky.
너는 정말 운이 좋았어.

04 You (am / are / is) very strong.
너희들은 정말 힘이 세구나.

05 He (am / are / is) in the garage.
그는 차고에 있어요.

06 They (am / are / is) Australians.
그들은 오스트레일리아 사람들이야.

07 It (was / were) on the living room floor.
그것은 거실 바닥에 있었어.

08 I (was / were) at the shopping mall then.
나는 그때 쇼핑몰에 있었어.

09 We (am / are / is) proud of our daughters.
우리는 딸들이 자랑스러워요.

10 The book (am / are / is) really interesting.
그 책은 정말 재미있어.

11 They (was / were) members of the baseball team.
그들은 그 야구팀의 팀원이었어.

12 Jason and Jamie (was / were) in the playground.
Jason과 Jamie는 운동장에 있었어.

WORDS

- reporter 기자
- genius 천재
- lucky 운이 좋은
- garage 차고
- Australian 호주인; 호주의
- proud 자랑스러운, 자랑스러워하는
- daughter 딸
- member 일원, 회원
- playground 운동장

Start up
be동사의 형태 익히기

1 다음 괄호 안에서 알맞은 것을 고르세요.

01 I (am / is / are) good at soccer.
You (am / is / are) good at tennis.
We (am / is / are) good at sports.

02 Foxes (am / is / are) clever.
Koalas (am / is / are) cute.
They (am / is / are) animals.

03 Peter (am / is / are) from Toronto.
Louis (am / is / are) from Vancouver.
They (am / is / are) from Canada.

04 I (am / is / are) Isabel.
My best friend (am / is / are) Nancy.
We (am / is / are) in the same class.

05 My father (am / is / are) a pianist.
My mother (am / is / are) a guitarist.
They (am / is / are) musicians.

06 I (was / were) in New York.
My brother (was / were) in Chicago.
We (was / were) in the USA.

07 Erica (am / is / are) 15 years old now.
She (was / were) 14 years old last year.

08 Bill (was / were) in the theater.
Sandy and I (was / were) in the bookstore.

09 My parents (was / were) busy yesterday.
They (am / are / is) free today.

- clever 영리한
- Vancouver 밴쿠버
- pianist 피아니스트
- guitarist 기타리스트
- musician 음악가
- theater 극장
- bookstore 서점

❷ 다음 괄호 안에 주어진 말과 be동사를 써서, 주어진 시제로 문장을 완성하세요.

01 ______ I am ______ a middle school student. (I) 현재형

02 ____________ a great movie. (it) 현재형

03 ____________ fresh. (the vegetables) 현재형

04 ____________ smart and pretty. (she) 현재형

05 ____________ expensive. (the tickets) 현재형

06 ____________ in the coffee shop. (we) 현재형

07 ____________ popular at school. (Greg) 현재형

08 ____________ a good basketball player. (you) 현재형

09 ____________ a snowy day. (it) 과거형

10 ____________ a normal teenager. (he) 과거형

11 ____________ very sleepy after lunch. (I) 과거형

12 ____________ on the table. (the letters) 과거형

13 ____________ absent from school. (you) 과거형

14 ____________ too small for me. (the jacket) 과거형

15 ____________ in the elevator at that time. (Amy and Bill) 과거형

- fresh 신선한
- vegetable 채소
- snowy 눈이 내리는
- normal 평범한, 보통의
- teenager 10대
- sleepy 졸린
- absent 결석한, 결근한
- elevator 엘리베이터

Check up & Writing

문장에서 be동사의 쓰임 파악하기

1 다음 밑줄 친 부분이 올바르면 ○표, 틀리면 바르게 고치세요.

01 I was in the kitchen now. am

02 He are a liar.

03 It'is my schoolbag.

04 They am from Brazil.

05 Anne are a quiet girl.

06 You are a fast learner.

07 She's a good neighbor.

08 We is ready for the test.

09 I'am a new student here.

10 It were cloudy yesterday.

11 The Eiffel Tower is in Paris.

12 They was here an hour ago.

13 We'e in front of the museum.

14 Joe was on the school bus now.

15 Tim and Brian are at the concert hall last night.

• liar 거짓말쟁이 • schoolbag 책가방 • Brazil 브라질 • learner 학습자 • fast learner 학습 속도가 빠른 사람
• neighbor 이웃 • ready for ~에 대해 준비된 • hall 홀, 회관; 현관

❷ 다음 우리말과 같은 뜻이 되도록, be동사와 주어진 단어를 이용하여 문장을 완성하세요.

01 그들은 해변에 있어요. (they)

→ They are on the beach.

02 그녀는 수학을 못해요. (she)

→ ________ ________ poor at math.

03 우리는 덥고 목이 말랐어. (we)

→ ________ ________ hot and thirsty.

04 너는 내 가장 친한 친구야. (you)

→ ________ ________ my best friend.

05 그것은 작은 나라예요. (it)

→ ________ ________ a small country.

06 그 문제들은 어려워. (the questions)

→ ________ ________ ________ difficult.

07 그 소년은 정말 용감해요. (the boy)

→ ________ ________ ________ very brave.

08 나는 여행으로 매우 신이 났다. (I)

→ ________ ________ excited about the trip.

09 그는 작년에 내 영어 선생님이셨어요. (he)

→ ________ ________ my English teacher last year.

10 Jennifer와 나는 학교에 있어요. (Jennifer and I)

→ ________ ________ ________ ________ at school.

11 그의 형은 지난달에 보스턴에 있었다. (his brother)

→ ________ ________ ________ in Boston last month.

12 부모님은 어제 그 소식에 놀라셨어요. (my parents)

→ ________ ________ ________ surprised at the news yesterday.

WORDS

- beach 해변
- poor at ~에 서투른, ~을 못하는
- math 수학
- thirsty 목마른
- question 질문, 문제
- difficult 어려운
- brave 용감한
- excited 흥분한, 신이 난
- trip 여행
- surprised at ~에 놀란

be동사의 부정문과 의문문

be동사의 부정문은 be동사 뒤에 not을 붙여 만들고, be동사의 의문문은 주어와 be동사의 위치를 바꾸고 문장 끝에 물음표를 붙여 만듭니다.

1 be동사 부정문

① 현재형 be동사 부정문: '~가 아니다', '~하지 않다', '없다'라는 의미로 「am/are/is+not」의 형태

주어	형태	「be+not」 줄임말	예문
I	am not	없음	**I am not** 15 years old. 나는 열다섯 살이 아니에요.
You	are not	aren't	You **are not(=aren't)** late for the class. 너는 수업에 늦지 않았어.
He / She / It	is not	isn't	It is **not(=isn't)** your fault. 그것은 너의 잘못이 아니야.
You / We / They	are not	aren't	They **are not**(=**aren't**) in the classroom. 그들은 교실에 없어.

② 과거형 be동사 부정문: '~가 아니었다', '~하지 않았다', '없었다'라는 의미로 「was/were+not」의 형태

형태	「be+not」 줄임말	예문
was / were+not	wasn't	I **was not**(=**wasn't**) at home last night. 나는 어젯밤에 집에 없었어.
	weren't	We **were not**(=**weren't**) happy with the result. 우리는 그 결과가 마음에 들지 않았어요.

2 be동사 의문문

① 현재형 be동사의 의문문: '~ 이니?', '~ 하니?', '있니?'라는 의미로 「Am/Are/Is+주어~?」의 형태

형태	긍정의 대답	부정의 대답	예문
Am I ~?	Yes, you are.	No, you aren't.	**Am I** wrong? 제가 틀렸나요?
Are you ~?	Yes, I am.	No, I'm not.	**Are you** sick? 너 아프니?
Is he / she / it ~?	Yes, he / she / it is.	No, he / she / it isn't.	**Is she** your cousin? 그녀가 너의 사촌이니?
Are we / you / they ~?	Yes, you / we / they are.	No, you / we / they aren't.	**Are they** healthy? 그들은 건강한가요?

② 과거형 be동사의 의문문: '~이었니?', '~ 했니?', '있었니?'라는 의미로 「Was/Were+주어~?」의 형태

형태	긍정의 대답	부정의 대답	예문
Was / Were 주어 ~?	Yes, 주어 was / were.	No, 주어 wasn't / weren't.	**Was it** exciting? 그것은 재미있었니? **Were you** in the backyard? 너희들 뒤뜰에 있었니?

• 1인칭으로 물으면 2인칭으로 대답하고, 2인칭으로 물으면 1인칭으로 대답해야 해요.
• 주어가 명사인 경우 대명사로 바꿔 대답해야 해요.

정답 및 해설 p.3

1 다음 우리말과 같은 뜻이 되도록, 괄호 안에서 알맞은 것을 고르세요.

01 I (am not / not am) a fast runner.
나는 빨리 뛰지 못해요.

02 (Am / Are) I correct?
제가 맞나요?

03 (Is / Are) they twins?
그들은 쌍둥이니?

04 She (isn't / aren't) talkative.
그녀는 말이 많지 않아요.

05 (Is / Are) your parents strict?
너의 부모님은 엄격하시니?

06 You (are not / not are) busy now.
너는 지금 바쁘지 않아.

07 The sneakers (isn't / aren't) mine.
그 운동화는 내 것이 아니에요.

08 (Am / Is) your computer broken?
네 컴퓨터가 고장 났니?

09 (Was / Were) you tired last night?
너는 어젯밤에 피곤했니?

10 He (not is / is not) at the gym now.
그는 지금 체육관에 없어요.

11 My house (is not / are not) far from here.
우리 집은 여기서 멀지 않아요.

12 (Was / Were) the soccer game interesting?
그 축구 경기는 재미있었니?

WORDS

- correct 옳은
- twin 쌍둥이(한 명)
- talkative 수다스러운
- strict 엄격한
- mine 나의 것
- broken 고장 난
- gym 체육관
- far 먼; 멀리

be동사의 부정문과 의문문 형태 익히기

1 다음 빈칸에 be동사의 부정형을 써서 문장을 완성하세요.

01 It ____is not____ my jacket. It's Debbie's.
그것은 내 재킷이 아니에요. 그것은 Debbie의 것이에요.

02 It __________ rainy. It was sunny.
비가 내리지 않았어요. 화창했어요.

03 I __________ a violinist. I'm a cellist.
나는 바이올리니스트가 아니에요. 나는 첼리스트예요.

04 The coffee __________ warm. It's cold.
그 커피는 따뜻하지 않아요. 그것은 차가워요.

05 I __________ in the library. I was in the theater.
나는 도서관에 없었어요. 나는 극장에 있었어요.

06 The classroom __________ quiet. It was noisy.
교실은 조용하지 않았어요. 그곳은 시끄러웠어요.

07 Rachel __________ on holiday. She is at work.
Rachel은 휴가가 아니에요. 그녀는 회사에 있어요.

08 These boxes __________ heavy. They are light.
이 상자들은 무겁지 않아요. 그것들은 가벼워요.

09 You __________ Canadians. You are Americans.
너희들은 캐나다인이 아니야. 너희들은 미국인이야.

10 They __________ in London. They were in Berlin.
그들은 런던에 있지 않았어요. 그들은 베를린에 있었어요.

11 The cats __________ in the kitchen. They are in the yard.
고양이들은 부엌에 없어요. 그것들은 뜰에 있어요.

12 The boys __________ good at soccer. They were good at baseball.
그 소년들은 축구를 잘하지 않았어요. 그들은 야구를 잘했어요.

WORDS

• violinist 바이올리니스트 • cellist 첼리스트 • noisy 시끄러운 • on holiday 휴가 중인 • light 가벼운 • yard 뜰

❷ 다음 주어진 단어와 be동사를 이용하여 대화를 완성하세요.

01 A: ______Is he______ in his office? (he)
B: Yes, he is.

02 A: ____________________ new here? (you)
B: Yes, we are.

03 A: ____________________ kind to you? (they)
B: Yes, they are.

04 A: ____________________ almost there? (we)
B: No, we aren't.

05 A: ____________________ your smartphone? (it)
B: No, it isn't.

06 A: ____________________ near here? (the bank)
B: Yes, it is.

07 A: ____________________ afraid of ghosts? (you)
B: No, I'm not.

08 A: ____________________ sweet? (these oranges)
B: Yes, they are.

09 A: ____________________ difficult? (the science test)
B: No, it wasn't.

10 A: ____________________ at the party? (Sarah and Rue)
B: No, they weren't.

11 A: ____________________ on the right bus to the stadium? (I)
B: Yes, you are.

12 A: ____________________ in the hospital last Friday? (Jeremy)
B: Yes, he was.

WORDS
• office 사무실 • almost 거의 • ghost 유령 • right 옳은, 맞은 • stadium 스타디움, 경기장 • hospital 병원

Check up & Writing

be동사의 부정문, 의문문 이해하기

1 다음 밑줄 친 부분을 줄여 문장을 다시 쓰세요.

01 You <u>are not</u> lonely.
→ You aren't lonely.

02 His dog <u>is not</u> friendly.
→ ______________________.

03 The cake <u>was not</u> tasty.
→ ______________________.

04 She <u>is not</u> from Sweden.
→ ______________________.

05 The restaurant <u>is not</u> open.
→ ______________________.

06 It <u>was not</u> an easy decision.
→ ______________________.

07 The singer <u>was not</u> famous.
→ ______________________.

08 They <u>are not</u> good swimmers.
→ ______________________.

09 The clothes <u>were not</u> on sale.
→ ______________________.

10 We <u>are not</u> ready for the game.
→ ______________________.

11 You <u>are not</u> members of the book club.
→ ______________________.

12 Ben and Mark <u>were not</u> at the same school.
→ ______________________.

- lonely 외로운
- tasty 맛있는
- decision 결정, 판단
- on sale 할인 판매 중인
- same 같은

❷ 다음 우리말과 같은 뜻이 되도록, 주어진 단어를 이용하여 문장을 완성하세요.

01 나는 좋은 학생이 아니에요. (a good student)
→ I ___am___ ___not___ ___a___ ___good___ ___student___.

02 내 말이 맞나요? (I, right)
→ ________ ________ ________?

03 그녀가 아직도 아프니? (she, sick)
→ ________ ________ still ________?

04 이 상자가 비어 있었나요? (this box)
→ ________ ________ ________ empty?

05 너 내게 화가 났니? (you, angry)
→ ________ ________ ________ with me?

06 우리는 지금 지하철에 있지 않아요. (we)
→ ________ ________ ________ on the subway now.

07 그들은 운동에는 관심이 없었어요. (they, interested)
→ ________ ________ ________ ________ in sports.

08 너의 누나는 고등학생이니? (your sister)
→ ________ ________ ________ a high school student?

09 그 배우는 잘 생기지 않았어. (the actor)
→ ________ ________ ________ ________ good-looking.

10 그 새 신발은 내 것이 아니야. (the new shoes)
→ ________ ________ ________ ________ ________ mine.

11 수학여행은 재미없었어요. (the school trip, fun)
→ ________ ________ ________ ________ ________ ________.

12 너와 너의 친구는 공원에 있었니? (your friend)
→ ________ ________ ________ ________ ________ at the park?

• still 여전히 • empty 빈 • subway 지하철 • interested 관심[흥미] 있는 • good-looking 잘생긴

There is / There are

There is / are는 '~가 있다'라는 의미이며, 뒤에 나오는 명사의 수에 따라 동사의 수가 결정됩니다.

1 의미와 형태

뒤에 단수명사 또는 셀 수 없는 명사가 오면 There is를 쓰고, 뒤에 복수명사가 오면 There are를 씁니다. There is / are의 과거형은 There was / were이고, '~가 있었다'라는 의미를 나타냅니다.

형태	예문
「There is / was+ 단수명사, 셀 수 없는 명사」	**There is** a bank near here. 이 근처에 은행이 있어요. **There was** some milk in the glass. 유리잔에 우유가 조금 있었어요.
「There are / were+ 복수명사」	**There are** some letters in the mailbox. 우편함에 몇 통의 편지가 있어요. **There were** a lot of children on the playground. 놀이터에 많은 아이들이 있었어요.

2 There is / are의 부정문과 의문문

① There is / are의 부정문: '~가 없다'라는 의미로 be동사 뒤에 not을 붙인 형태

형태	예문
「There+be동사+not ~.」	**There is not** any food in the house. 집에 음식이 하나도 없어요. **There aren't** 30 students in my class. 우리 반에 30명의 학생이 있지 않아요. **There wasn't** a cloud in the sky. 하늘에 구름 한 점 없었어요. **There were not** many people at the park. 공원에는 사람들이 많지 않았어요.

② There is / are의 의문문: '~가 있니?'라는 의미로 be동사와 there의 위치를 바꾼 형태

형태	예문
「Be동사+there ~?」 · Yes, there be동사. · No, there be동사+not.	**Is there** a bus stop around here? 이 근처에 버스 정류장이 있나요? **Are there** any other questions? 다른 질문 있나요? **Was there** a problem with your order? 주문에 문제 있으신가요? **Were there any calls** for me? 나한테 전화 온 거 없니?

• 수나 양을 물을 때 There is/are를 사용해요. 「How many+복수명사+are there ~?」는 수를 묻는 표현이고, 「How much+셀 수 없는 명사+is there ~?」는 양을 묻는 표현이에요.

How many rooms **are there** in your house? 너의 집에 방이 몇 개 있니?
How much water **is there** in the bottle? 병에 물이 얼마나 있나요?

정답 및 해설 p.4

1 다음 우리말과 같은 뜻이 되도록, 괄호 안에서 알맞은 것을 고르세요.

01 There (is / are) an old museum in the town.
시내에 오래된 박물관이 있어요.

02 (Are / Is) there any milk in the fridge?
냉장고에 우유가 있나요?

03 There (is / are) a goldfish in the fishbowl.
어항에 금붕어가 한 마리 있어요.

04 (Is / Was) there a math test yesterday?
어제 수학 시험이 있었니?

05 There (was / were) a lot of mosquitoes.
모기가 많았어요.

06 There (was / were) a black cat outside.
밖에 검은 고양이 한 마리가 있었어요.

07 There (is / are) tall trees around the church.
교회 주위에 큰 나무들이 있어요.

08 There (not was / was not) any water in the pond.
연못에 물이 하나도 없었어요.

09 There (aren't / isn't) any apples in the basket.
바구니에 사과가 하나도 없어요.

10 (Was / Were) there lots of people at the party?
파티에 사람들이 많이 있었니?

11 There (isn't / aren't) any cheese in this sandwich.
이 샌드위치에 치즈가 없어요.

12 (There are / Are there) any polar bears in the zoo?
동물원에 북극곰이 있나요?

WORDS

- museum 박물관
- goldfish 금붕어
- fishbowl 어항
- mosquito 모기
- around 주위에
- pond 연못
- polar bear 북극곰

Start up

There is / There are 형태 익히기

❶ 다음 빈칸에 There is 또는 There are를 쓰세요.

01 ___There are___ three girls at the table.

02 ________________ a fly on the window.

03 ________________ a parrot in the cage.

04 ________________ a woman at the door.

05 ________________ a lot of snow outside.

06 ________________ some salt in the soup.

07 ________________ dirty dishes in the sink.

08 ________________ some juice in the glass.

09 ________________ five baseballs on the desk.

10 ________________ a lot of stores downtown.

11 ________________ only two schools in the town.

12 ________________ lots of cars in the parking lot.

13 ________________ a small town on the mountain.

14 ________________ 40 members in the debate club.

15 ________________ a post office beside the fire station.

WORDS

- fly 파리
- parrot 앵무새
- cage 우리, 새장
- salt 소금
- downtown 시내에
- parking lot 주차장
- debate 토론
- beside ~옆에
- fire station 소방서

❷ 다음 문장을 주어진 지시에 따라 바꿔 쓰세요.

01 There is much money in my wallet.
부정문 → There is not[isn't] much money in my wallet

02 There is a TV in his house.
부정문 → ______

03 There was enough food for everyone.
부정문 → ______

04 There are two white tigers in the zoo.
부정문 → ______

05 There were a lot of people at the mall.
부정문 → ______

06 There are many pictures in the storybook.
부정문 → ______

07 There is an art gallery in the town.
의문문 → ______

08 There is a mirror in your room.
의문문 → ______

09 There are four seasons in Korea.
의문문 → ______

10 There were toy robots in the box.
의문문 → ______

11 There was a lemon tree in the garden.
의문문 → ______

12 There are sandwiches on the kitchen table.
의문문 → ______

WORDS
- wallet 지갑
- enough 충분한
- everyone 모든 사람
- art gallery 미술관
- mirror 거울
- season 계절

Check up & Writing

문장에서 There is / are 학습하기

1 There is / are를 이용해서 다음 대화를 완성하세요.

01 A: ______Are there______ any cookies in the basket?
B: Yes, there are.

02 A: Was there homework yesterday?
B: No, ____________________.

03 A: Are there comic books in your backpack?
B: No, ____________________.

04 A: Were there many people at the restaurant?
B: Yes, ____________________.

05 A: Are there any pretty girls in your classroom?
B: Yes, ____________________.

06 A: ____________________ much water in the pot?
B: No, there isn't any water.

07 A: ____________________ a gas station near here?
B: Yes, there is one at the corner.

08 A: ____________________ enough chairs for the guests?
B: No, there aren't.

09 A: How much butter ____________________ in the fridge?
B: There is only a little left.

10 A: How many pictures ____________________ on the wall?
B: There are three pictures.

11 A: How many people ____________________ in your family?
B: There are five people.

12 A: How much money ____________________ in your pocket?
B: There is $10.

· backpack 배낭 · pot 냄비 · gas station 주유소 · corner 모퉁이 · guest 손님 · pocket 주머니

정답 및 해설 p.4

2 다음 우리말과 같은 뜻이 되도록, 주어진 단어를 바르게 배열하여 문장을 완성하세요.

01 여기에 오래된 건물들이 있었어. (there, old buildings, were)
→ There were old buildings here.

02 사막에는 물이 없어. (any water, there, not, is)
→ ______________________ in the desert.

03 기쁜 소식이 있어요. (is, some good news, there)
→ ______________________.

04 어젯밤에 사고가 있었나요? (an accident, there, was)
→ ______________________ last night?

05 시간이 많지 않았어요. (not, was, much time, there)
→ ______________________.

06 나에게 온 편지가 있었나요? (were, any letters, there)
→ ______________________ for me?

07 침실에 두 개의 침대가 있나요? (there, two beds, are)
→ ______________________ in the bedroom?

08 이 근처에 버스 정류장이 있나요? (a bus stop, there, is)
→ ______________________ near here?

09 바다에 상어 세 마리가 있어요. (three sharks, are, there)
→ ______________________ in the sea.

10 학교 버스에 20명의 학생이 있어요. (are, there, 20 students)
→ ______________________ on the school bus.

11 바구니에 안에 오렌지가 하나 있었어요. (was, an orange, there)
→ ______________________ in the basket.

12 그 식당에 빈 테이블이 없었어요. (were, any empty tables, not, there)
→ ______________________ in the restaurant.

WORDS
- building 건물
- desert 사막
- news 뉴스, 소식
- accident 사고
- bedroom 침실
- shark 상어

Level up

be동사 최종 점검하기

1 다음 주어진 단어와 be동사를 써서 주어진 지시대로 문장을 완성하세요.

01 ______I am______ in Russia now. (I) 현재형

02 ____________ all right? (you) 현재형

03 ____________ fish. (whales/not) 현재형

04 ____________ very different. (they) 현재형

05 ____________ a rich man. (he/not) 현재형

06 ____________ too tight. (these pants) 현재형

07 ____________ a lamp on the table? (there) 현재형

08 ____________ only two cars in the parking lot. (there) 현재형

09 ____________ busy last week. (we/not) 과거형

10 ____________ interested in paintings? (she) 과거형

11 ____________ any water in the vase. (there/not) 과거형

12 ____________ excited about their vacation. (the students) 과거형

13 ____________ at the gym yesterday afternoon. (I/not) 과거형

14 ____________ five people in the waiting room? (there) 과거형

15 ____________ in the first grade last year. (my daughter) 과거형

WORDS

- whale 고래
- different 다른
- rich 부유한
- tight 끼는
- lamp 램프, 등
- parking lot 주차장
- excited 신이 난, 흥분한
- waiting room 대기실
- daughter 딸

정답 및 해설 p.5

❷ 다음 밑줄 친 부분이 올바르면 ○표, 틀리면 바르게 고치세요.

01 I was very sleepy now. — am

02 I amn't a coward.

03 The river not is deep.

04 Were it a sad movie?

05 Are these grapes fresh?

06 There is 12 months a year.

07 She isn't a popular actress.

08 Are your sister nice to you?

09 My parents is angry with me.

10 Walter is in the library yesterday.

11 My brothers are in Japan in 2010.

12 The socks not were in the drawer.

13 There aren't any milk in the fridge.

14 How many parks are there in the city?

15 Was there many people on the subway?

• coward 겁쟁이 • deep 깊은 • drawer 서랍

Level up

3 다음 우리말과 같은 뜻이 되도록, 주어진 단어를 이용해서 문장을 완성하세요.

01 그는 축구를 잘하니? (good)

→ Is he good at soccer?

02 그들은 매우 예의 바르다. (very polite)

→ ________ ________ ________ ________.

03 거미들은 곤충이 아니야. (spiders, insects)

→ ________ ________ ________ ________.

04 그녀의 책들은 재미있니? (her books, interesting)

→ ________ ________ ________ ________?

05 Steve는 좋은 사람이야. (a nice guy)

→ ________ ________ ________ ________ ________.

06 그녀의 방에 예쁜 인형들이 있어요. (pretty dolls)

→ ________ ________ ________ ________ in her room.

07 미국에는 50개의 주가 있나요? (fifty states)

→ ________ ________ ________ ________ in the USA?

08 그녀는 2시간 전에 학교에 있었니? (at school)

→ ________ ________ ________ ________ two hours ago?

09 우리 집 근처에 호수가 하나 있어요. (a lake)

→ ________ ________ ________ ________ near my house.

10 스페인어 시험이 쉽지 않았어. (the Spanish test)

→ ________ ________ ________ ________ ________ easy.

11 나는 야구 광팬이야. (a big fan)

→ ________ ________ ________ ________ ________ of baseball.

12 그 서점에는 화장실이 없어. (a restroom)

→ ________ ________ ________ ________ ________ in the bookstore.

• polite 예의 바른 • insect 곤충 • doll 인형 • state 주(州) • restroom 화장실

정답 및 해설 p.5

❹ 다음 우리말과 같은 뜻이 되도록, 주어진 단어를 바르게 배열하여 문장을 완성하세요.

01 너 아프니? (you, sick, are)
→ Are you sick?

02 그는 농구 선수예요. (is, a basketball player, he)
→ ________________.

03 이 근처에 약국이 있나요? (is, a drugstore, there)
→ ________________ near here?

04 그들은 그의 이야기가 지루했다. (bored, they, were)
→ ________________ with his stories.

05 이 가방들이 너의 것이니? (yours, are, these bags)
→ ________________?

06 병에 주스가 많지 않았어요. (was, there, much juice, not)
→ ________________ in the bottle.

07 이 마을에는 세 개의 극장이 있다. (are, there, three theaters)
→ ________________ in this town.

08 치킨 샐러드는 맛있었다. (was, delicious, the chicken salad)
→ ________________.

09 내 여동생은 열 살이 아니다. (10 years old, is, my sister, not)
→ ________________.

10 2000년에 Brian은 스케이트 선수였나요? (Brian, was, a skater)
→ ________________ in 2000?

11 나는 여러분의 새로운 수학 선생님이에요. (am, I, your new math teacher)
→ ________________.

12 우리는 작년에 같은 미술 수업에 있지 않았어. (not, were, in, we, the same art class)
→ ________________ last year.

WORDS
• drugstore 약국 • salad 샐러드 • skater 스케이트 선수

Actual test

[1-3] 다음 빈칸에 들어갈 말로 알맞은 것을 고르세요.

1

I ______________ very hungry now.

① am ② are ③ is
④ was ⑤ were

2

He ______________ in Hawaii last summer.

① am ② are ③ is
④ was ⑤ were

3

There is ______________ on the dish.

① cookies ② doughnuts ③ cheese
④ grapes ⑤ candies

[4-5] 다음 빈칸에 들어갈 말이 바르게 짝지어진 것을 고르세요.

4

It ______________ sunny yesterday. It ______________ snowy now.

① is - is ② was - is ③ was - was
④ is - were ⑤ are - were

5

They __________ in the gym an hour ago. They __________ in the library now.

① are - are ② are - were ③ were - are
④ are - was ⑤ is - was

Note

1
주어 1인칭 단수이고 문장 뒤에 now가 있어요.

2
주어가 3인칭 단수이고 문장 뒤에 last summer가 있어요.

3
There is가 있으므로 단수명사나 셀 수 없는 명사가 와야 해요.

4
앞 문장에는 yesterday, 뒤 문장에는 now가 있어요.

5
앞 문장에는 an hour ago, 뒤 문장에는 now가 있어요.

정답 및 해설 p.6

6 다음 문장의 밑줄 친 부분과 의미가 같은 것은?

She is at the concert now.

① Will is my good friend.
② Christine is a lovely girl.
③ Paul is in the backyard.
④ The movie is very funny.
⑤ This soup is delicious.

[7-8] 다음 대화의 빈칸에 알맞은 말을 고르세요.

7

A: Is it Sunday today?
B: No, it ______________.

① is ② isn't ③ aren't
④ was ⑤ wasn't

8

A: ______________ late for school?
B: Yes, you are.

① Am I ② Are you ③ Is she
④ Are they ⑤ Are there

9 다음 빈칸에 들어갈 말이 나머지 넷과 다른 것은?

① I _______ busy last weekend.
② She _______ in China last year.
③ My dog _______ very sick now.
④ It _______ rainy this morning.
⑤ There _______ an accident yesterday.

Note

6
「be동사+명사, 형용사」는 '~이다/하다'라는 의미이고, 「be동사+장소를 나타내는 말」은 '~에 있다'라는 의미예요.

7
부정의 대답은 「No, 주어(대명사)+be동사+not」의 형태예요.

8
you are로 대답하고 있어요.

9
시제가 다른 문장을 찾아보세요.

10 다음 긍정문을 부정문으로 고친 것 중 잘못된 것은?

① He is my English teacher.
→ He isn't my English teacher.
② We are interested in sea animals.
→ We aren't interested in sea animals.
③ I am happy with my grades.
→ I amn't happy with my grades.
④ Jeff was angry with his brother.
→ Jeff wasn't angry with his brother.
⑤ There were a lot of people at the airport.
→ There weren't a lot of people at the airport.

[11-13] 다음 밑줄 친 부분이 잘못된 것을 고르세요.

11 ① It is a popular song.
② Today is not my birthday.
③ Two cats are on the roof.
④ Are Mike afraid of water?
⑤ We were on the train at that time.

12 ① I am from Taiwan.
② The pants aren't cheap.
③ Are these flowers roses?
④ You isn't a police officer.
⑤ Were you absent from school yesterday?

13 ① There was a car outside.
② Is there a coffee shop near here?
③ There aren't any sugar in the pot.
④ There are spoons and forks on the table.
⑤ There weren't any students in the classroom then.

Note

10
be interested in ~에 관심[흥미]가 있다
grade 성적, 학점
airport 공항

11
주어의 수를 확인하세요.
roof 지붕

12
Taiwan 대만, 타이완
cheap 싼
absent from ~에 결석한

13
be동사 뒤에 있는 명사의 수를 확인하세요.
pot 병, 냄비

정답 및 해설 p.6

14 다음 대화 중 자연스럽지 <u>않은</u> 것은?

① A: Is that book $15?
B: No, it isn't. It's $10.
② A: Is Clare a shy girl?
B: No, she isn't.
③ A: Are you excited about the camp?
B: Yes, we are.
④ A: Are Richard and Sue in the same club?
B: No, he isn't.
⑤ A: Is there any cold water?
B: Yes, there is some in the fridge.

15 다음 빈칸에 알맞은 be동사를 써서 문장을 완성하세요.

1) Sam and Max ___________ my classmates last year.

2) She ___________ in the bathroom now.

16 다음 빈칸에 There are 또는 There is를 쓰세요.

1) ___________ some tea in the cup.

2) ___________ five swans on the river.

Note

14
주어의 수를 확인하세요.

15
1) 주어가 복수명사이고 문장 끝에 last year가 있어요.
2) 주어가 3인칭 단수이고 문장 끝에 now가 있어요.

16
빈칸 뒤에 명사의 수를 확인하세요.
swan 백조

Actual test

[17-18] 다음 문장을 주어진 지시대로 바꿔 쓰세요.

17 They were surprised at the news. (부정문)

→ ______________________________.

18 Your father is an architect. (의문문)

→ ______________________________?

[19-20] 다음 우리말과 같은 뜻이 되도록, 주어진 단어와 be동사를 이용하여 문장을 완성하세요.

19 이 연필들이 너의 것이니? (these pencils)

→ ____________________ yours?

20 그는 30분 전에 학교에 있었다. 그는 지금 집에 있다. (He)

→ __________ at school half an hour ago. __________ at home now.

Note

18
architect 건축가

19
주어가 복수명사예요.
yours 너의 것

20
시간을 나타내는 부사(구)를 찾고, 시제를 확인해 보세요.
half 반, 30분

일반동사

일반동사의 현재형

일반동사는 be동사와 조동사를 제외한 동사를 말하며, 주어의 동작이나 상태를 나타냅니다.

1 일반동사 현재형의 의미

현재의 사실이나 상태, 반복적인 행동이나 습관, 변하지 않는 진리 등을 나타냅니다.

쓰임	예문
현재의 사실 · 상태	Ryan **works** for a newspaper. Ryan은 신문사에서 일해요.
반복적인 행동 · 습관	I **go** for a walk after dinner. 나는 저녁 식사 후 산책하러 가요.
변하지 않는 진리	Fish **live** in the sea. 물고기는 바다에 살아요.

• 일반동사의 현재형은 주로 every day, every Saturday, on Tuesdays, once a month, these days 등의 현재를 나타내는 부사구와 함께 쓰여요.

2 일반동사 현재형의 형태

주어가 1 · 2인칭 단 · 복수, 3인칭 복수, 복수명사일 경우는 동사원형을 쓰고, 주어가 3인칭 단수, 단수명사일 경우는 동사원형+-s/-es를 씁니다.

주어	동사의 형태	예문
• 1 · 2인칭 단 · 복수 • 3인칭 복수 • 복수명사	동사원형	I **learn** the guitar every Saturday. 나는 매주 토요일에 기타를 배워. You **look** great in the sweater. 그 스웨터를 입으니 너 멋있구나. They **visit** me every Sunday. 그들은 매주 일요일 나를 방문해요. Parents **love** their children. 부모님들은 자녀들을 사랑한다.
• 3인칭 단수 • 단수명사	3인칭 단수 현재형	She **reads** a newspaper in the morning. 그녀는 아침에 신문을 읽어요. A koala **sleeps** 19 hours a day. 코알라는 하루에 19시간을 잔다.

① 3인칭 단수 현재형

대부분의 동사	동사원형+-s	arrive**s** eat**s** know**s** read**s** love**s** play**s** sing**s** want**s**
o, x, s, sh, ch로 끝나는 동사	동사원형+-es	do**es** go**es** fix**es** mix**es** pass**es** wash**es** teach**es**
「자음+y」로 끝나는 동사	y를 i로 고치고+-es	cry → **cries** study → **studies** try → **tries** worry → **worries**
불규칙 동사	have → **has**	

Warm up

정답 및 해설 p.7

❶ 다음 동사의 3인칭 단수 현재형을 쓰세요.

01	go	goes	26	hear	
02	have		27	arrive	
03	walk		28	hold	
04	listen		29	tie	
05	try		30	follow	
06	use		31	wait	
07	kiss		32	wish	
08	hope		33	carry	
09	believe		34	allow	
10	hurry		35	pay	
11	tell		36	reply	
12	build		37	laugh	
13	die		38	travel	
14	marry		39	delay	
15	invent		40	pass	
16	act		41	treat	
17	keep		42	happen	
18	relax		43	cross	
19	mix		44	ask	
20	save		45	think	
21	finish		46	stand	
22	remember		47	give	
23	find		48	say	
24	set		49	wake	
25	move		50	belong	

WORDS

- marry 결혼하다 • invent 발명하다 • act 행동하다 • relax 휴식을 취하다 • save 절약하다, 저축하다
- allow 허락하다 • reply 대답하다, 답장을 보내다 • delay 미루다, 연기하다 • treat 대하다 • belong (제 자리에) 있다

일반동사 형태 익히기

1 다음 괄호 안에서 알맞은 것을 고르세요.

01 I (go / goes) to the gym after school.

02 Lions (live / lives) in groups.

03 It (taste / tastes) sweet and sour.

04 Trees (grow / grows) fast in summer.

05 The baby (cry / cries) loudly at night.

06 My sisters (play / plays) the cello well.

07 They (speak / speaks) German fluently.

08 He (teach / teaches) English at college.

09 The movie (has / have) a happy ending.

10 You (love / loves) macaroni and cheese.

11 Our school (finish / finishes) at three thirty.

12 Ron (do / does) his homework after dinner.

13 We (pray / prays) for our family and friends.

14 The train (leave / leaves) for Montreal at six.

15 Kathy (exercise / exercises) three times a week.

WORDS

· in group 무리 지어 · sour 신 · loudly 시끄럽게 · fluently 유창하게 · college 대학
· ending (영화 등의) 결말 · macaroni and cheese 마카로니 치즈 · pray for ~을 위해 기도하다

정답 및 해설 p.7

❷ 다음 주어진 동사의 현재형을 써서 문장을 완성하세요.

01 I ___write___ him an email every day. (write)

02 It ________________ interesting. (sound)

03 The river ________________ into the sea. (flow)

04 The girl always ________________ at me. (smile)

05 You ________________ a lot about science. (know)

06 The museum ________________ at 9 o'clock. (open)

07 We ________________ our teeth after meals. (brush)

08 She ________________ clothes on the Internet. (buy)

09 Mr. Thomson ________________ next door to us. (live)

10 Eric ________________ a shower every morning. (take)

11 Male peacocks ________________ colorful feathers. (have)

12 Mom ________________ muffins on Sunday mornings. (bake)

13 My aunt ________________ fashion design in New York. (study)

14 My dad always ________________ broken things in the house. (fix)

15 The Christmas holidays ________________ on December 24th. (begin)

WORDS

• sound ~인 것 같다, ~처럼 들리다 • flow 흐르다 • meal 식사 • next door to ~의 이웃에, ~의 옆집에
• male 수컷(의) • peacock 공작새 • colorful 화려한 • feather 깃털 • muffin 머핀

Check up & Writing

문장에서 일반동사 현재형 학습하기

1 다음 밑줄 친 부분이 올바르면 ○표, 틀리면 바르게 고치세요.

01 I works in an Italian restaurant. work

02 They needs your advice.

03 The class starts at 10:30.

04 He catchs fish for money.

05 The store sell used books.

06 The bird flys up into the air.

07 It costs 5 dollars and 20 cents.

08 He dos the laundry twice a week.

09 My son mixs well with his friends.

10 Peter always paies his bill on time.

11 She usually carries a big black bag.

12 The bus runes every thirty minutes.

13 Rachel often worry about her future.

14 We goes to school five days a week.

15 Owen and Richard looks like brothers.

WORDS

- advice 충고
- used 중고의
- air 공기; 공중
- cost (값, 비용이) ~이다, 들다
- do the wash 빨래를 하다
- mix well 잘 어울리다
- bill 고지서, 청구서
- run 운행하다, 다니다
- future 미래

❷ 다음 우리말과 같은 뜻이 되도록, 주어진 단어를 이용하여 문장을 완성하세요.

01 우리 부모님은 나를 매우 잘 이해해주세요. (my parents, understand)
→ ___My___ ___parents___ ___understand___ me very well.

02 Angolina는 외국에서 공부해요. (Angelina, study)
→ __________ __________ abroad.

03 그들은 8시 전에 집에 가요. (go)
→ __________ __________ home before 8.

04 그는 모든 일에 최선을 다해요. (try)
→ __________ __________ his best in everything.

05 그의 머리는 천장에 닿아요. (his head, touch)
→ __________ __________ __________ the ceiling.

06 나는 항상 내 전화기를 잊어버려요. (lose)
→ __________ __________ my phone all the time.

07 내 개는 낯선 사람을 보면 짖는다. (my dog, bark)
→ __________ __________ __________ at strangers.

08 우리는 매일 첫 기차를 타요. (we, take)
→ __________ __________ the first train every day.

09 그 회사는 영어책을 출간한다. (the company, publish)
→ __________ __________ __________ English books.

10 그녀는 금요일 저녁마다 친구들을 봐요. (see)
→ __________ __________ her friends every Friday evening.

11 그 노인은 빈 병을 모아요. (the old man, collect)
→ __________ __________ __________ __________ empty bottles.

12 우리 형들은 주말마다 컴퓨터 게임을 해. (my brothers, play)
→ __________ __________ __________ computer games on weekends.

WORDS
- understand 이해하다
- abroad 해외에서, 해외로
- try one's best 최선을 다하다
- touch 만지다, 닿다
- ceiling 천장
- bark 짖다
- stranger 낯선 사람
- company 회사
- publish 출판하다
- collect 모으다

일반동사의 과거형

과거에 발생한 동작이나 상태를 나타내며, 주어의 인칭이나 수에 상관없이 같은 형태로 씁니다.

1 일반동사의 과거형

과거에 발생한 일과 역사적인 사실을 나타낼 때 씁니다.

쓰임	예문
과거의 한 시점에서 발생한 동작 · 상태	They **went** on a trip last month. 그들은 지난달에 여행을 떠났어요. Nick and Sarah **liked** each other. Nick과 Sarah는 서로 좋아했어요.
역사적인 사실	World War II **ended** in 1945. 2차 세계 대전은 1945년에 끝났다. Eliot **wrote** many great poems. Eliot은 많은 훌륭한 시를 썼어요.

• 일반동사의 과거형은 주로 yesterday, last ~, ~ ago, in 과거연도 등 과거를 나타내는 시간 표현과 함께 써요.

2 일반동사의 과거형 만드는 법

① 규칙 변화

대부분의 동사	동사원형+-ed	act**ed** start**ed**	fix**ed** walk**ed**	laugh**ed** play**ed**	end**ed** talk**ed**
-e로 끝나는 동사	동사원형+-d	arrive**d** decide**d**	like**d** live**d**	move**d** invite**d**	close**d** smile**d**
「자음+y」로 끝나는 동사	y를 i로 고치고+-ed	stud**ied** worr**ied**	cr**ied** tr**ied**	hurr**ied** marr**ied**	carr**ied**
「단모음+단자음」으로 끝나는 동사	자음을 한 번 더 쓰고 +-ed	drop - drop**ped** chat - chat**ted**		plan - plan**ned** stop - stop**ped**	

② 불규칙 변화

현재형과 과거형의 형태가 같은 동사	cut - **cut** read[ri:d] - **read**[réd]		put - **put** hurt - **hurt**	hit - **hit** set - **set**
현재형과 과거형의 형태가 다른 동사	begin - **began** catch - **caught** find - **found** drink - **drank** get - **got** lose - **lost** ride - **rode** sleep - **slept** sit - **sat** win - **won**	bring - **brought** come - **came** go - **went** hear - **heard** give - **gave** meet - **met** run - **ran** send - **sent** tell - **told** write - **wrote**	buy - **bought** eat - **ate** know - **knew** keep - **kept** fly - **flew** make - **made** see - **saw** sing - **sang** take - **took** teach - **taught**	do - **did** feel - **felt** have - **had** lend - **lent** leave - **left** pay - **paid** say - **said** spend - **spent** think - **thought** wear - **wore**

정답 및 해설 p.8

1 다음 괄호 안에서 알맞은 것을 고르세요.

01 Max (has / had) an old bike last month.
He (has / had) a new bike now.

02 I often (see / saw) Kelly these days.
I (see / saw) her yesterday.

03 You (look / looked) beautiful last night.
You (look / looked) great now.

04 They (live / lived) in the country a year ago.
They (live / lived) in the city now.

05 We (learn / learned) yoga these days.
We (learn / learned) ballet six months ago.

06 Dad (comes / came) home late last week.
Dad (comes / came) home early these days.

07 Nowadays, lots of people (raise / raised) pets.
I (raise / raised) a dog about ten years ago.

08 Many people in Asia (eat / ate) rice every day.
He (eats / ate) two bowls of rice this morning.

09 It (rains / rained) hard last night.
It (rains / rained) a lot during the summer in Korea.

10 My sister (works / worked) at a post office now.
She (works / worked) at a bank in 2015.

11 Julian (reads / read) news on the Internet nowadays.
He (reads / read) a newspaper every morning last year.

• ballet 발레 • nowadays 요즘에는 • raise 키우다, 기르다 • pet 애완동물 • rice 쌀 • during ~동안

Start up 일반동사의 과거형 익히기

1 다음 주어진 동사의 과거형을 써서 문장을 완성하세요.

01 Cindy ___cut___ the cake in half. (cut)

02 She ______________ me a scary story. (tell)

03 I ______________ two glasses of milk. (drink)

04 I ______________ about you last night. (worry)

05 His words ______________ my feelings. (hurt)

06 They ______________ to a new apartment. (move)

07 Alex ______________ a big fish in the lake. (catch)

08 We ______________ up early in the morning. (wake)

09 I ______________ your car key under the sofa. (find)

10 He ______________ his vacation in Gold Coast. (spend)

11 My mom ______________ me a good-night kiss. (give)

12 Mr. Jones ______________ geography last year. (teach)

13 Brian ______________ ham sandwiches for lunch. (bring)

14 My sister ______________ her hairstyle yesterday. (change)

15 Janet ______________ the school bus this morning. (miss)

WORDS

• half 반, 절반 • in half 반으로 • scary 무서운 • feeling 감정, 기분 • apartment 아파트
• geography 지리학 • change 바꾸다 • hairstyle 머리 모양

정답 및 해설 p.9

❷ 다음 밑줄 친 부분이 올바르면 ○표, 틀리면 바르게 고치세요.

01 Rachel <u>putted</u> milk in her tea. put

02 I <u>enjoied</u> the festival a lot.

03 He first <u>meet</u> Jane in 2010.

04 The elevator <u>stoped</u> suddenly.

05 I <u>droped</u> a spoon on the floor.

06 You <u>did</u> a good job on the project.

07 She <u>leaved</u> town a few weeks ago.

08 Dave <u>had</u> a stomachache last night.

09 Karen <u>lended</u> me her favorite necklace.

10 Mr. Dean <u>arriveed</u> in Japan yesterday.

11 He <u>losed</u> his smartphone on the subway.

12 The movie was very sad and I <u>cryed</u> a lot.

13 Ron <u>maked</u> plans for his summer vacation.

14 She <u>opens</u> an accessories shop last month.

15 Christina <u>received</u> gifts and cards from her friends.

- festival 축제, 페스티벌
- suddenly 갑자기
- drop 떨어뜨리다
- a few 두서너 개의
- stomachache 복통
- necklace 목걸이
- open 열다, 개업하다
- accessories 액세서리

Check up & Writing

일반동사 부정문 쓰기

1 다음 문장을 과거형으로 바꿔 쓰세요.

01 I learn to swim these days.
→ I learned to swim last summer vacation.

02 We grow strawberries in the garden.
→ ______________________ last year.

03 Mom reads me a book every night.
→ ______________________ last night.

04 The birds fly south in winter.
→ ______________________ last winter.

05 Eric thinks about the problem all the time.
→ ______________________ last month.

06 He writes her a love letter once a week.
→ ______________________ an hour ago.

07 Rick runs around the park every morning.
→ ______________________ this morning.

08 She takes a walk every day.
→ ______________________ this afternoon.

09 My father rides a bike to work.
→ ______________________ to work today.

10 Dad fixes the hole on the roof.
→ ______________________ on the roof yesterday.

11 The cafe closes at 10 o'clock.
→ ______________________ at 12 o'clock last night.

12 Billy knows the truth about her now.
→ ______________________ about her three days ago.

WORDS

- strawberry 딸기
- south 남쪽으로
- problem 문제
- all the time 항상
- around 주위에
- hole 구멍
- roof 지붕
- truth 진실

정답 및 해설 p.9

❷ 다음 우리말과 같은 뜻이 되도록, 주어진 단어를 이용하여 문장을 완성하세요.

01 우리는 파티에서 즐거운 시간을 보냈다. (have a good time)
→ We ___had___ ___a___ ___good___ ___time___ at the party.

02 누군가가 내 지갑을 가져갔어. (take, my wallet)
→ Someone ________ ________ ________.

03 Max가 오늘 점심 값을 지불했어. (pay for, lunch)
→ Max ________ ________ ________ today.

04 Ellie는 자신의 가족사진을 우리에게 보여주었어요. (show, us)
→ Ellie ________ ________ her family picture.

05 지난겨울에 눈이 많이 내렸어요. (snow, a lot)
→ It ________ ________ ________ last winter.

06 우리 어머니가 우리에게 주려고 쿠키를 구웠다. (bake, cookies)
→ My mother ________ ________ for us.

07 그녀는 피아노에 맞춰 노래를 불렀어요. (sing, to the piano)
→ She ________ ________ ________ ________.

08 그는 내가 역사 보고서를 쓰는 걸 도와줬어. (help, me)
→ He ________ ________ with my history report.

09 아빠가 망치로 못을 쳤다. (hit, the nail)
→ Dad ________ ________ ________ with a hammer.

10 Betty와 나는 전화로 수다를 떨었다. (chat, on the phone)
→ Betty and I ________ ________ ________ ________.

11 내 남동생이 저녁을 먹은 후 설거지를 했다. (do the dishes)
→ My brother ________ ________ ________ after dinner.

12 Linda는 수학 시험공부를 매우 열심히 했다. (study very hard)
→ Linda ________ ________ ________ for her math test.

WORDS
- pay for 지불하다
- bake 굽다
- hit 치다, 때리다
- nail 못
- hammer 망치
- chat 수다 떨다
- do the dishes 설거지하다

일반동사의 부정문

일반동사의 부정문은 일반동사의 앞에 do / does / did not을 써서 만듭니다.

1 일반동사의 현재형 부정문

'~하지 않는다'라는 의미이며, 「주어+do/does not+동사원형」의 형태입니다. do not은 don't로, does not은 doesn't로 줄여 쓸 수 있습니다.

주어	형태	예문
I / You / They / We / 복수명사	do not[don't]+ 동사원형	I like hip-pop music. → I **do not**(=**don't**) **like** hip-pop music. 나는 힙합 음악을 좋아하지 않아. They wear school uniforms. → They **do not**(=**don't**) **wear** school uniforms. 그들은 교복을 입지 않아요. The students listen to their teacher. → The students **do not**(=**don't**) **listen** to their teacher. 그 학생들은 선생님 말씀을 듣지 않아요.
He / She / It / 단수명사	does not[doesn't]+ 동사원형	She needs a new computer. → She **does not**(=**doesn't**) need a new computer. 그녀는 새 컴퓨터가 필요하지 않아요. Jones studies Spanish these days. → Jones **does not**(=**doesn't**) study Spanish these days. Jones는 요즘 스페인어를 공부하지 않아요.

2 일반동사의 과거형 부정문

'~하지 않았다'라는 의미이며, 「주어+did not+동사원형」의 형태입니다. did not은 didn't로 줄여 쓸 수 있습니다.

주어	형태	예문
모든 수와 인칭	did not[didn't]+ 동사원형	You got up late this morning. → You **did not**(=**didn't**) **get** up late this morning. 너는 오늘 아침에 늦게 일어나지 않았어. He called me last night. → He **did not**(=**didn't**) **call** me last night. 그는 어젯밤에 나에게 전화하지 않았어.

• 일반동사 부정문에서 do not[don't], does not[doesn't], did not[didn't] 뒤에는 동사원형이 와요.

정답 및 해설 p.10

1 다음 괄호 안에서 알맞은 것을 고르세요.

01 I (don't / doesn't) know much about Paul.

02 This shirt (don't / doesn't) fit me.

03 The boy (don't / didn't) steal anything.

04 She (don't / doesn't) wear skinny jeans.

05 Sandra (don't / doesn't) enjoy shopping.

06 They (don't / doesn't) watch TV dramas.

07 We (doesn't / didn't) order chicken salad.

08 You (don't / doesn't) listen to me carefully.

09 I (don't / didn't) have any free time last week.

10 You (don't / didn't) tell me the news yesterday.

11 It's still cold. It (don't / doesn't) feel like spring.

12 Vegetarians (don't / doesn't) eat meat and fish.

13 James and Bill (don't / doesn't) talk to each other.

14 They (doesn't / didn't) win the championship in 2016.

15 Ted (doesn't / didn't) play on the soccer team last year.

WORDS

• fit 맞다 • skinny (옷이) 몸에 붙게 디자인 된, 깡마른 • steal 훔치다 • carefully 주의 깊게 • still 여전히, 아직도
• vegetarian 채식주의자 • meat 고기 • championship 선수권 대회

Start up 일반동사 부정문 형태 익히기

1 다음 괄호 안의 동사를 이용하여, 주어진 시제의 일반동사 부정문을 완성하세요. (단, 줄임말로 쓸 것)

01 I ___don't like___ rainy days. (like) 현재형

02 You ________________ his help. (want) 현재형

03 They ________________ along well. (get) 현재형

04 We ________________ more food. (need) 현재형

05 She ________________ comic books. (read) 현재형

06 It ________________ interesting to me. (sound) 현재형

07 My computer ________________ properly. (work) 현재형

08 My mom ________________ sugar in her recipes. (use) 현재형

09 He ________________ the last train. (take) 과거형

10 We ________________ long for the bus. (wait) 과거형

11 Sophia ________________ me ice cream. (buy) 과거형

12 You ________________ at a red traffic light. (stop) 과거형

13 Kevin lost the game. He ________________ enough. (practice) 과거형

14 They ________________ the British Museum in London. (visit) 과거형

15 Willy and Jane ________________ to the movies last night. (go) 과거형

WORDS

- rainy 비가 내리는
- get along well 잘 지내다
- properly 제대로
- sugar 설탕
- recipe 조리법, 요리법
- traffic 교통
- practice 연습하다
- enough 충분히

정답 및 해설 p.10

❷ 다음 밑줄 친 부분이 올바르면 ○표, 틀리면 바르게 고치세요.

01 We doesn't speak German. don't speak

02 My dog doesn't bite people.

03 I am not listen to rock music.

04 They don't watched TV news.

05 Steven didn't cooks the noodles.

06 You didn't eat much these days.

07 I don't save much money last year.

08 She didn't left for Toronto last night.

09 He don't talk much about his family.

10 They don't understand my situation.

11 The teacher didn't ask me a question.

12 We did have not lunch together today.

13 Jennifer isn't work at the hotel any more.

14 Amanda not did say hello to me when she saw me.

15 Lena didn't spend much time with her friends these days.

- bite 물다
- noodle 국수
- save 저축하다, 절약하다
- understand 이해하다
- situation 상황
- any more 더 이상
- say hello to ~에게 인사하다

Check up & Writing

일반동사 부정문 쓰기

1 다음 문장을 부정문으로 바꾸고 주어진 단어를 이용하여 긍정문으로 만드세요.

01 I have a kitten. (a puppy)

→ I don't have a kitten.

→ I have a puppy.

02 My brother rides a motorbike. (a bike)

→ ______________________.

→ ______________________.

03 We go camping on Monday. (on Saturday)

→ ______________________.

→ ______________________.

04 Carol plays the trumpet in the orchestra. (the flute)

→ ______________________.

→ ______________________.

05 I traveled by train. (by plane)

→ ______________________.

→ ______________________.

06 Dad came home early after work. (late)

→ ______________________.

→ ______________________.

07 They sell meat and chicken. (vegetables and fruit)

→ ______________________.

→ ______________________.

08 Rachel read an adventure novel. (a romantic novel)

→ ______________________.

→ ______________________.

WORDS

- kitten 새끼고양이
- motorbike 오토바이
- go camping 캠핑 가다
- trumpet 트럼펫
- flute 플루트
- orchestra 오케스트라, 관현악단
- adventure 모험
- romantic 로맨틱한

정답 및 해설 p.10

❷ 다음 우리말과 같은 뜻이 되도록, 주어진 단어를 이용하여 문장을 완성하세요.

01 나는 형제자매가 없어요. (have, brothers and sisters)
→ I __don't__ __have__ __brothers__ __and__ __sisters__.

02 그는 오늘 기분이 안 좋아 보여. (look good)
→ He ________ ________ ________ today.

03 나는 유리잔을 떨어뜨리지 않았어요. (drop, the glass)
→ I ________ ________ ________ ________.

04 우리 부모님은 나를 야단치지 않으세요. (scold, me)
→ My parents ________ ________ ________.

05 그녀는 밤에 커피를 마시지 않아요. (drink, coffee)
→ She ________ ________ ________ at night.

06 Richard와 나는 골프를 치지 않아요. (play, golf)
→ Richard and I ________ ________ ________.

07 그 자명종 시계가 잘 작동하지 않아요. (work, well)
→ The alarm clock ________ ________ ________.

08 그 영화는 제시간에 시작하지 않았어요. (start, on time)
→ The movie ________ ________ ________ ________.

09 Linda는 오늘 사진기를 가지고 오지 않았어. (bring, a camera)
→ Linda ________ ________ ________ ________ today.

10 우리는 그 호텔에 묵지 않아요. (stay, at the hotel)
→ We ________ ________ ________ ________ ________.

11 너는 어제 내 전화를 받지 않았어. (answer, my call)
→ You ________ ________ ________ ________ yesterday.

12 북극곰은 남극에 살지 않아요. (live in)
→ A polar bear ________ ________ ________ the south pole.

WORDS
- scold 야단치다
- alarm clock 자명종
- answer 대답하다, 전화를 받다
- call 전화
- a polar bear 북극곰
- the south pole 남극

일반동사의 의문문

일반동사의 의문문은 주어 앞에 Do / Does / Did를 써서 만듭니다.

1 일반동사의 현재형 의문문

'~하니?/~하나요?'라는 의미이며, 「Do/Does+주어+동사원형~?」의 형태입니다.

주어	형태	예문
I / You / They / We / 복수명사	**Do+주어+동사원형~?** • 긍정의 대답: Yes, 주어+do. • 부정의 대답: No, 주어+don't.	You like action movies. → **Do** you **like** action movies? 너는 액션 영화를 좋아하니? Yes, I do. / No, I don't. They trust you. → **Do** they **trust** you? 그들이 너를 믿니? Yes, they do. / No, they don't.
He / She / It / 단수명사	**Does+주어+동사원형~?** • 긍정의 대답: Yes, 주어+does. • 부정의 대답: No, 주어+doesn't.	She knows my address. → **Does** she **know** my address? 그녀가 내 주소를 알고 있니? Yes, she does. / No, she doesn't. The man wants some help. → Does the man **want** some help? 그 남자는 도움이 필요하니? Yes, he does. / No, he doesn't.

2 일반동사의 과거형 의문문

'~했니?/~했나요?'라는 의미이며, 「Did+주어+동사원형~?」의 형태입니다.

주어	형태	예문
모든 수와 인칭	**Did+주어+동사원형~?** • 긍정의 대답: Yes, 주어+did. • 부정의 대답: No, 주어+didn't.	He won a gold medal. → **Did** he **win** a gold medal? 그가 금메달을 땄니? Yes, he did. / No, he didn't. The girls danced to the music. → **Did** the girls **dance** to the music? 그 소녀들이 음악에 맞춰 춤을 췄니? Yes, they did. / No, they didn't.

• 일반동사 의문문에서 Do / Does / Did 주어 뒤에는 동사원형이 와요.

• 1인칭으로 물으면 2인칭으로 대답하고, 2인칭으로 물으면 1인칭으로 대답해요.
• 주어가 명사인 경우 대명사로 바꿔 대답해요.

Warm up

정답 및 해설 p.11

1 다음 괄호 안에서 알맞은 것을 고르세요.

01 (Do / Does) I look pretty in this dress?

02 (Does / Did) I make a mistake?

03 Did you (hear / heard) from him?

04 (Do / Does) you miss your family?

05 (Do / Does) Lisa like Chinese food?

06 (Do / Does) she write fantasy books?

07 (Do / Does) they get up at 6 o'clock?

08 (Do / Does) you swim every morning?

09 (Do / Did) your parents go out last night?

10 (Do / Does) your little brother drink Coke?

11 Does the bus (run / runs) every ten minutes?

12 Does Jeff (play / plays) the guitar in the band?

13 Did they (arrive / arrived) in Seoul a few days ago?

14 (Does / Did) she have her birthday party yesterday?

15 Do your children (enjoy / enjoyed) their school life?

- mistake 실수
- fantasy 공상, 환상
- Coke 콜라
- minute 분
- band (음악) 밴드

Start up

일반동사 의문문 형태 익히기

1 다음 주어진 단어를 이용하여 의문문을 완성하세요.

01 A: ___Did___ your sister ___cook___ this pasta? (cook)
B: Yes, she did.

02 A: __________ the lion __________ fast? (run)
B: Yes, it does.

03 A: __________ the boys __________ hockey? (play)
B: Yes, they do.

04 A: __________ you __________ on the floor? (sleep)
B: No, I don't.

05 A: __________ they __________ to the beach often? (go)
B: No, they don't.

06 A: __________ your children __________ hard? (study)
B: Yes, they do.

07 A: __________ the gallery __________ at 9 pm? (close)
B: Yes, it does.

08 A: __________ the farmer __________ oranges? (grow)
B: Yes, he does.

09 A: __________ your baby sister __________ a lot? (cry)
B: No, she doesn't.

10 A: __________ Hannah __________ this picture? (draw)
B: No, she didn't.

11 A: __________ he __________ these letters to you? (send)
B: No, he didn't.

12 A: __________ you and your friends __________ a good time? (have)
B: Yes, we did.

- hockey 하키 • floor 바닥 • gallery 미술관 • farmer 농부

정답 및 해설 p.11

❷ 다음 밑줄 친 부분이 올바르면 ○표, 틀리면 바르게 고치세요.

01 Is he take piano lessons? Does he take

02 Does your mother drive?

03 Did Ben went to a doctor today?

04 Do the girl wants a red ribbon?

05 Are you bring your library card?

06 Did you saw Larry this morning?

07 Was they win the soccer match?

08 Does Kevin failed the test last year?

09 Do your uncle often visit your house?

10 Did she make this sweater by herself?

11 Does we have a pop quiz in history today?

12 A: Did Justin make this song?
B: No, Justin didn't.

13 A: Did I tell you about my hobbies?
B: Yes, I did.

14 A: Does this train go straight to Bristol?
B: No, it didn't.

15 A: Do your parents give you allowance?
B: Yes, they do.

- lesson 수업, 교습
- ribbon 리본
- fail 실패하다, 떨어지다
- by oneself 혼자 힘으로, 홀로
- pop quiz 쪽지 시험
- hobby 취미
- straight 곧장, 곧바로
- allowance 용돈

Check up & Writing

일반동사 의문문 쓰기

1 다음 문장을 의문문으로 바꾸고, 빈칸에 알맞은 대답을 쓰세요.

01 You know the answer.

→ Do you know the answer?

Yes, I/we do.

02 We have enough time.

→ ____________________?

Yes, ____________.

03 It snows a lot in New York.

→ ____________________?

Yes, ____________.

04 You heard the storm last night.

→ ____________________?

Yes, ____________.

05 Jake remembers his wife's birthday.

→ ____________________?

No, ____________.

06 The accident happened this morning.

→ ____________________?

Yes, ____________.

07 Lisa and Mary like playing badminton.

→ ____________________?

No, ____________.

08 Susan bought a new blouse at the mall.

→ ____________________?

No, ____________.

WORDS

- storm 폭풍우, 폭풍
- remember 기억하다
- accident 사고
- happen 일어나다, 발생하다
- badminton 배드민턴
- blouse 블라우스

정답 및 해설 p.12

❷ 다음 우리말과 같은 뜻이 되도록, 주어진 단어를 바르게 배열하여 문장을 완성하세요.

01 너는 집까지 가는 교통편이 필요하니? (you, a ride, do, need)
→ Do you need a ride home?

02 그들이 너에게 잘 대해주니? (you, do, treat, they)
→ ______________________________ well?

03 Eric은 너에게 자주 전화하니? (call, Eric, does, you)
→ ______________________________ often?

04 Alicia는 금발 머리니? (blond hair, have, does, Alicia)
→ ______________________________?

05 너는 어제 옷을 빨았니? (your clothes, you, did, wash)
→ ______________________________ yesterday?

06 그들은 휴가로 이집트에 갔니? (did, go, they, on a vacation)
→ ______________________________ to Egypt?

07 그녀는 작년에 고등학교를 졸업했니? (did, graduate from, she)
→ ______________________________ high school last year?

08 우리 과학 숙제 있었니? (have, we, science homework, did)
→ ______________________________?

09 Jones가 항상 너에게 요리를 해주니? (cook, does, Jones, for you)
→ ______________________________ all the time?

10 너는 매일 우산을 가지고 다니니? (carry, do, your umbrella, you)
→ ______________________________ every day?

11 너희 조부모님은 너와 함께 사시니? (your grandparents, live, do)
→ ______________________________ with you?

12 너의 언니는 대학에서 법률을 공부하니? (does, study, your sister, law)
→ ______________________________ at university?

WORDS

- ride 타고 가기, 타기
- treat 대하다
- blond 금발의
- clothes 옷
- Egypt 이집트
- graduate 졸업하다
- law 법, 법률

Level up

일반동사 최종 점검하기

1 다음 주어진 단어를 이용하여 주어진 시제로 문장을 완성하세요.

01 My brother ___drinks___ a lot of milk. (drink) 현재형

02 The river ______________ through the city. (run) 현재형

03 We ______________ English grammar at school. (study) 현재형

04 ______________ you ______________ from Spain? (come) 현재형

05 ______________ she ______________ her father? (resemble) 현재형

06 Lots of people ______________ this museum every year. (visit) 현재형

07 Jacob ______________ ______________ selfish people. (not/like) 현재형

08 I ______________ ______________ you for anything. (not/blame) 현재형

09 Sam ______________ his bike to work. (ride) 과거형

10 I ______________ an egg and toast for breakfast. (eat) 과거형

11 My father ______________ the grass last Sunday. (cut) 과거형

12 He ______________ ______________ with Jeff. (not/fight) 과거형

13 We ______________ ______________ the walls. (not/paint) 과거형

14 ______________ he ______________ with you last year? (work) 과거형

15 ______________ you ______________ an invitation to the party? (receive) 과거형

• through ~을 통해, 관통하여 • grammar 문법 • resemble 닮다 • selfish 이기적인 • blame 비난하다, 탓하다

❷ 다음 밑줄 친 부분을 바르게 고치세요.

01 Does she misses her parents? miss

02 My father don't smokes.

03 My baby sister crys all day.

04 We aren't go swimming very often.

05 They planed their summer vacation.

06 Brian studyed art and music in Paris.

07 My brother don't eat dinner last night.

08 I finded her cell phone under the bed.

09 Did you told him about your decision?

10 He haved a terrible headache yesterday.

11 Were Nick and Sarah attend the meeting?

12 People didn't care about others these days.

13 A: Does she live near her school?
B: Yes, she doesn't.

14 A: Did Kevin like my present?
B: Yes, they did. He thanked you.

15 A: Do you want some coffee?
B: No, I'm not. I don't drink coffee.

• smoke (담배를) 피우다 • decision 결정, 결심 • attend 참석하다 • care 관심을 가지다, 배려하다
• others 다른 사람들 • present 선물 • thank 감사하다, 고마워하다

③ 다음 우리말과 같은 뜻이 되도록, 주어진 단어를 이용해서 문장을 완성하세요.

01 Emily는 매일 밤 머리를 빗어요. (brush, her hair)
→ Emily __brushes__ __her__ __hair__ every night.

02 제가 당신을 아나요? (know, you)
→ ________ I ________ ________?

03 그 수프가 맛이 있나요? (taste, good)
→ ________ the soup ________ ________?

04 나는 공짜 영화표를 얻었어. (get, free movie tickets)
→ I ________ ________ ________ ________.

05 나는 그의 이름이 기억나지 않는다. (remember, his name)
→ I ________ ________ ________ ________.

06 그 소녀는 그 문제를 쉽게 풀었다. (solve, the problem)
→ The girl ________ ________ ________ easily.

07 Jack은 가방을 버스에 놓고 내렸어. (leave, his bag)
→ Jack ________ ________ ________ on the bus.

08 그는 주말에 많이 잔다. (sleep, a lot)
→ He ________ ________ ________ on weekends.

09 너희들은 꽃 축제를 즐겼니? (enjoy, the flower festival)
→ ________ you ________ ________ ________ ________?

10 엄마는 내 건강을 너무 많이 걱정하셔. (worry about, my health)
→ Mom ________ ________ ________ ________ too much.

11 우리 할머니는 인터넷을 사용하지 않으세요. (use, the Internet)
→ My grandmother ________ ________ ________ ________.

12 그들은 같은 학교에 다니지 않았어. (go to, the same school)
→ They ________ ________ ________ ________ ________ ________.

WORDS
• brush 빗다, 솔질을 하다 • taste ~한 맛이 나다 • free 무료의 • solve 풀다, 해결하다 • same 같은

4 다음 우리말과 같은 뜻이 되도록, 주어진 단어를 바르게 배열하여 문장을 완성하세요.

01 너의 미소는 아름답구나. (have, a beautiful smile, you)

→ You have a beautiful smile.

02 그 새는 하늘 높이 날아요. (high, the bird, flies)

→ ______________________ in the sky.

03 나는 운동을 그다지 자주 하지 않아요. (exercise, don't, I)

→ ______________________ very often.

04 아이들은 놀이터에서 놀았나요? (play, the children, did)

→ ______________________ on the playground?

05 너는 매운 음식을 좋아하니? (do, spicy food, like, you)

→ ______________________?

06 우리는 작년에 유럽을 여행했어. (to, Europe, traveled, we)

→ ______________________ last year.

07 Jane은 남자친구가 있니? (Jane, a boyfriend, does, have)

→ ______________________?

08 그는 어젯밤에 이를 닦지 않았어. (his teeth, didn't, brush, he)

→ ______________________ last night.

09 이 가방은 그 드레스와 잘 어울리지 않아. (go, doesn't, this bag, well)

→ ______________________ with the dress.

10 나는 Jeff의 생일 선물로 초콜릿 케이크는 만들었어. (made, a chocolate cake, I)

→ ______________________ for Jeff's birthday.

11 Sanders 선생님은 3년 전에 과학을 가르쳤어요. (Mr. Sanders, science, taught)

→ ______________________ three years ago.

12 우리 오빠가 저녁을 먹은 후에 설거지를 해요. (washes, the dishes, my brother)

→ ______________________ after dinner.

WORDS

- smile 미소
- high 높은, 높이
- exercise 운동하다
- spicy 매운
- travel 여행하다
- Europe 유럽
- brush (칫)솔질을 하다
- go with 어울리다

Actual test

1 다음 중 동사의 3인칭 단수 현재형이 잘못 연결된 것은?

① go - goes ② make - makes
③ try - tries ④ tell - tells
⑤ wash - washs

2 다음 중 동사의 과거형이 잘못 연결된 것은?

① come - came ② do - did
③ marry - marryed ④ teach - taught
⑤ plan - planned

[3-5] 다음 빈칸에 들어갈 말로 알맞은 것을 고르세요.

3

________ dresses well all the time.

① I ② You ③ She
④ We ⑤ They

4

I ________ ice cream very much. I eat it every day.

① like ② likes ③ don't like
④ doesn't like ⑤ didn't like

5

________ you see Eric yesterday?

① Are ② Were ③ Do
④ Does ⑤ Did

6 다음 주어진 문장을 부정문으로 바르게 고친 것은?

She lives with her parents.

① She don't live with her parents.
② She don't lives with her parents.
③ She doesn't live with her parents.
④ She doesn't lives with her parents.
⑤ She didn't live with her parents.

Note

2
규칙 변화 동사 중 잘못된 것을 찾으세요.
marry 결혼하다
plan 계획하다

3
동사가 3인칭 단수예요.
dress 옷을 입다[입히다]

4
주어가 1인칭이고, 현재의 상태를 나타내고 있어요.

5
yesterday는 과거 시간 표현이에요.

6
일반동사의 3인칭 현재형 부정문의 형태를 생각해 보세요.

정답 및 해설 p.13

7 다음 주어진 문장을 의문문으로 바르게 고친 것은?

They practiced hard for the contest.

① Do they practice hard for the contest?
② Do they practiced hard for the contest?
③ Does they practiced hard for the contest?
④ Did they practice hard for the contest?
⑤ Did they practiced hard for the contest?

[8-10] 다음 빈칸에 들어갈 말이 바르게 짝지어진 것을 고르세요.

8

• Grace ____(A)____ dance lessons.
• They ____(B)____ to the movies once a week.

	(A)		(B)
①	take	-	go
②	take	-	goes
③	takes	-	go
④	takes	-	goes
⑤	does take	-	goes

9

• ____(A)____ you buy bread at the supermarket?
• I ____(B)____ read newspapers.

	(A)		(B)
①	Do	-	don't
②	Do	-	doesn't
③	Does	-	didn't
④	Does	-	don't
⑤	Did	-	doesn't

Note

7
일반동사 과거형 의문문의 형태를 생각해 보세요.
practice 연습하다
contest 대회, 시합

8
Grace는 단수명사, They는 3인칭 복수예요.

9
you는 2인칭이고, I는 1인칭이에요.
supermarket 슈퍼마켓

10

- He ____(A)____ a new bike a few days ago.
- We ____(B)____ sleep well last night.

	(A)		(B)
①	buy	-	don't
②	buys	-	don't
③	buys	-	didn't
④	bought	-	didn't
⑤	bought	-	doesn't

11 다음 대화의 빈칸에 들어갈 말로 알맞은 것을 고르면?

A: _________ your father work on weekends?
B: No, he doesn't. He _________ from Monday to Friday.

① Do - work
② Do - works
③ Does - work
④ Does - works
⑤ Did - worked

[12-13] 다음 밑줄 친 부분이 잘못된 것을 고르세요.

12
① I didn't break the window.
② We went skating last Sunday.
③ Does she read mystery novels?
④ Ron exercises three times a week.
⑤ My brother doesn't plays baseball.

13
① My cat follows me everywhere.
② Do you learn the cello these days?
③ Larry and Sam enjoys summer sports.
④ The girl put some candies in her pocket.
⑤ Andy and Becky don't know each other.

Note

10
a few days ago, last night는 모두 과거 시간 표현이에요.

11
주어가 단수명사인 일반동사 현재형 의문문이에요.

12
일반동사 부정문에서 not 뒤에 오는 동사의 형태를 생각해 보세요.
mystery 미스터리, 추리

13
주어의 인칭과 수를 확인해보세요.
follow 따라가다[오다]
everywhere 모든 곳에, 어디나

정답 및 해설 p.13

14 다음 대화 중 자연스럽지 <u>않은</u> 것은?

① A: Do you need my help with your homework?
B: No, you don't. I already finished it.
② A: Does the movie have a happy ending?
B: Yes, it does. I like the ending.
③ A: Do you and your brother fight often?
B: No, we don't. We get along well.
④ A: Does Harry go jogging every morning?
B: Yes, he does. He jogs around the park.
⑤ A: Did Clare come home late last night?
B: No, she didn't. She came home at six.

14
의문문과 대답의 주어 인칭을 생각해 보세요.

15 다음 밑줄 친 부분을 바르게 고치세요.

1) My brother ⓐ <u>clean</u> the table, and I ⓑ <u>does</u> the dishes.

ⓐ ______________________
ⓑ ______________________

2) Kate ⓐ <u>have</u> a terrible headache yesterday. She ⓑ <u>stay</u> in bed all day.

ⓐ ______________________
ⓑ ______________________

15
1) 주어가 단수명사, 1인칭 단수예요.
2) yesterday는 과거 시간 표현이에요.
terrible 심한, 지독한
headache 두통

16 다음 우리말과 같은 뜻이 되도록, 주어진 단어를 이용하여 문장을 완성하세요.

1) 겨울에는 눈이 많이 오니? (it, snow)

→ ______________________ a lot in winter?

16
1) 주어가 3인칭 단수인 현재 의문문이에요.

Actual test

2) 우리는 어제 연을 날렸어요. (fly kites)

→ ______________________ yesterday.

3) 그녀는 안경을 끼지 않는다. (wear)

→ ______________________ glasses.

[17-18] 다음 빈칸에 알맞은 말을 써서 대화를 완성하세요.

17 A: Did Shakespeare write *Romeo and Juliet*?
B: Yes, ______________. He was a brilliant writer.

18 A: Do you have a pet?
B: No, ______________. I don't like animals.

[19-20] 다음 우리말과 같은 뜻이 되도록, 주어진 단어를 바르게 배열하세요.

19 Green 씨는 학교에서 역사를 가르치시니? (Mr. Green, does, history, teach)

→ ______________________ at school?

20 그들은 어제 야구 경기를 보지 않았어. (watch, didn't, a baseball game, they)

→ ______________________ yesterday.

Note

2) 과거 문장으로 fly는 불규칙 변화 동사예요.
3) 주어가 3인칭 단수인 현재 부정문이에요.

17
일반동사 과거형 의문문이고 긍정의 대답이에요. Shakespeare는 대명사로 답해야 해요.
brilliant 훌륭한, 뛰어난

18
의문문의 주어가 2인칭 단수이고 부정의 대답이에요.

19
일반동사 현재형 의문문이에요.

20
일반동사 과거형 부정문이에요.

시제

진행 시제

진행 시제는 특정한 시점에 진행 중인 일을 나타냅니다.

1 진행 시제의 형태

진행 시제는 특정 시점에서 진행 중인 일을 나타내며, 「be동사+V-ing」의 형태입니다.

V-ing형 만드는 법		
대부분의 동사	동사원형+-ing	ask**ing** go**ing** do**ing** clean**ing** play**ing** read**ing** walk**ing** sleep**ing**
-e로 끝나는 동사	e를 빼고+-ing	come - com**ing** make - mak**ing** live - liv**ing** smile - smil**ing** use - us**ing** ride - rid**ing**
-ie로 끝나는 동사	ie를 y로 고치고+-ing	die - d**ying** tie - t**ying** lie - l**ying**
「단모음+단자음」으로 끝나는 동사	마지막 자음을 한 번 더 쓰고+-ing	cut - cut**ting** run - run**ning** plan - plan**ning** sit - sit**ting** swim - swim**ming** put - put**ting**

2 현재 진행과 과거 진행

현재 진행은 '~하는 중이다/~하고 있다'의 의미로 현재 시점에 진행 중인 일을 나타내고, 과거 진행은 '~하는 중이었다/~하고 있었다'의 의미로 과거의 한 시점에 진행 중인 일을 나타냅니다.

	형태	예문
현재 진행	「am/are/is+V-ing」	I **am doing** my math homework. 나는 수학 숙제를 하고 있어요. She **is eating** a peach in the kitchen. 그녀는 부엌에서 복숭아를 먹고 있어요.
과거 진행	「was/were+V-ing」	He **was writing** an email then. 그는 그때 이메일을 쓰고 있었어요. We **were playing** basketball at that time. 우리는 그때 농구를 하고 있었어.

• have, want, like, know 등과 같이 소유나 상태를 나타내는 동사는 진행형으로 쓸 수 없어요.
하지만 have가 '먹다', '(시간을) 보내다'라는 의미로 쓰일 때는 진행형으로 쓸 수 있어요.
He is having a cute dog. (×) He **is having** lunch now. (○) 그는 지금 점심을 먹고 있어.

3 진행 시제의 부정문과 의문문

	형태	예문
부정문	• 「be동사+not+V-ing」: ~하고 있지 않다/않았다	I **am not watching** TV now. 나는 지금 TV를 보고 있지 않다. She **was not sleeping** then. 그녀는 그때 잠을 자고 있지 않았어요.
의문문	• 「Be동사+주어+V-ing」: ~하고 있니?/있었니?	**Are you reading** a newspaper? 너는 신문을 읽고 있니? **Were they sitting** under the tree? 그들은 나무 밑에 앉아 있었니?

• 현재 진행은 tomorrow, tonight 등의 미래를 나타내는 부사(구)와 함께 쓰여 예정되어 있는 미래의 계획을 나타낼 수 있어요.
My uncle **is coming** this weekend. 이번 주말에 우리 삼촌이 오실 거야.

정답 및 해설 p.14

1 다음 주어진 단어를 -ing형태로 바꿔 문장을 완성하세요.

01 I am ___wearing___ rain boots. (wear)

02 You are ________________ to me now. (lie)

03 The sun is ________________ brightly. (shine)

04 I was ________________ my pet dog then. (feed)

05 Her hair is ________________ to turn grey. (begin)

06 The girl is ________________ a paper doll. (make)

07 The kids are ________________ down the hill. (run)

08 Mark is ________________ a shower right now. (take)

09 My sisters were ________________ at the mall. (shop)

10 People were ________________ to the music. (dance)

11 She was ________________ on the frozen lake. (skate)

12 We were ________________ along the riverside. (walk)

13 Two squirrels were ________________ up the tree. (climb)

14 The repairmen are ________________ into the machine. (look)

15 Jacob was ________________ dirty clothes into the washing machine.

WORDS

• rain boots 장화 • shine 빛나다 • brightly 밝게, 환하게 • feed 먹이를 주다 • turn 변하다 • grey 회색의, 머리가 센
• hill 언덕 • frozen 언, 얼어붙은 • riverside 강변 • squirrel 다람쥐 • repairman 수리공 • machine 기계

Start up

진행 시제 형태 익히기

1 다음 괄호 안에서 알맞은 것을 고르세요.

01 It is (rains / raining) hard.

02 I'm (go / going) on holiday.

03 Kelly was not (wear / wearing) shorts.

04 Is your mom (cooks / cooking) dinner now?

05 Rachel (walking / is walking) her a dog now.

06 They were (planned / planning) a party for her.

07 We were (stay / staying) at home at that time.

08 He is (not listening / listening not) to the radio.

09 We (are traveling / were traveling) to Ottawa now.

10 (Did / Were) they having a good time at the mall?

11 Don't make noises. I (studying / am studying) now.

12 My grandma (wasn't / didn't) making a cheesecake.

13 (Do / Are) the children playing soccer on the playground?

14 I was (not talk / not talking) to you. I was talking to myself.

15 My daughter is (tie / tying) a ribbon around the gift box.

• holiday 연휴, 휴가 • shorts 반바지 • walk 산책시키다 • talk to oneself 혼잣말하다

정답 및 해설 p.15

❷ 다음 주어진 단어를 이용하여 진행형 문장을 완성하세요. (부정문은 줄임말을 쓸 것)

01 Someone ___is___ ___calling___ your name. (call) 현재 진행

02 Sam ________ ________ behind me. (stand) 현재 진행

03 Jacob ________ ________ dinosaurs. (not/draw) 현재 진행

04 My mom ________ ________ to work now. (drive) 현재 진행

05 ________ they ________ ________ me? (look for) 현재 진행

06 I ________ ________ ________ for Albert. (not/wait) 현재 진행

07 The trees ________ ________ because of drought. (die) 현재 진행

08 ________ you ________ a yoga class these days? (take) 현재 진행

09 ________ he ________ at me? (laugh) 과거 진행

10 It ________ ________ at that time. (not/snow) 과거 진행

11 We ________ ________ to school then. (not/go) 과거 진행

12 Eva ________ ________ her favorite song. (sing) 과거 진행

13 You ________ ________ on the phone then. (talk) 과거 진행

14 They ________ ________ on the bus at that time. (sit) 과거 진행

15 ________ you ________ food for the party? (prepare) 과거 진행

WORDS

- someone 누군가
- behind ~ 뒤에
- dinosaur 공룡
- look for ~을 찾다
- drought 가뭄
- laugh 웃다
- prepare 준비하다

Check up & Writing

진행 시제 문장 쓰기

1 다음 밑줄 친 부분을 어법에 맞게 고쳐 문장을 다시 쓰세요.

01 Dad is comeing home from work.

→ Dad is coming home from work.

02 They are wanting food and water.

→ ______________________________.

03 Chris was not exercise at the gym.

→ ______________________________.

04 We leaving for San Francisco now.

→ ______________________________.

05 My brother was studying not then.

→ ______________________________.

06 They not working at the factory now.

→ ______________________________.

07 Jeff is having two sisters and a brother.

→ ______________________________.

08 She was lieing on the bench at the park.

→ ______________________________.

09 The children were swiming in the sea then.

→ ______________________________.

10 Did you doing the dishes at 7 last night?

→ ______________________________?

11 I was slept when you called me last night.

→ ______________________________.

12 Is he practice hard for the singing competition?

→ ______________________________?

- leave for ~로 떠나다
- factory 공장
- competition 대회

❷ 다음 우리말과 같은 뜻이 되도록, 주어진 단어를 이용하여 문장을 완성하세요.

01 전화가 시끄럽게 울리고 있어요. (ring, loudly)

→ The phone ___is___ ___ringing___ ___loudly___.

02 너 내 말을 듣고 있니? (listen to, me)

→ ________ you ________ ________ ________?

03 나는 사탕을 먹고 있지 않아. (eat, a candy)

→ I ________ ________ ________ ________ ________.

04 Brian이 지금 화장실을 사용하고 있니? (use, the bathroom)

→ ________ Brian ________ ________ ________ now?

05 내가 좋아하는 팀이 경기에서 이기고 있어. (win, the game)

→ My favorite team ________ ________ ________ ________.

06 그녀는 오늘 아침에 정원을 청소하고 있었니? (clean, the garden)

→ ________ she ________ ________ ________ this morning?

07 그들은 그때 도로에 서 있었어요. (stand, on the street)

→ They ________ ________ ________ ________ ________ then.

08 그 남자들은 나무 밑에서 쉬고 있어. (take a rest)

→ The men ________ ________ ________ ________ under the tree.

09 엄마는 소고기 스튜를 만들고 있지 않아요. (make, a beef stew)

→ Mom ________ ________ ________ ________ ________ ________.

10 Nicky는 어젯밤에 애플파이를 굽고 있었어요. (bake, an apple pie)

→ Nicky ________ ________ ________ ________ ________ last night.

11 그 소년들은 숨바꼭질을 하고 있지 않았어요. (play, hide and seek)

→ The boys ________ ________ ________ ________ ________ ________

12 내가 그를 보았을 때 그는 무거운 상자를 들고 있었어. (carry, a heavy box)

→ He ________ ________ ________ ________ ________ when I saw hi

WORDS

• ring 울리다 • loudly 시끄럽게 • stew 스튜 • hide and seek 숨바꼭질, 술래잡기

현재완료 시제

현재완료는 과거에 시작된 일이 현재까지 영향을 미치는 상태를 나타냅니다.

1 현재완료의 쓰임과 형태

현재완료는 「have/has+p.p.」의 형태로 '경험', '완료', '계속', '결과'의 의미를 나타냅니다.

	쓰임	예문
경험	'~한 적 있다'의 의미로 현재까지의 경험을 나타내고, **never, before, once, ~ times**와 주로 함께 쓰임	I **have been** to Japan once. 나는 일본에 한 번 가 본 적이 있어. He **has met** Jennifer before. 그는 전에 Jennifer를 만난 적이 있어요.
완료	'막 ~했다'의 의미로 어떤 일이 막 완료되었음을 나타내고, **just, already, yet**과 주로 함께 쓰임	She **has** already **finished** her report. 그녀는 벌써 보고서를 끝냈어요. They**'ve** just **painted** the wall. 그들은 막 벽에 페인트를 칠했어요.
계속	'~해왔다'의 의미로 과거에 시작된 일이 현재까지 계속되고 있음을 나타내고, **since, for**와 주로 함께 쓰임 *cf.* for 다음에는 동작의 지속된 기간이 오고, since 다음에는 동작의 시작 시점이 와요.	We **have known** each other for ten years. 우리는 10년 동안 서로 알고 지냈어요. I **have studied** Spanish since I was fifteen years old. 나는 열다섯 살 때 이후로 스페인어를 공부하고 있어요.
결과	'~해버렸다'의 의미로 과거에 일어난 일의 결과가 현재까지 영향을 미치고 있음을 나타냄	Sarah **has gone** to Seattle. Sarah는 시애틀로 가버렸어요. I **have lost** my smartphone. 나는 내 스마트폰을 잃어버렸어요.

- have/has been in/to는 '~에 가 본 적이 있다'라는 의미로 경험을 나타내고, has gone은 '~에 가버렸다(그래서 지금은 없다)'라는 의미로 결과를 나타내요.

2 현재완료의 부정문과 의문문

	형태	예문
부정문	「have/has+not/never+p.p.」 • have not = haven't • has not = hasn't	I **have not(=haven't) seen** Sue lately. 나는 최근에 Sue를 본 적이 없어요. She **has never learned** to dance. 그녀는 결코 춤을 배운 적이 없어요.
의문문	「Have/Has+주어+p.p.~?」 • 긍정의 대답: 「Yes, 주어+have/has.」 • 부정의 대답: 「No, 주어+haven't/hasn't.」	**Has** he ever **eaten** Mexican food? 그는 멕시코 음식을 먹어 본 적이 있니? **Have** you **done** your homework? 너는 숙제를 다 했니?

3 현재완료와 과거

과거는 과거 시점에서 일어난 일로 현재와 관련이 없지만, 현재완료는 과거에 일어난 일이 현재까지 영향을 미칠 때 사용하므로 과거를 나타내는 시간 표현과 쓸 수 없습니다.

과거	현재완료
Becky **went** on vacation to Hawaii. Becky는 하와이로 휴가를 갔어요. ⇒ 휴가를 갔다는 단순한 과거의 사실, 현재는 어디에 있는지 알 수 없음	Becky **has gone** on vacation to Hawaii. Becky는 하와이로 휴가를 가버렸어요. ⇒ 아직도 휴가 중이어서 하와이에 있음

정답 및 해설 p.16

1 다음 주어진 단어를 이용하여 현재완료 문장을 완성하세요.

01 I have ___read___ the book several times. (read)

02 Clare has ________ to California. (go)

03 Someone has ________ my car. (steal)

04 She has ________ to Chicago before. (be)

05 My mom has ________ her sunglasses. (lose)

06 She has ________ his phone number. (forget)

07 They have ________ golf for two years. (learn)

08 Rick has ________ in Beijing for a month. (stay)

09 My family has ________ here since I was ten. (live)

10 I have ________ a toothache since last night. (had)

11 We have ________ a road trip since last month. (plan)

12 The wind has ________ hard since this morning. (blow)

13 I have ________ piano lessons since I was eight. (take)

14 My father has ________ tomatoes in the garden. (grow)

15 My mom has ________ at the store for three years. (work)

· several 몇몇의 · sunglasses 선글라스 · toothache 치통 · road trip 장거리 자동차 여행

Start up 현재완료 시제 형태 익히기

❶ 다음 주어진 단어를 이용하여 현재완료 문장을 완성하세요.

01 I ___have___ ___seen___ her somewhere before. (see)

02 ________ Sally ________ for a walk? (go)

03 ________ you ________ your packing? (finish)

04 ________ somebody ________ the door? (open)

05 ________ you ever ________ chess before? (play)

06 It ________ ________ hard since last Monday. (snow)

07 Becky ________ already ________ a plane ticket. (buy)

08 Abigail ________ ________ ________ yet. (not/decide)

09 My father ________ ________ this car for fifteen years. (drive)

10 Mr. Kim ________ ________ ________ a computer. (never/use)

11 My mother ________ ________ English at school since 2013. (teach)

12 He ________ ________ ________ me back for a month. (not/write)

13 She ________ ________ ________ curry and rice before. (never/eat)

14 Sarah and Ross ________ ________ each other for five years. (love)

15 Jake and Amy ________ ________ ________ to each other. (not/talk)

• somewhere 어디선가 • packing 짐 싸기 • somebody 누군가, 어떤 • chess 체스 • decide 결정하다

❷ 다음 주어진 단어를 이용하여, 두 문장을 한 문장으로 연결하세요.

01 Mom went shopping. She isn't at home now.
→ Mom ___has gone shopping___. (go)

02 We sold our car. We don't have it now.
→ We ______________________. (sell)

03 I turned off the TV. It is off now.
→ I ______________________. (turn off)

04 Matt broke his leg. His leg still hurts.
→ Matt ______________________. (break)

05 Summer came. It is summer now.
→ Summer ______________________. (come)

06 My brother ate all the cake. There is nothing left.
→ My brother ______________________. (eat)

07 It started to rain last night. It still rains.
→ It ______________________ since last night. (rain)

08 Walter was sick on Friday. He is still sick.
→ Walter ______________________ since Friday. (be)

09 I left my book on the subway. I don't have it now.
→ I ______________________ on the subway. (leave)

10 He bought this bed seven years ago. He still has it.
→ He ______________________ for seven years. (have)

11 Jim liked Clare when he was a kid. He still likes her.
→ Jim ______________________ since he was a kid. (like)

12 She started to study in Australia three years ago. She still studies there
→ She ______________________ for three years. (study)

WORDS
- nothing 아무것도 (없다, 아니다)
- subway 지하철

Check up & Writing

현재완료 문장 쓰기

1 다음 우리말과 같은 뜻이 되도록, 보기에서 알맞은 단어를 골라 현재완료 문장을 완성하세요.

[01-06] 보기

visit lose take win read tell

01 우리 팀은 지금까지 7개의 경기에서 이겼어요.
→ Our team ____has____ ____won____ seven games so far.

02 나는 한 달 동안 5권의 책을 읽었어.
→ I ________ ________ five books for a month.

03 Helen은 그녀의 결혼반지를 잃어버렸어요.
→ Helen ________ ________ her wedding ring.

04 너는 얼마나 오랫동안 발레 강습을 받았니?
→ How long ________ you ________ ballet lessons?

05 너는 루브르 박물관을 방문한 적이 있니?
→ ________ you ever ________ the Louvre Museum?

06 그는 그 사실을 아직 그녀에게 말하지 않았어요.
→ He ________ ________ ________ her the truth yet.

[07-12] 보기

wash eat enjoy swim start be

07 너는 네 보고서를 시작했니?
→ ________ you ________ your report?

08 나는 막 내 차를 세차했어요.
→ I ________ just ________ my car.

09 Erica는 두 번 바다에서 수영한 적이 있어요.
→ Erica ________ ________ in the sea twice.

10 그는 시드니에 몇 번 가 본 적이 있어요.
→ He ________ ________ to Sydney several times.

11 그들은 일주일 동안 그들의 휴가를 즐기고 있어요.
→ They ________ ________ their vacation for a week.

12 우리는 오늘 아무것도 먹지 않았어요.
→ We ________ ________ ________ anything today.

WORDS

- wedding 결혼 • lesson 수업, 교습 • anything 아무것, 무엇

정답 및 해설 p.17

❷ 다음 우리말과 같은 뜻이 되도록, 주어진 단어를 바르게 배열하여 문장을 완성하세요.

01 기차는 이미 역을 떠났어요. (has, already, the station, left)
→ The train ______has already left the station______.

02 그녀는 에펠탑에 가 본 적이 있어요. (has, been, she, to)
→ ________________________________ the Eiffel Tower.

03 그들이 막 공항에 도착했어요. (have, arrived, just, they)
→ ________________________________ at the airport.

04 그는 아직 서울로 이사하지 않았어요. (moved, he, hasn't)
→ ________________________________ to Seoul yet.

05 지난 주말부터 날씨가 정말 더워. (been, very hot, has, it)
→ ________________________________ since last weekend.

06 너는 전에 James를 만난 적이 있니? (met, have, you, James)
→ ________________________________ before?

07 너 플라자 호텔에 묵어 본 적이 있니? (you, ever, have, stayed)
→ ________________________________ at Plaza Hotel?

08 Sue는 그 운동화를 2년째 신고 있어요. (the sneakers, worn, has)
→ Sue ________________________________ for two years.

09 나는 너에게 여러 번 전화했어. (called, have, you, several times, I)
→ ________________________________.

10 그는 지난 화요일부터 학교에 결석하고 있어요. (absent, been, he, has)
→ ________________________________ from school since last Tuesday.

11 나는 친구들에게 돈을 빌린 적이 없어요. (never, money, have, borrowed, I)
→ ________________________________ from friends.

12 경찰은 아직 어떠한 증거도 찾지 못했어요. (haven't, any evidence, the police, found)
→ ________________________________ yet.

- sneakers 운동화
- be absent from ~에 결석[결근]하다
- evidence 증거

Level up

시제 최종 점검하기

1 다음 주어진 단어를 이용하여, 주어진 시제로 문장을 완성하세요. (단, 부정문인 경우 줄임말로 쓸 것)

01 Bill ___is___ ___playing___ with his dog now. (play) 진행시제

02 I ________ ________ the drums these days. (learn) 진행시제

03 ________ you ________ breakfast at that time? (have) 진행시제

04 ________ he ________ my laptop computer now? (use) 진행시제

05 Nick ________ ________ on the grass when I saw him. (lie) 진행시제

06 The children ________ ________ happily in the snow now. (run) 진행시제

07 The students ________ ________ to their teacher now. (not/listen) 진행시제

08 Sue ________ ________ her homework when I came home. (not/do) 진행시제

09 You ________ ________ so much. (grow) 현재완료

10 ________ you ever ________ this song? (hear) 현재완료

11 I ________ ________ ________ lonely. (never/feel) 현재완료

12 ________ she ________ our dinner invitation? (decline) 현재완료

13 She ________ ________ anyone about her secret. (not/tell) 현재완료

14 Ellie ________ ________ out, so you can't see her now. (go) 현재완료

15 We ________ ________ close friends since we were young. (be) 현재완료

• laptop computer 노트북 컴퓨터 • happily 행복하게 • lonely 외로운 • decline 거절하다 • secret 비밀

정답 및 해설 p.17

❷ 다음 밑줄 친 부분이 올바르면 ○표, 틀리면 바르게 고치세요.

01 She not watching TV now. — is not watching

02 Irene is tieing her shoe laces.

03 Have you ever saw a rainbow?

04 I have lost my watch yesterday.

05 We are liking Mexican food a lot.

06 Mike is knowing them very well.

07 The restaurant has already closing.

08 The hairdresser is cuting her hair.

09 Have you ever played tennis before?

10 The children has visited the zoo twice.

11 Look at the stars! They are twinkling.

12 She has never been out of the country.

13 I didn't have thought about the matter.

14 Was Lucas repair his bike at that time?

15 Dave has wanted a new cell phone since six months.

• shoe lace 신발 끈 • rainbow 무지개 • hairdresser 미용사 • twinkle 반짝거리다 • matter 문제, 사안

3 다음 우리말과 같은 뜻이 되도록, 주어진 단어를 이용해서 문장을 완성하세요.

01 나는 너의 뒤에 서 있어. (stand, behind)
→ I ___am___ ___standing___ ___behind___ ___you___.

02 너는 중국어를 배워 본 적 있니? (learn, Chinese)
→ ________ you ever ________ ________?

03 비행기가 막 착륙했어요. (just, land)
→ The plane ________ ________ ________.

04 Bill은 전에 춤을 춰 본 적이 없어. (never, dance)
→ Bill ________ ________ ________ before.

05 그들은 파스타를 만들고 있지 않아요. (make, pasta)
→ They ________ ________ ________ ________.

06 너는 그때 옷을 갈아입고 있었니? (change, your clothes)
→ ________ you ________ ________ ________ then?

07 나는 자동차를 운전해 본 적이 없어. (never, drive a car)
→ I ________ ________ ________ ________ ________.

08 너는 벌써 그 책 다 읽었니? (finish, the book)
→ ________ you already ________ ________ ________?

09 Harry와 나는 카페에서 커피를 마시고 있었어요. (drink, coffee)
→ Harry and I ________ ________ ________ at the cafe.

10 우리는 지금 소풍 가고 있어. (go on a picnic)
→ We ________ ________ ________ ________ ________ now.

11 너의 오빠가 라디오를 듣고 있니? (listen to, the radio)
→ ________ your brother ________ ________ ________ ________?

12 나는 아직 그들에게 초대장을 보내지 않았어요. (send, the invitations)
→ I ________ ________ ________ ________ ________ to them yet.

WORDS
• behind ~뒤에 • land 착륙하다 • change 바꾸다, 갈아입다 • go on a picnic 소풍 가다 • invitation 초대장

4 다음 우리말과 같은 뜻이 되도록, 주어진 단어를 바르게 배열하여 문장을 완성하세요.

01 일주일째 비가 내리고 있어요. (has, it, rained)

→ It has rained for a week.

02 나 벤치에서 쉬고 있어. (taking, am, a rest)

→ I ______________________ on the bench.

03 그 가게 아직 안 열었어. (opened, the store, has, not)

→ ______________________ yet.

04 나는 온종일 집에 있었어요. (have, at home, been)

→ I ______________________ all day.

05 Ryan은 지금 모자를 쓰고 있지 않아. (a hat, not, is, wearing)

→ Ryan ______________________ now.

06 그녀는 그 소문을 들은 적이 없어. (heard, hasn't, the rumor)

→ She ______________________.

07 엄마가 막 이 쿠키들을 구우셨어. (these cookies, just, baked, has)

→ Mom ______________________.

08 Erica는 그 당시에 고양이를 찾고 있었어. (her cat, looking for, was)

→ Erica ______________________ at that time.

09 누나들이 부모님을 위해 저녁을 요리하고 있어요. (cooking, are, dinner)

→ My sisters ______________________ for my parents.

10 너는 친구들과 즐거운 시간을 보내고 있니? (you, having a good time, are)

→ ______________________ with your friends?

11 너는 롤러코스터를 타 본 적이 있니? (ever, have, ridden, a roller coaster, you)

→ ______________________?

12 몇 명의 학생이 학교 버스를 기다리고 있었어요. (waiting for, were, a school bus)

→ Some students ______________________.

WORDS

- take a rest 쉬다
- rumor 소문
- roller coast 롤러코스터

Actual test

1 다음 중 동사의 -ing형이 잘못 연결된 것은?

① smile - smiling ② die - dying
③ teach - teaching ④ begin - begining
⑤ listen - listening

[2-4] 다음 빈칸에 들어갈 말로 알맞은 것을 고르세요.

2 I ______________ when you called me.

① sleep ② sleeping
③ is sleeping ④ was sleeping
⑤ have slept

3 We have ______________ each other for five years.

① know ② know
③ knew ④ knowing
⑤ known

4 She is ______________ her science homework now.

① do ② did ③ does
④ done ⑤ doing

[5-6] 다음 대화의 빈칸에 들어갈 말이 바르게 짝지어진 것을 고르세요.

5 A: ____(A)____ you playing at Brian's house at that time?
B: No, I wasn't. I ____(B)____ at the library.

	(A)		(B)
①	Are	-	is studying
②	Were	-	was studying
③	Were	-	is studying
④	Do	-	was studying
⑤	Did	-	was studying

Note

1
begin은 「단모음+단자음」으로 끝나는 동사예요.

2
when ~은 과거 시간 표현이에요.

3
과거에 시작된 일이 현재까지 계속되고 있어요.

4
현재 진행의 형태는 「be동사의 현재형+V-ing」 예요.

5
at that time은 과거 시간 표현이고, 주어 뒤에 V-ing형이 있으므로 과거 진행 문장이에요.

정답 및 해설 p.18

6

A: Where is Isabel? I ____(A)____ her lately.
B: She ____(B)____ to Sydney.

	(A)		(B)
①	am not seen	-	went
②	don't seen	-	went
③	haven't seen	-	has been
④	haven't seen	-	has gone
⑤	am not seeing	-	has gone

[7-8] 다음 문장의 밑줄 친 부분과 쓰임이 같은 것을 고르세요.

7

She has studied Spanish at school before.

① We've just finished dinner.
② She has learned yoga since last year.
③ I have never sung in front of people.
④ My mom has lost her purse somewhere.
⑤ They have loved each other for five years.

8

I have lived here since I was born.

① My father has worked at City Bank for twenty years.
② She has left his cell phone on the bus.
③ We have just arrived at our hotel.
④ I have never ridden a horse.
⑤ The movie has just started.

9 다음 두 문장을 한 문장으로 바르게 연결한 것은?

She bought this table ten years ago. She still has it.

① She have this table since ten years ago.
② She had this table since ten years ago.
③ She has had this table for ten years.
④ She has have this table since ten years.
⑤ She was having this table for ten years.

Note

6
과거부터 현재까지의 경험을 나타내고, 과거에 일이 현재까지 영향을 미치고 있어요.
lately 최근에

7
주어진 문장은 현재까지의 경험을 나타내요.
in front of ~ 앞에
purse 지갑

8
주어진 문장은 과거에 시작된 일이 현재까지 계속되고 있음을 나타내요.

9
과거에 시작된 일이 현재까지 계속되고 있어요.

Actual test

[10-11] 다음 우리말을 영어로 바르게 옮긴 것을 고르세요.

10

아이들은 그때 연을 날리고 있었다.

① The children fly kites at that time.
② The children flew kites at that time.
③ The children are flying kites at that time.
④ The children were flying kites at that time.
⑤ The children have flown kites at that time

11

너는 그 박물관을 방문한 적이 있니?

① Did you visit the museum?
② Did you visited the museum?
③ Have you ever visit the museum?
④ Were you ever visiting the museum?
⑤ Have you ever visited the museum?

[12-13] 다음 밑줄 친 부분이 잘못된 것을 고르세요.

12

① He has taken taekwondo lessons since 2015.
② Has she heard the news an hour ago?
③ I have swum in the sea several times.
④ Have you been to Tokyo?
⑤ They haven't left yet.

13

① The bell is ringing.
② We are waiting for the bus.
③ Are you talking about our teacher?
④ People were walking in the rain.
⑤ She is having long curly hair.

Note

10
과거의 특정 시점에 진행 중인 동작을 나타내고 있어요.

11
현재까지의 경험을 묻고 있어요.

12
시제를 나타내는 부사(구)에 유의하세요.
yet 아직

13
상태동사는 진행형으로 만들 수 없어요.
ring 울리다
curly 곱슬곱슬한

정답 및 해설 p.18

14 다음 대화 중 자연스럽지 <u>않은</u> 것은?

① A: Are you ready to order?
B: No, I haven't decided yet.
② A: It is snowing heavily outside.
B: I had better stay home today.
③ A: Is Miranda studying for the exam?
B: No. She is playing on the computer.
④ A: How do you feel today?
B: I have had a headache, but I'm okay now.
⑤ A: What was he doing when you came home?
B: He was doing the dishes in the kitchen.

15 다음 밑줄 친 부분을 바르게 고치세요.

1) Rebecca has ⓐ <u>wear</u> glasses ⓑ <u>for</u> she was ten.

ⓐ ______________________
ⓑ ______________________

2) I ⓐ <u>am not knowing</u> her. I haven't ⓑ <u>meet</u> her before.

ⓐ ______________________
ⓑ ______________________

16 다음 우리말과 같은 뜻이 되도록, 주어진 단어를 이용하여 문장을 완성하세요.

1) 나는 탁구를 쳐 본 적이 없어요. (never, play)

→ ______________________________ table tennis.

2) 내가 부엌에 들어갔을 때 그녀는 칼로 감자를 자르고 있었어요.
(cut, potatoes)

→ When I entered the kitchen, she ____________________ with a knife.

Note

14
현재완료는 과거의 한 시점에서 일어난 일이 현재까지 영향을 미칠 때 사용해요.
order 주문하다
heavily 세차게
had better ~하는 게 좋다

15
2) know는 상태동사예요.

16
1) 현재까지의 경험을 나타내고 있어요.
table tennis 탁구
2) 과거 특정 시점에서 진행 중인 동작을 나타내고 있어요.

3) 그는 지금 집에 가고 있니? (go, home)

→ ______________________________ now?

4) 그 영화는 막 끝났다. (just, end)

→ The movie ______________________________.

[17-18] 다음 괄호 안에 주어진 지시대로 문장을 고쳐 쓰세요.

17 They were watching a baseball game. (부정문)

→ ______________________________.

18 She has broken her arm. (의문문)

→ ______________________________?

[19-20] 다음 우리말과 같은 뜻이 되도록, 주어진 단어를 바르게 배열하여 문장을 완성하세요.

19 우리는 지금 강의 전경을 즐기고 있어요.
(are, the view of the river, enjoying, we)

→ ______________________________ now.

20 Max는 미국에 세 번 가본 적이 있어.
(the USA, has, Max, three times, been to)

→ ______________________________.

Note

3) 현재 진행 중인 동작을 나타내고 있어요.
4) 어떤 동작이 현재에 막 완료되었음을 나타내고 있어요.

17
진행형의 부정문은 be동사 뒤에 not을 써요.

18
현재완료 의문문은 주어와 have/has의 위치를 바꿔요.

19
view 경관, 전망

Review test

정답 및 해설 p.19

1 다음 보기에서 알맞은 말을 골라 문장을 완성하세요. (단, 두 번씩 쓸 것) Chapter 1

보기
am are is was were

01 I ___am___ afraid of birds.
02 Erica and Irene ________ twins.
03 I ________ a new student here.
04 We ________ in the third grade now.
05 Mark ________ in Australia in 2013.
06 The weather ________ very nice outside.
07 I ________ very tired and sleepy last night.
08 There ________ a small gift box on the table.
09 Ted and I ________ at the bus stop thirty minutes ago.
10 There ________ lots of people at the festival last weekend.

2 다음 우리말과 같은 뜻이 되도록, 주어진 단어를 이용하여 문장을 완성하세요.

01 나는 거짓말쟁이가 아니야. (a liar)
→ I ___am___ ___not___ ___a___ ___liar___.

02 그는 야구를 잘하니? (good at)
→ ________ he ________ ________ baseball?

03 그것은 좋은 생각이 아니었어. (a good idea)
→ It ________ ________ ________ ________ ________.

04 너희들은 오늘 아침에 학교에 늦었니? (late for school)
→ ________ you ________ ________ ________ this morning?

05 우리 집 앞에 두 대의 차가 있어. (two cars)
→ ________ ________ ________ ________ in front of my house.

06 네 휴대 전화에 문제가 있니? (a problem)
→ ________ ________ ________ ________ with your cell phone?

07 그 학생들은 운동장에 없어요. (on the playground)
→ The students ________ ________ ________ ________ ________.

Words: twins 쌍둥이 형제 · 자매 / outside 밖에, 밖으로 / liar 거짓말쟁이 / in front of ~ 앞에 / problem 문제

Review test

1 다음 보기에서 알맞은 말을 골라 일반동사 문장을 완성하세요. Chapter 2

보기
walk have worry watch do (현재형으로 쓸 것)

01 She always ___worries___ about us.
02 The hotel room __________ a nice view.
03 Jake __________ the laundry twice a week.
04 Dad often __________ sports games on TV.
05 My sister and I __________ to school every day.

보기
buy stop cry invite spend (과거형으로 쓸 것)

06 The snow __________ last night.
07 Ann __________ at the end of the movie.
08 I __________ a pair of jeans and a T-shirt.
09 We __________ a lot of money on our trip.
10 Jennifer __________ me to her birthday party.

2 다음 우리말과 같은 뜻이 되도록, 주어진 단어를 이용하여 문장을 완성하세요.

01 나는 아무도 믿지 않아요. (trust)
→ I ___don't___ ___trust___ anyone.

02 그는 프랑스어를 이해하니? (understand)
→ ________ ________ ________ French?

03 그 극장은 9시에 문을 여나요? (the theater, open)
→ ________ ________ ________ ________ at 9?

04 너는 큰 실수를 했니? (make, a big mistake)
→ ________ ________ ________ ________ ________ ________?

05 그들은 문제의 답을 몰랐어요. (know, the answer)
→ They ________ ________ ________ ________ to the question.

06 Dave는 주말에 일찍 일어나지 않아요. (get up, early)
→ Dave ________ ________ ________ ________ on weekends.

07 너는 클래식 음악을 듣니? (listen to, classical music)
→ ________ ________ ________ ________ ________ ________?

Words do the laundry 빨래하다 theater 극장 classical music 클래식 음악, 고전 음악

정답 및 해설 p.19

❶ 다음 괄호 안에서 알맞은 것을 고르세요.

01 I (going / am going) for a swim.

02 Kevin was (siting / sitting) on the sofa.

03 We were (skating / stakeing) on the ice.

04 It has been sunny (for / since) last week.

05 They're (have / having) blueberry muffins.

06 She (has / have) already finished her report.

07 Jenny (has seen / has saw) the film five times.

08 I have (look / looked) for my dog for a week.

09 My brother (be fixing / is fixing) his computer now.

10 They (have grown / grew) the trees since ten years ago.

❷ 다음 우리말과 같은 뜻이 되도록, 주어진 단어를 이용하여 문장을 완성하세요.

01 나는 자동차를 운전해 본 적이 없어요. (never, drive)
→ __I__ __have__ __never__ __driven__ a car.

02 그 식물들이 죽어가고 있니? (the plants, die)
→ ______ ______ ______ ______?

03 Clare는 장갑을 끼고 있지 않아요. (wear, gloves)
→ Clare ______ ______ ______ ______.

04 Sammy는 런던에 가버렸어요. (go to, London)
→ Sammy ______ ______ ______ ______.

05 너는 Shake Shack 버거를 먹어 본 적이 있니? (eat)
→ ______ ______ ever ______ a Shake Shack burger?

06 내가 너에게 전화했을 때 너는 점심을 먹고 있었니? (have, lunch)
→ ______ ______ ______ ______ when I called you?

07 나는 오늘 아침 7시에 공원에서 조깅을 하고 있었다. (jog)
→ ______ ______ ______ in the park at seven this morning.

08 Mike는 한 달째 그의 방을 청소하지 않고 있어. (clean)
→ Mike ______ ______ ______ ______ ______ for a month.

Words skate 스케이트를 타다 ice 얼음, 빙판 film 영화

Review test

1 다음 우리말과 같은 뜻이 되도록, 주어진 단어를 이용하여 문장을 완성하세요. Chapter 1-3

01 너는 시를 쓰니? (write, poems)

→ ___Do___ you ___write___ ___poems___?

02 그들은 유명한 배우들이에요. (famous, actors)

→ They ________ ________ ________.

03 나뭇잎들이 벌써 떨어졌어요. (fall)

→ The leaves ________ already ________.

04 Mike는 지금 기차로 여행하고 있지 않아요. (travel)

→ Mike ________ ________ ________ by train.

05 Linda는 외국에 나가 본 적이 없어. (not, be abroad)

→ Linda ________ ________ ________ ________.

06 너 시험 결과에 놀랐니? (surprised)

→ ________ ________ ________ at the test results?

07 나는 한 시간 전에 수영장에 있었어요. (in the pool)

→ I ________ ________ ________ ________ an hour ago.

08 우리는 어젯밤 푸짐한 저녁을 먹었어요. (have, a big dinner)

→ We ________ ________ ________ ________ last night.

09 너희들은 지금 새로 온 학생에 대해 이야기 하는 거니? (talk about)

→ ________ ________ ________ ________ the new student?

10 아버지는 온라인 뉴스를 읽지 않아요. (read, online news)

→ My father ________ ________ ________ ________ ________.

11 나는 그때 침대 아래 숨어 있었어. (hide, under the bed)

→ I ________ ________ ________ ________ ________ at that time.

12 너는 학교에서 외국어를 배운 적이 있니? (learn, any foreign languages)

→ ________ you ever ________ ________ ________ ________ at school?

Words poem 시 leaf 나뭇잎 result 결과 online 온라인의 hide 숨다 foreign 외국의 language 언어

정답 및 해설 p.20

❷ 다음 우리말과 같은 뜻이 되도록, 주어진 단어를 바르게 배열하여 문장을 완성하세요.

Chapter 1-3

01 이 방이 추워. (cold, is, it)

→ It is cold in this room.

02 너는 겁쟁이가 아니야. (are, a coward, you, not)

→ ______________________.

03 너는 하와이에 가 본 적 있니? (ever, you, been, have)

→ ______________________ to Hawaii?

04 나는 전에 Jason을 만난 적이 없어. (have, I, met, never)

→ ______________________ Jason before.

05 방 가운데에 피아노가 하나 있었어요. (was, a piano, there)

→ ______________________ in the middle of the room.

06 그들은 막 새 아파트로 이사했어요. (they, just, moved, have)

→ ______________________ to a new apartment.

07 그녀는 자신의 안경을 잃어버렸다. (her glasses, lost, she, has)

→ ______________________.

08 Alex는 그때 무대에서 춤을 추고 있었어요. (Alex, dancing, was)

→ ______________________ on the stage then.

09 너희들은 눈사람을 만들고 있니? (making, you, are, a snowman)

→ ______________________?

10 나는 그때 낮잠을 자고 있지 않았어요. (was, taking a nap, not, I)

→ ______________________ at that time.

11 내 강아지는 소파에 누워있어요. (is, on the sofa, lying, my puppy)

→ ______________________.

12 너는 오늘 오후에 Angela의 집에 있었니? (you, at Angela's house, were)

→ ______________________ this afternoon?

Words coward 겁쟁이 in the middle of ~의 가운데 stage 무대 nap 낮잠 take a nap 낮잠을 자다

Achievement test

1 다음 중 동사의 3인칭 단수형이 잘못 짝지어진 것은?

① sit - sits ② go - goes
③ learn - learns ④ fly - flys
⑤ catch - catches

2 다음 중 동사의 과거형이 잘못 짝지어진 것은?

① live - lived
② eat - eated
③ carry - carried
④ speak - spoke
⑤ think - thought

3 다음 중 동사의 -ing형이 잘못 짝지어진 것은?

① tell - telling ② tie - tying
③ see - seeing ④ cut - cutting
⑤ practice - practiceing

[4-9] 다음 빈칸에 들어갈 말로 알맞은 것을 고르세요.

4

We ________ in the sea now.

① swims ② swimming
③ swam ④ are swimming
⑤ have swum

5

John ________ coffee every morning.

① drink ② drinks
③ drinking ④ are drinking
⑤ was drinking

6

She ________ to the movies with Grey last night.

① go ② goes
③ went ④ is going
⑤ has gone

7

I've lived in Seoul ________ ten years.

① yet ② for
③ since ④ just
⑤ already

8

They have just ________ the bridge.

① build ② builds
③ built ④ building
⑤ being building

9

Sue was cooking chicken soup ______.

① now
② so far
③ these days
④ at that time
⑤ since this morning

[10-11] 다음 밑줄 친 부분과 쓰임이 같은 것을 고르세요.

10

We have been friends for ten years.

① Jessica has left for China.
② The concert has just started.
③ He has already sent her a letter.
④ I have danced ballet since I was little.
⑤ Mike has never climbed the mountain.

11

I have read his books several times.

① I have forgotten his phone number.
② Aron has been to Fraser Island twice.
③ They haven't arrived at the airport yet.
④ She has already finished her homework.
⑤ He has stayed Boston for five months.

[12-15] 다음 밑줄 친 부분이 잘못된 것을 고르세요.

12
① Mike is throwing balls toward me.
② I am knowing the boys very well.
③ The kids are running in the hallway.
④ Were they having a good time at the party?
⑤ He was playing with a robot when I saw him.

13
① Have you ever seen a ghost?
② They have gone on a vacation.
③ I have played the piano for five years.
④ He hasn't eaten anything since yesterday.
⑤ Mom has worked at the hospital in 2010.

14
① These tomatoes aren't fresh.
② My mother doesn't watch TV.
③ Did you forget Jane's birthday?
④ She brushes her teeth three times a day.
⑤ There were some water in the bottle.

15
① Are you hungry now?
② Mark is not a tennis player.
③ There are seven days in a week.
④ Do Alice live near her school?
⑤ Mom worries about my school life.

16 다음을 부정문으로 만든 것으로 알맞은 것은?

They were at school at three.

① They not were at school at three.
② They were not at school at three.
③ They don't be at school at three.
④ They didn't be at school at three.
⑤ They not be at school at three.

17 다음을 의문문으로 만든 것으로 알맞은 것은?

Albert has played cricket before.

① Is Albert has played cricket before?
② Does Albert have played cricket before?
③ Did Albert have played cricket before?
④ Have Albert played cricket before?
⑤ Has Albert played cricket before?

[18-19] 다음 대화 중 자연스럽지 않은 것을 고르세요.

18 ① A: Are you using the computer?
B: No, I'm not. You can use it.
② A: How long have you taught math?
B: I have taught it for three years.
③ A: Do you like computer games?
B: No. I don't play them.
④ A: What are you doing in the kitchen?
B: I'm making some sandwiches.
⑤ A: Did Jacob send you an email?
B: No. I've got several emails from him.

19 ① A: Where is Susan?
B: She has just gone out.
② A: Is there a post office near here?
B: Yes. Go straight and turn left.
③ A: Have you been to Seoul?
B: Yes. I have been there three times.
④ A: The rain has finally stopped.
B: I'm sick of the rain. It's still raining.
⑤ A: What was Calvin doing in his room?
B: He was reading a comic book.

[20-22] 다음 밑줄 친 부분을 바르게 고쳐 쓰세요.

20

He ⓐ are my favorite singer. He ⓑ sing very well, and he ⓒ have a beautiful voice, too.

ⓐ ______________________
ⓑ ______________________
ⓒ ______________________

21

When I ⓐ see him last night, he ⓑ wear a funny hat.

ⓐ ______________________
ⓑ ______________________

22

There ⓐ was a lot of people at the concert. But ⓑ it not was interesting.

ⓐ ______________________
ⓑ ______________________

[23-24] 다음 두 문장을 현재완료를 이용하여 한 문장을 만드세요.

23

I lost my bike. So I don't have it now.

→ ______________________.

24

Erica was sick on Thursday. She is still sick.

→ ________________________________.

[25-27] 다음 우리말과 같은 뜻이 되도록, 주어진 단어를 이용하여 문장을 완성하세요.

25

책상 위에 책이 몇 권 있어요. (some books)

→ ______________________ on the desk.

26

나는 그때 손을 씻고 있었어. (wash)

→ ______________________ at that time.

27

Billy는 2012년부터 일본어를 공부해오고 있어요. (study, Japanese)

→ ________________________________.

[28-30] 다음 우리말과 같은 뜻이 되도록, 주어진 단어를 바르게 배열하여 문장을 완성하세요.

28

내 컴퓨터가 제대로 작동하지 않아요.
(does, my computer, work, not)

→ ________________________ properly.

29

그녀가 너의 전화번호를 물어보았니?
(your phone number, ask, she, did)

→ ________________________________?

30

네가 벌써 경찰을 불렀니?
(called, you, have, the police)

→ _________________________ already?

동사의 과거 · 과거분사표

현재	과거	과거분사
A-A-A형		
cost (비용이) ~들다	cost	cost
cut 자르다	cut	cut
fit 맞다	fit	fit
hit 치다, 때리다	hit	hit
hurt 다치다, 다치게 하다	hurt	hurt
put 놓다	put	put
read[ri:d] 읽다	read[red]	read[red]
set 놓다, 정하다	set	set
A-B-A형		
come 오다	came	come
become 되다	became	become
run 달리다	ran	run
A-B-B형		
bring 가져오다	brought	brought
build 짓다	built	built
buy 사다	bought	bought
catch 잡다	caught	caught
feed 먹이를 주다	fed	fed
feel 느끼다	felt	felt
fight 싸우다	fought	fought
find 찾다, 발견하다	found	found
hang 걸다, 매달다	hung	hung
have 가지다	had	had
hear 듣다	heard	heard
hold 잡고 있다	held	held
keep 유지하다	kept	kept
lay 놓다, 두다	laid	laid
learn 배우다	learned	learned
leave 떠나다	left	left
lend 빌려주다	lent	lent
lose 잃다, 지다	lost	lost
make 만들다	made	made
mean 의미하다	meant	meant
meet 만나다	met	met
pay 지불하다	paid	paid
say 말하다	said	said
sell 팔다	sold	sold
send 보내다	sent	sent
shine 빛나다, 반짝이다	shone	shone
sit 앉다	sat	sat
sleep 자다	slept	slept
spend 보내다, 쓰다	spent	spent
stand 서다	stood	stood
understand 이해하다	understood	understood
teach 가르치다	taught	taught
tell 말하다	told	told
think 생각하다	thought	thought
win 이기다	won	won

현재	과거	과거분사
A-B-C형		
be 이다	was, were	been
begin 시작하다	began	begun
blow 불다	blew	blown
break 부서지다, 부수다	broke	broken
choose 고르다	chose	chosen
do 하다	did	done
draw 그리다	drew	drawn
drink 마시다	drank	drunk
drive 운전하다	drove	driven
eat 먹다	ate	eaten
fall 떨어지다	fell	fallen
fly 날다	flew	flown
forget 잊다	forgot	forgotten
forgive 용서하다	forgave	forgiven
freeze 얼다	froze	frozen
get 받다	got	got/gotten
give 주다	gave	given
go 가다	went	gone
grow 자라다, 재배하다	grew	grown
hide 숨다, 숨기다	hid	hidden
know 알다	knew	known
lie 눕다	lay	lain
ride 타다	rode	ridden
ring 울리다	rang	rung
rise 오르다; 뜨다	rose	risen
see 보다	saw	seen
show 보여주다	showed	shown
sing 노래하다	sang	sung
speak 말하다	spoke	spoken
steal 훔치다	stole	stolen
swim 수영하다	swam	swum
take 잡다, 취하다	took	taken
throw 던지다	threw	thrown
wake 깨다, 깨우다	woke	woken
wear 입다	wore	worn
write 쓰다	wrote	written

※ lie 거짓말하다 lie-lied-lied

조동사 I

can과 be able to

조동사는 동사의 기본 의미에 능력, 의무, 충고, 미래, 허가, 추측 등의 의미를 더해주는 말입니다. can은 능력, 허가, 요청 등 다양한 의미를 나타냅니다.

1 can의 형태와 쓰임

「can+동사원형」의 형태로 쓰이며, 능력, 허가, 요청 등의 의미를 나타냅니다.

	형태	예문
능력	• ~ 할 수 있다 「주어+**can**+동사원형」 • 부정: ~할 수 없다 「**cannot[can't]**+동사원형」 • 의문: ~할 수 있니? 「**Can**+주어+동사원형~?」 • 과거형: ~할 수 있었다(없었다) 「**could (not)**+동사원형」	I **can speak** Spanish well. 나는 스페인어를 잘 할 수 있어요. She **can swim** very well. 그녀는 수영을 아주 잘 할 수 있어. He **cannot(=can't) play** the drums. 그는 드럼을 칠 수 없어요. **Can** you **ride** a horse? 너 말을 탈 수 있니? Yes, I can. 응, 탈 수 있어. / No, I **can't**. 아니, 탈 수 없어. We **could see** a lot of stars. 우리는 많은 별을 볼 수 있었어요. I **could not(=couldn't)** reach the book. 나는 그 책에 손이 닿지 않았어요.
허락, 허가	• ~해도 좋다[된다] 「주어+**can(=may)**+동사원형」	You **can use** my computer. 너는 내 컴퓨터를 써도 돼. You **can't go out** after 9 pm. 너는 9시 이후에는 외출할 수 없어. **Can** I **borrow** your textbook? 내가 네 교과서를 빌려도 될까?
요청, 부탁	• ~해 줄래? ~해 주시겠어요? 「**Can[Could]** you+동사원형 ~?」	**Can you help** me with this problem? 내가 이 문제 푸는 것 좀 도와줄래? **Could you drive** me home? 저를 집까지 태워 주시겠어요?

• 조동사는 인칭이나 수에 따라 형태가 변하지 않고, 조동사 뒤에는 항상 동사원형이 와요.

2 be able to(=can)

「be동사+able to+동사원형」의 형태로 쓰이며 조동사는 아니지만, 능력의 의미를 나타내는 can과 같은 의미를 나타냅니다.

형태	예문
• ~ 할 수 있다 「주어+**be**동사 **able to**+동사원형」	I can cook spaghetti easily. 나는 스파게티를 쉽게 요리할 수 있어. = I **am able to cook** spaghetti easily. They cannot buy a new house. 그들은 새집을 살 수 없어. = They **are not able to buy** a new house. Mike could fix the computer. Mike는 그 컴퓨터를 고칠 수 있었어요. = Mike **was able to fix** the computer.

• 조동사 can은 미래형이 없기 때문에 「will be able to 동사원형」으로 나타내요.
You will be able to pass the test. 너는 그 시험에 통과할 수 있을 거야.

정답 및 해설 p.21

1 다음 괄호 안에서 알맞은 것을 고르세요.

01 I can (swim / swims) in the sea.

02 You (can / be able to) come in.

03 We (able to / are able to) help you.

04 Can you (ride / riding) a motorbike?

05 Can I (use / using) your cell phone?

06 Can you (pass / passes) me the cheese?

07 The man (can / cans) lift this heavy rock.

08 She (can't / couldn't) sleep well last night.

09 Can you (are / be) here tomorrow morning?

10 You (can't go / can go not) out late at night.

11 They (will can / will be able to) win in the finals.

12 I (can / could) climb the tree when I was young.

13 He was able (arrive / to arrive) at the station in time.

14 We weren't able to (get / got) tickets for the concert.

15 Taylor (isn't / wasn't) able to come to the party yesterday.

• motorbike 오토바이 • pass 건네주다 • lift 들어 올리다 • rock 바위 • the finals 결승전

Start up

can과 be able to 의미와 형태 파악하기

❶ 다음 밑줄 친 부분이 올바르면 ○표, 틀리면 바르게 고치세요.

01 Can you are quiet? I'm on the phone. be

02 We can enjoy winter sports.

03 Dogs able to see some colors.

04 Can the little girl tells the time?

05 Cans he understand this sentence?

06 I can jump rope well when I was young.

07 She could answered the question easily.

08 If he studies hard, he will can pass the test.

09 Be you able to play any musical instruments?

10 I've finished my homework. Can I watch TV now?

11 My computer is broken. I not can send any emails.

12 Could you tell me the way to the National Museum?

13 They not were able to find a solution to the problem.

14 Richard is a great writer. He be able to write good stories.

15 Your English has improved a lot. You can't speak at all a year ago.

WORDS

- quiet 조용한
- tell the time 시계를 보다
- sentence 문장
- jump rope 줄넘기를 하다
- instrument 기계, 기구
- musical instrument 악기
- solution 해결책
- improve 나아지다, 향상하다

정답 및 해설 p.22

2 다음 보기에서 알맞은 조동사를 고르고, 주어진 동사를 이용해서 문장을 완성하세요.

[01-07] 보기

can can't

01 It's too dark. I ___can't see___ you at all. (see)

02 Ostriches are birds, but they ________________. (fly)

03 Ian ________________. He is only two years old. (read)

04 What? It's too noisy here. I ________________ you. (hear)

05 My brother is a chef. He ________________ very well. (cook)

06 I don't need your help. I ________________ everything by myself. (do)

07 My granddad has lived in China for ten years, but he ________________ Chinese. (speak)

[08-14] 보기

be able to be not able to

08 I got new glasses. I ________________ well now. (see)

09 The price is right. We ________________ the sofa. (buy)

10 The weather is terrible. You ________________ out. (go out)

11 I've met him before, but I ________________ his name. (remember)

12 Amy has passed her driving test. She ________________ a car. (drive)

13 Brandon is a guitarist. He ________________ the guitar very well. (play

14 The traffic is really bad. We ________________ to the airport in time. (ge

WORDS

- ostrich 타조
- noisy 시끄러운
- chef 요리사
- by oneself 혼자; 스스로
- right 맞는, 제대로 된
- guitarist 기타리스트
- traffic 교통
- get 도착하다

Check up & Writing

can과 be able to 문장 쓰기

1 다음 문장을 be able to를 이용하여 바꿔 쓰세요.

01 Can the boy fly a kite?
→ Is the boy able to fly a kite?

02 I can reach the top shelf.
→ ______________________.

03 Can you write Russian?
→ ______________________?

04 T-Rex could walk on two legs.
→ ______________________.

05 Hannah can play the piano a little.
→ ______________________.

06 My grandmother can't use the Internet.
→ ______________________.

07 Could you ride a bike when you were eight?
→ ______________________?

08 She couldn't go to the movies last night.
→ ______________________.

09 He can't speak any Korean at all.
→ ______________________.

10 I couldn't dance before I took lessons.
→ ______________________.

11 They couldn't meet the deadline for the project.
→ ______________________.

12 The firefighter could save the kid from the burning house.
→ ______________________.

WORDS

- reach (손이) 닿다
- shelf 선반, (책장의) 칸
- Russian 러시아어
- T-rex 티라노사우루스
- deadline 마감 시간, 기한
- project 과제, 프로젝트
- firefighter 소방관
- burning 불타는

정답 및 해설 p.22

❷ 다음 우리말과 같은 뜻이 되도록, 주어진 단어를 바르게 배열하여 문장을 완성하세요.

01 내가 너에게 뭐 좀 물어봐도 되니? (I, ask, can, you)

→ Can I ask you something?

02 잠깐만 여기 와볼래? (Can, here, you, come)

→ ______________________ for a minute?

03 내일 나에게 다시 전화해 줄래? (you, can, me, call)

→ ______________________ back tomorrow?

04 그 앵무새는 말을 할 수 있어. (talk, can, the parrot)

→ ______________________.

05 너는 쿠키를 먹어도 좋아. (can, a cookie, have, you)

→ ______________________.

06 내가 어렸을 때 나는 수영을 못 했어요. (couldn't, I, swim)

→ ______________________ when I was a child.

07 그는 스노보드를 타지 못해요. (is, able to, not, ride, he)

→ ______________________ a snowboard.

08 그녀는 양손으로 글을 쓸 수 있다. (is, able to, write, she)

→ ______________________ with her both hands.

09 Ruth는 트럼펫과 바이올린을 연주할 수 있어요. (can, play, Ruth)

→ ______________________ the trumpet and the violin.

10 그들은 안전하게 집에 돌아올 수 있었어요. (could, return home, they)

→ ______________________ safely.

11 우리 할아버지는 도움 없이는 걸으실 수 없어요. (can't, walk, my granddad)

→ ______________________ without help.

12 우리는 7시 기차를 탈 수 있을 거야. (catch, will, able to, be, we)

→ ______________________ the seven o'clock train.

WORDS

- call back 다시 전화하다
- parrot 앵무새
- snowboard 스노보드
- both 둘 다(의)
- trumpet 트럼펫
- safely 안전하게
- without ~없이

may, must

may는 추측과 허가의 의미를 내고, must는 의무와 강한 추측의 의미를 나타냅니다.

1 may

「may+동사원형」의 형태로 쓰이며, 추측과 허가의 의미를 나타냅니다.

의미	예문
추측: ~일지도 모른다 • 부정: ~아닐지도 모른다 「may not+동사원형」	She **may be** angry with you. 그녀는 너에게 화가 나 있는지도 몰라. It **may rain** tomorrow. 내일 비가 올지도 몰라. He **may not come** home early. 그는 일찍 집에 오지 않을지도 몰라요. Jamie **may not be** at school. Jamie가 학교에 없을지도 몰라.
허가, 허락: ~해도 좋다[된다] • 의문: ~해도 될까요? 「May+주어+동사원형~?」	You **may take** a rest now. 너는 지금 휴식을 취해도 좋다. You **may sit** here. 너는 여기에 앉아도 돼. **May** I **see** your plane ticket? 비행기 표를 보여주시겠어요? **May** I **borrow** your phone for a minute? 잠깐 전화를 빌려도 될까요?

• may의 과거형 might는 may보다 약한 추측의 의미를 나타내요.

• 허가나 허락을 구하는 의문문에 대한 대답은 다음과 같아요.
· 승낙하는 경우: Yes, you may[can]. Sure./Of course./Certainly. No problem. Go ahead.
· 거절하는 경우: No, you may not[can't]. I'm afraid not. Sorry, but you can't.

2 must

「must+동사원형」의 형태로 쓰이며, 의무와 강한 추측의 의미를 나타냅니다.

의미	예문
의무: ~해야 한다(=have to) • 부정: ~하면 안 된다(강한 금지) 「must not[mustn't]+동사원형」	You **must write** the report. 너는 그 보고서를 써야 해. They **must arrive** on time. 그들은 제시간에 도착해야 해. We **must not waste** your time. 우리는 시간을 낭비하면 안 돼. You **must not** tell a lie. 너는 거짓말을 하면 안 돼.
강한 추측: ~임이 틀림없다	Debbie **must be** very smart. Debbie는 매우 영리한 게 틀림없어. He **must be** our new teacher. 그가 우리 새로 오신 선생님인 게 틀림없어.
※ 강한 부정의 추측: can't[cannot] be: ~일 리가 없다	Jason had a very busy day. He **must be** tired. Jason은 매우 바쁜 하루를 보냈어요. 그는 피곤한 게 틀림없어. ↔ Jason was at home all day. He **can't be** tired. Jason은 온종일 집에 있었어. 그는 피곤할 리가 없어. That **can't be** true. 그게 사실일 리가 없어.

Warm up

정답 및 해설 p.23

1 다음 우리말과 같은 뜻이 되도록, 괄호 안에서 알맞은 것을 고르세요.

01 It (may / must) be cloudy this afternoon.
오늘 오후에는 흐릴지도 모른다.

02 He (may / must) be very healthy.
그는 매우 건강한 것이 틀림없어.

03 We (may / must) protect wildlife.
우리는 야생 동물을 보호해야 해요.

04 (May / Must) I speak to Mr. Smith?
Smith 씨와 통화할 수 있을까요?

05 Ben (may / must) know the answer.
Ben은 답을 알고 있을지도 몰라.

06 We (must / must not) use bad words.
우리는 나쁜 말을 하면 안 돼.

07 Sarah (may / must) love her child a lot.
Sarah는 자신의 아이를 많이 사랑하는 것이 틀림없어.

08 You (may / must) visit me any time tomorrow.
너는 내일 언제라도 나를 방문해도 돼.

09 They (may not / must not) be happy at the news.
그들은 그 소식이 달갑지 않을 수도 있어.

10 She (can't be / must not) Jane. She has gone to China.
그녀가 Jane일 리가 없어. 그녀는 중국에 가버렸어.

11 They (may / must) study for the university entrance exam.
그들은 대학 입학시험을 위해 공부를 해야 해.

12 You (may not / must not) swim in the river in this cold weather.
너는 이렇게 추운 날에 강에서 수영하면 안 돼.

- protect 보호하다, 지키다
- wildlife 야생 동물
- entrance 입학; (출)입구; 가입

Start up

may와 must 의미와 형태 파악하기

1 다음 밑줄 친 부분이 올바르면 ○표, 틀리면 바르게 고치세요.

01 Must I have your name? May

02 You must don't skip class.

03 May I takes your pictures?

04 They must be not late again.

05 He not may be at school now.

06 You must are careful with a knife.

07 You may eat ice cream after lunch.

08 It's getting late. We must leave now.

09 Lilly may enters the competition this year.

10 You are allergic to eggs. You may not eat it.

11 The band musts be popular among teenagers.

12 It is cloudy and cold. It may to snow later today.

13 The traffic light is red. You must stopping the car.

14 Mike can speak four languages. He can't be smart.

15 He is playing basketball with his friends. He can't be sick.

• skip 거르다, 건너뛰다 • careful 조심하는 • enter 참가하다 • competition 대회 • allergic 알레르기가 있는
• among ~사이에 • teenager 십대

❷ 다음 보기에서 알맞은 조동사를 고르고, 주어진 동사를 이용해서 문장을 완성하세요.

[01-07] 보기

must　　　must not

01 You ___must be___ polite to everyone. (be)

02 You ______________ anyone. It's a secret. (tell)

03 The children ______________ on the streets. (play)

04 We ______________ trash into the trash can. (throw)

05 You ______________ your seat belt before you drive. (fasten)

06 The paint is still wet. You ______________ on the bench. (sit)

07 Sue ______________ fresh fruit and vegetables for her health. (eat)

[08-14] 보기

may　　　may not

08 It is quite sunny. It ______________ today. (rain)

09 Dress warmly. It ______________ cold outside. (be)

10 She is still at work. She ______________ us for dinner. (join)

11 When you finish the test, you ______________ the classroom. (leave

12 I'm busy these days, but I ______________ you on the weekend. (se

13 You ______________ the paintings, but you can't touch them. (look a

14 He has decided not to buy the car. He ______________ enough mor
(have)

WORDS

- polite 예의 바른
- everyone 모든 사람
- secret 비밀
- trash 쓰레기
- trash can 쓰레기통
- fasten 매다, 채우다
- wet 젖은
- quite 꽤, 상당히
- dress 옷을 입다
- warmly 따뜻하게
- touch 만지다

Check up & Writing

may, must를 이용한 문장 쓰기

1 다음 우리말과 같은 뜻이 되도록, 주어진 단어를 이용하여 문장을 완성하세요.

01 주목해 주시겠어요? (have)

→ ___May___ ___I___ ___have___ your attention?

02 그것이 그렇게 나쁠 리가 없어. (that bad)

→ It ________ ________ ________ ________.

03 너는 그 사진들 중 하나를 가져도 돼. (keep)

→ You ________ ________ one of the pictures.

04 Lisa는 쇼핑하는 것을 좋아하지 않을지도 모른다. (shopping)

→ Lisa ________ ________ ________ ________.

05 Wendy는 천재임이 틀림없어. (a genius)

→ Wendy ________ ________ ________ ________.

06 너희들은 시험시간에 말을 해서는 안 된다. (speak)

→ You ________ ________ ________ during the test.

07 그 소년은 정말 용감한 것이 틀림없어. (very brave)

→ The boy ________ ________ ________ ________.

08 네가 원하면 우리와 여기 같이 있어도 돼. (stay here)

→ You ________ ________ ________ with us if you want.

09 나는 다음 달에 스페인으로 여행을 갈지도 몰라. (travel to Spain)

→ I ________ ________ ________ ________ next month.

10 그녀는 집에 없을지도 몰라요. (at home)

→ She ________ ________ ________ ________ ________.

11 부모는 자신들의 아이들을 돌봐야 한다. (take care of)

→ Parents ________ ________ ________ ________ their children.

12 우리는 산에서 불을 피우면 안 돼. (make a fire)

→ We ________ ________ ________ ________ ________ in mountains.

• attention 주의 • genius 천재 • brave 용감한 • take care of ~를 돌보다 • make a fire 불을 피우다

정답 및 해설 p.24

❷ 다음 우리말과 같은 뜻이 되도록, 주어진 단어를 바르게 배열하여 문장을 완성하세요.

01 나는 운동을 더 해야 해. (must, I, do)

→ I must do ________ more exercise.

02 그는 이 의견에 동의할지도 몰라. (agree, he, may)

→ ________ with this idea.

03 너는 내 옆에 앉아도 좋아. (sit, you, next to, may)

→ ________ me.

04 너는 손톱을 물어뜯으면 안 돼. (bite, not, must, you)

→ ________ your fingernails.

05 제가 주문을 받아도 될까요? (take, may, I, your order)

→ ________?

06 네 장화가 지하에 있을지도 몰라. (may, your rain boots, be)

→ ________ in the basement.

07 너는 그 상자를 열면 안 돼. (open, you, not, the box, must)

→ ________.

08 그 드레스는 비쌀지도 몰라. (be, may, expensive, the dress)

→ ________.

09 Anna가 우리와 같이 가지 않을지도 몰라. (not, Anna, go, may)

→ ________ with us.

10 그는 틀림없이 친구가 많을 거야. (a lot of, have, friends, he, must)

→ ________.

11 Wilson 씨는 좋은 선생님이 틀림없어. (be, must, Mr. Wilson, a good teacher)

→ ________.

12 나는 이번 주 금요일까지 그 보고서를 끝내야 해. (the report, I, complete, must)

→ ________ by this Friday.

WORDS

· do exercise 운동하다 · agree 동의하다 · next to ~옆에 · bite 물다, 물어뜯다 · fingernail 손톱
· order 주문 · basement 지하(층) · complete 마치다, 완성하다

have to, should

have to는 의무를 나타내고, should는 의무, 충고, 제안 등의 의미를 나타냅니다.

1 have to

「have/has to+동사원형」의 형태로 쓰이며, 의무를 나타내는 must는 have/has to로 바꿔 쓸 수 있습니다.

의미	예문
의무: ~해야 한다(=must)	I **have to**(=**must**) **catch** the first train tomorrow. 나는 내일 첫 기차를 타야 해요. Kate **has to**(=**must**) **take** my advice. Kate는 내 충고를 들어야 해.
• 부정: ~할 필요가 없다(불필요) 「don't/doesn't have to +동사원형」	You **don't have to worry** about it. 너는 그것에 대해 걱정할 필요 없어. She **doesn't have to leave** early. 그녀는 일찍 떠날 필요가 없어요.
• 의문: ~해야 하나요? 「Do/Does+주어+have to +동사원형~?」	Do you **have to wear** a uniform? 너는 교복을 입어야 하니? Yes, I have to. 응, 그래야 해. / No, I don't have to. 아니, 그럴 필요 없어.
• 과거: ~해야 했다 「had to+동사원형」	They **had to walk** home in the rain. 그들은 비가 오는데 집에 걸어와야 했어. Lauren **had to sell** his car cheap. Lauren은 차를 싼 값에 팔아야 했어요.

• must는 과거형이 없기 때문에 had to로 나타내요.
We **had to** take a taxi. 우리는 택시를 타야 했어.

• don't have to는 don't need to, need not으로 바꿔 쓸 수 있어요.
You **don't have to** get up early tomorrow. 너는 내일 일찍 일어날 필요 없어.
= You **don't need to** get up early tomorrow.
= You **need not** get up early tomorrow.

2 should

「should+동사원형」의 형태로 쓰이며 must와 의미가 비슷하지만, must보다 의무의 정도가 약합니다. 충고와 제안의 의미를 나타냅니다.

의미	예문
의무, 충고, 제안: ~해야 한다	You **should listen** to your teacher. 너는 선생님 말씀을 들어야 해. We **should wash** our hands before we eat. 우리는 먹기 전에 손을 씻어야 해.
• 부정: ~하면 안 된다(금지) 「should not[shouldn't] +동사원형」	You **should not**(=**shouldn't**) **go** out this late. 너는 이렇게 늦게 외출하면 안 돼. He **shouldn't sleep** during class. 그는 수업시간에 잠을 자면 안 돼.
• 의문: ~해야 하나요? 「Should+주어+동사원형~?」	**Should I say** sorry to Bob? 내가 Bob에게 미안하다고 말해야 할까? Yes, you should. 응, 그래야 해. / No, you don't have to. 아니, 그럴 필요 없어.

정답 및 해설 p.24

1 다음 괄호 안에서 알맞은 것을 고르세요.

01 We should (follow / follows) the rules.

02 Does Matt have to (tries / try) it again?

03 Should we (park / parking) our car here?

04 She (has to / had to) make a decision now.

05 You (should / shouldn't) make noise at night.

06 Children should (be not / not be) home alone.

07 Ryan has to (go / goes) to work early tomorrow.

08 Students should (are / be) at school by eight thirty.

09 We have to (wear / wearing) a swimsuit in the pool.

10 Look at the sign! He shouldn't (smoke / smokes) here.

11 Daniel (don't have to / doesn't have to) wait for Joshua.

12 Your dinner is at seven. You (should / shouldn't) be late.

13 Harry (have to / had to) take care of his sisters yesterday.

14 We (should not / don't have to) hurry. We have plenty of time.

15 You should (touch not / not touch) any pictures in the museum.

· follow 따르다 · rule 규칙 · again 다시 · park 주차하다 · make a decision 결정하다
· swimsuit 수영복 · sign 표지판 · plenty of 많은

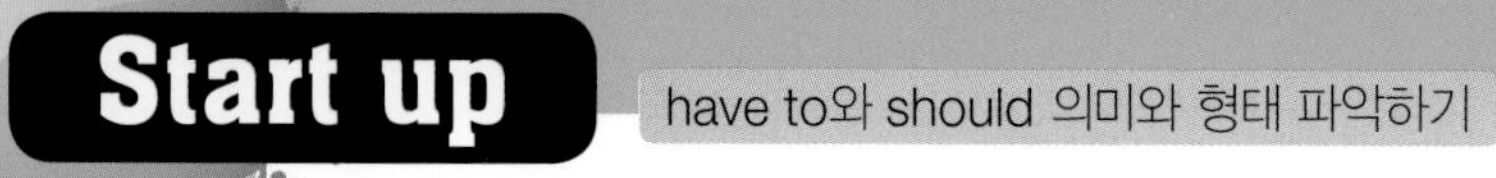

1 다음 보기에서 알맞은 조동사를 고르고, 주어진 동사를 이용해서 문장을 완성하세요.

[01-07] 보기

should　　shouldn't

01 Kids ___should sleep___ regularly. (sleep)

02 You ______________ in public places. (shout)

03 Students ______________ their homework. (forget)

04 You look tired. You ______________ some rest. (get)

05 The movie starts at five. We ______________ late. (be)

06 Your room is messy. You ______________ your room. (clean)

07 You ______________ the questions carefully before you solve them. (read)

[08-14] 보기

have/has to　　don't/doesn't have to

08 It's free. We ______________ anything. (pay)

09 You ______________ anything. Just sit down and wait. (do)

10 She is a millionaire. She ______________ for money. (work)

11 You ______________ careful. Otherwise, you may get hurt. (be)

12 We ______________ helmets when we ride inline skates. (wear)

13 Nancy has some guests today. She ______________ some food. (prepare)

14 The deadline is this Friday. You ______________ your project by then. (finish)

WORDS

- regularly 규칙적으로
- shout 소리 지르다
- public 공공의
- messy 엉망인, 지저분한
- millionaire 백만장자
- otherwise 그러지 않으면
- guest 손님
- prepare 준비하다

❷ 다음 두 문장이 같은 뜻이 되도록 빈칸에 알맞은 말을 쓰세요.

01 We must save water and energy.
→ We ___have to save___ water and energy.

02 We don't havc to wear suits.
→ We ________________ suits.

03 You don't have to be perfect.
→ You ________________ perfect.

04 He doesn't have to say sorry for it.
→ He ________________ sorry for it.

05 Ben doesn't have to buy a new bike.
→ Ben ________________ a new bike.

06 I ordered a pizza. She doesn't have to cook.
→ I ordered a pizza. She ________________.

07 Jim must be nice to his classmates.
→ Jim ________________ nice to his classmates.

08 You must turn off your cell phone in class.
→ You ________________ your cell phone in class.

09 We have only ten minutes. We must hurry up.
→ We have only ten minutes. We ________________.

10 Timothy must practice hard to win the match.
→ Timothy ________________ hard to win the match.

11 Take the book! You don't have to give it back to me.
→ Take the book! You ________________ it back to me.

12 I have so much work. I must work late tonight.
→ I have so much work. I ________________ late tonigh

WORDS

- save 절약하다
- energy 에너지
- suit 정장
- perfect 완벽한
- order 주문하다; 주문
- turn off 끄다
- match 경기, 시합
- give back 돌려주다

Check up & Writing

have to, should를 이용한 문장 쓰기

1 다음 우리말과 같은 뜻이 되도록, 주어진 단어를 이용하여 문장을 완성하세요.

01 너는 겁먹을 필요 없어. (be, afraid)

→ You __don't__ __have/need__ __to__ __be__ __afraid__.

02 너희들은 여기에서 조용히 해야 해. (be, quiet)

→ You ________ ________ ________ in here.

03 Tom은 단것을 너무 많이 먹으면 안 돼. (eat)

→ Tom ________ ________ too many sweets.

04 그녀는 자신의 계획을 바꿔야 해요. (change, her plan)

→ She ________ ________ ________ ________.

05 내가 그녀에게 사실을 얘기해야 할까요? (tell)

→ ________ ________ ________ ________ the truth?

06 Mary는 겨우 14세예요. 그녀는 차를 운전하면 안 돼요. (drive)

→ Mary is only fourteen. She ________ ________ a car.

07 우리는 다른 사람들의 의견을 존중해야 해. (respect)

→ We ________ ________ ________ other people's opinions.

08 네가 원하지 않으면 올 필요 없어. (come)

→ If you don't want, you ________ ________ ________ ________.

09 너는 어머니에게 그렇게 얘기하면 안 돼. (speak to)

→ You ________ ________ ________ ________ ________ like that.

10 나는 내 숙제를 모두 다시 해야 했어. (do, my homework)

→ I ________ ________ ________ ________ ________ all over again.

11 너는 우산을 가져갈 필요 없어. (take)

→ You ________ ________ ________ ________ an umbrella with you.

12 우리는 학기 말에 시험을 봐야 한다. (take a test)

→ We ________ ________ ________ ________ ________ at the end of the semester.

WORDS

• sweet 단것 • change 바꾸다; 변하다 • other 다른 • opinion 의견 • semester 학기

정답 및 해설 p.25

❷ 다음 우리말과 같은 뜻이 되도록, 주어진 단어를 바르게 배열하여 문장을 완성하세요.

01 너는 빨리 갈 필요는 없어. (go, to, don't, have, you)

→ You don't have to go fast.

02 그녀는 거짓말을 하면 안 돼. (tell, should, lies, she, not)

→ ______________________.

03 너는 그를 놀리면 안 돼. (make fun of, you, not, should)

→ ______________________ him.

04 그는 가족을 위해서 강해져야 해. (be, to, he, strong, has)

→ ______________________ for his family.

05 우리는 가구를 더 사야 할까요? (we, buy, more furniture, should)

→ ______________________?

06 우리 아빠는 지난 주말에 일을 해야 했어요. (work, had, my dad, to)

→ ______________________ last weekend.

07 Mark가 모든 것을 알 필요는 없어. (Mark, have, know, doesn't, to)

→ ______________________ everything.

08 우리가 그의 질문에 대답할 필요는 없어. (don't, we, answer, to, have)

→ ______________________ his question.

09 너는 들어오기 전에 노크를 해야 해. (knock, on the door, you, should)

→ ______________________ before entering.

10 나는 그것에 대해 부모님에게 물어봐야 해. (ask, to, have, my parents, I)

→ ______________________ about it.

11 너는 패스트푸드를 그만 먹어야 해. (fast food, should, you, eating, stop)

→ ______________________.

12 너는 같은 실수를 하면 안 돼. (make, shouldn't, the same, you, mistake)

→ ______________________.

WORDS

· make fun of ~를 놀리다 · furniture 가구 · knock 두드리다 · enter 들어가다[오다]

1 다음 주어진 우리말과 같은 뜻이 되도록, 괄호 안에서 알맞은 말을 고르세요.

01 (Must / May) I sit here?
제가 여기 앉아도 될까요?

02 (Should / May) I take his offer?
내가 그의 제안을 받아들어야 할까요?

03 He (may not / must not) like my present.
그가 내 선물을 좋아하지 않을지도 몰라.

04 (Could / Should) you pick me up at six?
6시에 저를 태우러 와 줄래요?

05 (Can I / Do I have to) pay for the delivery?
제가 배송료를 내야 하나요?

06 You (must not / don't have to) tell me everything.
너는 나에게 모든 것을 얘기하지 않아도 돼.

07 She (must / can't) be Sue. She has gone to Paris.
그녀가 Sue일 리가 없어. 그녀는 파리에 갔어.

08 You (must not / don't have to) break the promise.
너는 그 약속을 어기면 안 돼.

09 I (am not able to / couldn't) finish my painting in time.
나는 제시간에 내 그림을 끝낼 수 없었다.

10 (Do you have to / Can you) hold your breath for a minute?
너는 1분 동안 숨을 참을 수 있니?

11 Look at this nice car! It (must / shouldn't) be very expensive.
이 멋진 차를 봐! 그것은 틀림없이 정말 비쌀 거야.

12 We (can / must) cross the street when the traffic light turns green.
우리는 신호등이 녹색으로 바뀌면 길을 건너야 해.

WORDS
- offer 제안
- present 선물
- pick up 태우러 가다
- delivery 배달
- break 어기다
- promise 약속
- hold 참다
- breath 숨, 호흡

정답 및 해설 p.25

❷ 다음 밑줄 친 부분이 올바르면 ○표, 틀리면 바르게 고치세요.

01 Rachel may <u>to be</u> right. be

02 He <u>doesn't can ride</u> a scooter.

03 You may <u>kept</u> the change.

04 <u>Could you turn</u> on the light?

05 <u>Do</u> you able to read my mind?

06 <u>May</u> you pass me the ketchup?

07 Do I <u>have do</u> all the housework?

08 He <u>not may</u> go to the beach with us.

09 I wasn't <u>able passing</u> the driving test.

10 Dave <u>have to</u> stay up all night last night.

11 Can you <u>explaining</u> the rules of the game?

12 Your parents must <u>be surprised</u> at your grades.

13 Peter <u>can played</u> the piano when he was five.

14 We have plenty of time. We <u>have to not</u> take a taxi.

15 Jim <u>must not</u> be at school. I saw him at the gym a few minutes ago.

· right 옳은 · scooter 스쿠터 · change 거스름돈 · turn on 켜다 · light (전깃)불, 전등 · ketchup 케첩
· housework 집안일 · stay up all night 밤을 새다 · explain 설명하다 · grade 성적

Level up

❸ 다음 우리말과 같은 뜻이 되도록, 주어진 단어를 이용하여 문장을 완성하세요.

01 그 소식은 사실일 리가 없어. (true)

→ The news ___can't___ ___be___ ___true___.

02 나는 그에게 사과를 해야 했어. (apologize)

→ I ________ ________ ________ to him.

03 너는 내 샌드위치를 먹어도 좋아. (eat)

→ You ________ ________ ________ ________.

04 그녀가 Ted의 여동생임이 틀림없어. (Ted's sister)

→ She ________ ________ ________ ________.

05 너는 그 복사기를 고칠 수 있니? (fix)

→ ________ ________ ________ the copy machine?

06 인간은 물과 공기가 없으면 살 수 없어요. (live)

→ Humans ________ ________ without water and air.

07 우리가 호텔을 미리 예약해야 할까요? (book)

→ ________ ________ ________ the hotel in advance?

08 그는 점심을 가져올 필요 없어. (bring)

→ He ________ ________ ________ ________ his lunch.

09 너는 너무 늦게까지 깨어있으면 안 돼. (stay up late)

→ You ________ ________ ________ ________ ________.

10 Eric은 클래식 음악에 관심이 있을지도 몰라. (be interested in)

→ Eric ________ ________ ________ ________ classical music.

11 너는 노인에게 자리를 양보해야 해. (offer one's seat)

→ You ________ ________ ________ ________ to an elderly person.

12 Pitt는 그 회의에 참석할 수 없어. (attend)

→ Pitt ________ ________ ________ ________ ________ the meeting.

WORDS

- apologize 사과하다
- copy machine 복사기
- book 예약하다
- in advance 미리
- offer 제의하다, 제안하다
- seat 좌석
- elderly 연세가 드신
- attend 참석하다
- meeting 회의

4 다음 우리말과 같은 뜻이 되도록, 주어진 단어를 바르게 배열하여 문장을 완성하세요.

01 내가 내일 네 차를 써도 될까? (can, your car, I, use)

→ Can I use your car tomorrow?

02 나는 어렸을 때 수영을 못 했어. (swim, I, couldn't)

→ __________ when I was young.

03 우리는 최악의 경우를 대비해야 해. (should, we, prepare)

→ __________ for the worst.

04 그녀가 내 전화번호를 모를지도 몰라. (not, know, she, may)

→ __________ my phone number.

05 네가 아프면 일찍 하교해도 돼. (leave, early, school, you, may)

→ __________ if you are sick.

06 너는 선생님께 말대꾸를 하면 안 돼. (talk back, not, you, should)

→ __________ to your teacher.

07 그는 재미있는 사람인 것이 틀림없어. (be, a funny guy, he, must)

→ __________.

08 저에게 당신의 가족에 대해 말해주시겠어요? (me, you, could, tell)

→ __________ about your family?

09 Jason은 자동차에 돈을 너무 많이 쓰면 안 돼. (not, must, Jason, spend)

→ __________ too much money on his car.

10 그녀는 목이 아파서 말을 할 수가 없었어. (not, she, able to, was, speak)

→ __________ because of a sore throat.

11 그 공연은 공짜야. 너는 표를 살 필요가 없어. (don't, buy, a ticket, have to, you)

→ The show is free. __________.

12 나는 그 식당에서 밥을 먹으려고 한 시간을 기다려야 했어. (had to, I, wait, for an hour)

→ __________ to eat in the restaurant.

WORDS

- worst 최악의, 가장 나쁜
- the worst 최악의 경우
- talk back 말대꾸하다
- funny 재미있는
- sore throat 인후염

Actual test

[1-3] 다음 빈칸에 들어갈 말로 알맞은 것을 고르세요.

1

Jane _________ write when she was five.

① can ② may
③ must ④ have to
⑤ could

2

Take an umbrella with you. It _________ rain this afternoon.

① can't ② may
③ should ④ must not
⑤ have to

3

A: _________ you bring me a glass of water?
B: Sure. Here you are.

① Are ② May
③ Can ④ Must
⑤ Should

[4-5] 다음 밑줄 친 부분과 의미가 같은 것을 고르세요.

4

You <u>can</u> use my phone.

① do ② may
③ should ④ must
⑤ have to

5

We <u>have to</u> think carefully before we act.

① can ② could
③ may ④ must
⑤ are able to

Note

1
과거의 능력을 나타내는 조동사가 필요해요.

2
추측을 나타내는 조동사가 필요해요.

3
요청을 나타내는 조동사가 필요해요.

5
carefully 신중히, 조심해서
act 행동하다, 행동을 취하다

정답 및 해설 p.26

6 다음 빈칸에 공통으로 들어갈 말로 알맞은 것은?

- He ________ hurry. He doesn't have much time.
- She ________ be Sue's twin sister. She looks just like Sue.

① can ② may
③ must ④ should
⑤ have to

[7-8] 다음 빈칸에 들어갈 말이 바르게 짝지어진 것을 고르세요.

7

- You ____(A)____ bring any food into the museum.
- Bill is a good swimmer. He ____(B)____ swim very well.

	(A)		(B)
①	shouldn't	-	may
②	shouldn't	-	can't
③	shouldn't	-	can
④	don't have to	-	may
⑤	don't have to	-	must

8

- You ____(A)____ listen to your parents.
- You ____(B)____ worry. Everything will be okay.

	(A)		(B)
①	have to	-	don't have to
②	have to	-	could not
③	has to	-	don't have to
④	has to	-	could not
⑤	has to	-	shouldn't

Note

6
의무와 추측을 동시에 나타내는 조동사를 찾아 보세요.

7
금지와 능력을 나타내는 조동사를 각각 찾아보세요.

8
의무 · 충고, 불필요를 나타내는 조동사를 찾아 보세요.

[9-10] 다음 밑줄 친 부분의 의미가 나머지 넷과 다른 것을 고르세요.

9 ① A leopard can jump very high.
② We can make a delicious cake.
③ The singer can dance very well.
④ Becky can speak German fluently.
⑤ You can bring a friend to the party.

10 ① Sam must be a Canadian.
② You must be home by 8 o'clock.
③ Kate must finish this work by four.
④ I must prepare for the midterm exam.
⑤ We must get up early tomorrow morning.

[11-13] 다음 밑줄 친 부분이 잘못된 것을 고르세요.

11 ① I had to walk all the way home.
② Jones will can drive a car soon.
③ You must not take any pictures here.
④ You should ask the teacher about it.
⑤ I could dance ballet when I was young.

12 ① You don't have to write me back.
② We must not waste any more time.
③ Were you able to find the solution?
④ Clare may understand your situation.
⑤ He shoulds read the manual before using it.

13 ① Can you are my friend?
② May I speak to Mr. Glenn?
③ Do we have to take a taxi?
④ Should I wear a school uniform?
⑤ Could you open the window for me?

Note

9
can은 능력 · 가능, 허가, 요청의 의미를 나타내는 조동사예요.
leopard 표범
German 독일어

10
must는 강한 추측과 의무를 나타내는 조동사예요.
Canadian 캐나다인
midterm 중간의

11
두 개의 조동사를 같이 쓸 수 없어요.
ballet 발레

12
조동사 인칭이나 수에 따라 형태가 바뀌지 않아요.
solution 해결책
manual 설명서

13
조동사 의문문은 「조동사+주어+동사원형~?」의 어순이에요.

14 다음 중 우리말을 영어로 잘못 옮긴 것은?

① 나는 그 수학 문제를 풀 수 없었어.
→ I wasn't able to solve the math problem.
② 너는 나쁜 말을 쓰면 안 돼.
→ You shouldn't use bad language.
③ 거기에 저 혼자 가야 되나요?
→ Have I to go there alone?
④ 우리 극장에서 만날 수 있을까?
→ Can we meet at the theater?
⑤ 아기가 배가 고픈 것이 틀림없어.
→ The baby must be hungry.

15 다음 우리말과 같은 뜻이 되도록, 빈칸에 알맞은 조동사를 쓰세요.

1) 그녀는 내 생일을 기억하지 못할지도 몰라.

→ She ____________ ____________ remember my birthday.

2) Willy는 거기 있을 리가 없어.

→ Willy ____________ ____________ there.

16 다음 두 문장의 의미가 같도록 빈칸에 알맞은 말을 쓰세요.

1) I must take some medicine for my stomachache.
= I ____________ ____________ take some medicine for my stomachache.

2) You don't have to buy it if you don't want to.
= You ____________ ____________ ____________ buy it if you don't want to.

정답 및 해설 p.26

Note

14
solve 풀다
alone 홀로, 혼자서

15
1) 추측을 나타내는 조동사의 부정형이 필요해요.
2) 강한 부정의 추측을 나타내는 조동사 표현이 필요해요.

16
medicine 약
stomachache 복통

3) He could run fast when he was young.
= He ___________ ___________ ___________ run fast when he was young.

Note

[17-18] 다음 두 문장의 빈칸에 공통으로 들어갈 말로 알맞은 것을 쓰세요.

17
- ___________ I talk to you for a minute?
- ___________ you lend me a hand with this?

17
허가 · 허락과 요청 · 부탁을 나타내는 조동사를 쓰세요.
lend ~ a hand ~를 도와주다

18
- You ___________ come to class on time.
- She studied all night. She ___________ be very tired.

18
의무와 강한 추측을 나타내는 조동사를 쓰세요.

[19-20] 다음 우리말과 같은 뜻이 되도록, 주어진 단어를 이용하여 문장을 완성하세요.

19 너는 공원에서 꽃을 꺾으면 안 돼. (pick up)

➞ You ___________________________ flowers at the park.

19
'~하면 안 된다'라는 의미로 금지를 나타내는 조동사를 쓰세요.

20 Joe는 자신의 여권을 찾을 수가 없었어. (find)

➞ Joe ___________________________ his passport.

20
'~할 수 없었다'라는 의미로 과거의 능력을 나타내는 말을 쓰세요.

조동사 II

Unit 01 will, be going to

Unit 02 would like to, had better, used to

will, be going to

will은 예정이나 의지를 나타내고, be going to는 가까운 미래의 계획이나 예측을 나타냅니다.

1 will

「will+동사원형」의 형태로 쓰이며, 예정, 주어의 의지, 요청을 나타냅니다.

형태	예문
예정: ~할 것이다 주어의 의지: ~하겠다 • 부정: ~하지 않을 것이다/않겠다 「**will not[won't]/+동사원형**」 • 의문: ~할 거니? 「**Will+주어+동사원형~?**」	I **will go to** Kelly's birthday party tomorrow. 나는 내일 Kelly의 생일 파티에 갈 거예요. He'**ll finish** the report soon. 그는 곧 보고서를 끝낼 거예요. She **will not(=won't) change** her mind. 그녀는 마음을 바꾸지 않을 거예요. I **will not(=won't) forgive** you. 나는 너를 용서하지 않을 거야. **Will** you **be** back by 7 o'clock? 너는 7시까지 돌아올 거니? Yes, I will. 응, 그럴 거야. / No, I won't. 아니, 그러지 않을 거야.
요청, 제안: ~해 줄래? ~해 주시겠어요? 「**Will[Would]+you+동사원형~?**」	**Will** you **help** me with this problem? 내가 이 문제를 푸는 걸 도와줄래? **Would** you **tell** me more slowly? 좀 더 천천히 말해 주시겠어요?

2 be going to

「be동사+going to+동사원형」의 형태로 쓰이며, 미래, 예정되어 있는 계획을 나타냅니다.

형태	예문
미래: ~할 것이다 계획: ~할 예정이다 • 부정: ~하지 않을 것이다 「**be동사+not going to+동사원형**」 • 의문: ~할 거니? 「**Be동사+주어+going to+동사원형~?**」	It **is going to rain** this afternoon. 오늘 오후에 비가 내릴 거야. We **are going to join** the book club. 우리는 독서 클럽에 가입할 거예요. They'**re not going to leave** tonight. 그들은 오늘 밤에 떠나지 않을 거야. Irene **is not going to stay** with us. Irene은 우리와 함께 지내지 않을 거야. **Are** you **going to go** there by train? 너는 기차를 타고 거기에 갈 거니? Yes, I am. 응, 그래. / No, I'm not. 아니, 그러지 않을 거야.

• will과 be going to는 미래에 일어날 일을 말할 때 사용해요. 따라서 tomorrow(내일), next ~(다음 ~), soon(곧), later(나중에) 등과 같은 시간 표현과 같이 써요.

• 「be going to+동사원형」은 「be going to+장소(~에 가고 있다)」와 혼동하지 않도록 주의해야 해요.
I'm going to study at the library. 나는 도서관에서 공부할 거야.
I'm going to the library now. 나는 지금 도서관에 가고 있어.

정답 및 해설 p.27

1 다음 괄호 안에서 알맞은 것을 고르세요.

01 I will (am / be) at home this evening.

02 (Will you be / Will be you) my friend?

03 Sandy (will / wills) sing at the opening.

04 She will (not come / come not) with us.

05 (Will / Be going to) you hold the door for me?

06 They (going to / are going to) move next week.

07 My grandmother (wills is / will be) 70 next year.

08 Are you going (use / to use) this copy machine?

09 She won't (make / making) the same mistake again.

10 We (be going to / are going to) have a party tonight.

11 Is she going (painting / to paint) her room by herself?

12 Are you (go to / going to) meet Grace again tomorrow?

13 We (be going to / are going to) take a big test tomorrow.

14 I (am going to not / am not going to) invite Kate for dinner.

15 He is (not going / going not) to ride a bike to school tomorrow.

• opening 개막식　　• hold 잡고 있다, 잡다

Start up will, be going to 의미와 형태 익히기

1 다음 보기에서 알맞은 조동사를 고르고, 주어진 동사를 이용해서 문장을 완성하세요.

[01-07] 보기
will   won't

01 It is raining. I ___won't go out___. (go out)

02 Don't be scared! I ____________ you. (hurt)

03 I'm still full from lunch. I ____________ dinner. (eat)

04 This skirt is too expensive. I ____________ it. (buy)

05 It ____________ very sunny. Take sunglasses with you. (be)

06 Today is Mother's Day. I ____________ a cake for Mom. (bake)

07 I want to be a movie director. I ____________ my movie someday. (make)

[08-14] 보기
be going to   be not going to

08 We ____________. Mom has already cooked dinner. (eat out)

09 Mom, Sam is so selfish. He ____________ his cookies. (share)

10 We didn't book a hotel. We ____________ with our aunt. (stay)

11 Jeff doesn't like chess. He ____________ the chess club. (join)

12 I ____________ my childhood friends tonight. I can't wait! (meet)

13 Ron ____________ his car. He is short of money these days. (sell)

14 Monica doesn't even talk to me. She ____________ me. (forgive)

WORDS

- sacred 무서워하는, 겁먹은
- director 감독
- someday 언젠가
- eat out 외식하다
- selfish 이기적인
- share 나누다, 나눠 갖다
- childhood 어린 시절
- short of 모자란
- forgive 용서하다

정답 및 해설 p.27

❷ 다음 주어진 단어를 바르게 배열하여 대화를 완성하세요.

01 A: My car broke down again!
B: Don't worry. I ___will give you___ a ride. (you, will, give)

02 A: ________________ me? (you, help, will)
B: Sure. What do you want me to do?

03 A: How will you get to Chicago?
B: I ________________ myself. (going, am, to, drive)

04 A: Mom, I'm a bit hungry.
B: I ________________ a sandwich. (will, you, make)

05 A: What would you like to drink?
B: I ________________, please. (have, will, tea)

06 A: It ________________ today. (not, rain, to, going, is)
B: Then, I don't need to wear rain boots.

07 A: What time will Ashley arrive?
B: He ________________ by lunchtime. (be, will, here)

08 A: ________________ pasta? (order, you, to, going, are)
B: No. I'll just have green salad.

09 A: Does Jason have any plans for his vacation?
B: Yes. He ________________. (to, is, Chinese, study, going)

10 A: Can I borrow your bike tomorrow?
B: Sorry, but you can't. I ________________ it. (am, to, use, going

11 A: You are late again, Brian.
B: Sorry. I ________________ again. I promise. (be, late, won't)

12 A: Will Jane join us for lunch tomorrow?
B: No. She ________________ her grandparents. (is, to, going, vis

WORDS
- break down 고장 나다
- give a ride 태워 주다
- lunchtime 점심시간
- green salad 야채샐러드

Check up & Writing

will, be going to 문장 쓰기

1 다음 문장을 주어진 지시에 따라 바꿔 쓰세요.

01 They will worry about us.

→ 부정문 : They will not[won't] worry about us.

→ 의문문 : Will they worry about us?

02 My parents will punish me for lying.

→ 부정문 : ______________________.

→ 의문문 : ______________________?

03 You will win first prize in the contest.

→ 부정문 : ______________________.

→ 의문문 : ______________________?

04 Nate will ride his new bike in the park.

→ 부정문 : ______________________.

→ 의문문 : ______________________?

05 They are going to move soon.

→ 부정문 : ______________________.

→ 의문문 : ______________________?

06 He is going to fix my computer.

→ 부정문 : ______________________.

→ 의문문 : ______________________?

07 Kelly is going to study Spanish abroad.

→ 부정문 : ______________________.

→ 의문문 : ______________________?

08 We are going to go skiing this weekend.

→ 부정문 : ______________________.

→ 의문문 : ______________________?

WORDS

- punish 벌주다, 처벌하다
- soon 곧
- abroad 해외로, 해외에서

정답 및 해설 p.28

❷ 다음 우리말과 같은 뜻이 되도록, 주어진 단어를 이용하여 문장을 완성하세요.

01 내가 너에게 문자 메시지를 보낼게. (send, you)
→ ___I___ ___will___ ___send___ ___you___ a text message.

02 모든 것이 완벽할 거야. (perfect)
→ Everything ________ ________ ________.

03 Nick은 나에게 도움을 청하지 않을 거야. (ask me)
→ Nick ________ ________ ________ for help.

04 나는 오늘 오후에 수영하러 가지 않을 거야. (go swimming)
→ I ________ ________ ________ this afternoon.

05 아빠가 늦게 돌아올까요? (Dad, be back)
→ ________ ________ ________ ________ late?

06 너 나와 자리를 바꿔줄래? (change, seats)
→ ________ ________ ________ ________ with me?

07 나는 너에게 화를 내지 않을게. (get angry)
→ I'm ________ ________ ________ ________ ________ with you.

08 나는 거기에 지하철로 갈 거야. (get there)
→ I ________ ________ ________ ________ ________ by subway.

09 우리는 네가 정말 그리울 거야. (miss)
→ We ________ ________ ________ ________ ________ so much.

10 그들은 휴가를 하와이에서 보낼 거야. (spend)
→ They ________ ________ ________ ________ their vacation in Hawaii.

11 Jessica는 패스트푸드를 먹지 않을 거야. (eat)
→ Jessica ________ ________ ________ ________ ________ fast food.

12 너는 그 대회에 참가할 예정이니? (take part)
→ Are you ________ ________ ________ ________ in the competition?

WORDS
· text message 문자 메시지 · perfect 완벽한 · seat 자리, 좌석 · miss 그리워하다 · take part in 참가하다

would like to, had better, used to

would like to는 소망을, had better는 충고 또는 경고를, used to는 과거의 습관이나 상태를 나타냅니다.

1 would like to

「would like to+동사원형」의 형태로 쓰이며, 소망을 나타냅니다.

형태	예문
소망: ~하고 싶다	I **would like to eat** out tonight. 나는 오늘 밤에 외식하고 싶어요. I**'d like to have** a pet. 나는 애완동물을 하나 가지고 싶어요.
• 의문문: ~할래?, ~하시겠어요? 「**Would you like to+동사원형~?**」	**Who would** you **like to speak** with? 누구와 통화하시고 싶으세요? **Would** you **like to have** a cup of coffee? 커피 한 잔 하시겠어요? Yes, I would. 좋아요. / No, thanks. 괜찮아요.

• 「would like+명사/대명사」는 '~을 원하다'라는 의미를 나타내요.
I **would like** a cup of coffee. 나는 커피를 원해요.
I **would like** a room with a view of the lake. 호수가 보이는 방으로 주세요.

2 had better

「had better+동사원형」의 형태로 쓰이며, 충고, 조언 또는 경고를 나타냅니다.

형태	예문
충고, 조언, 경고: ~하는 게 좋겠다	You **had better see** a doctor. 너는 병원에 가 보는 게 좋겠어. We**'d better ask** him advice. 우리 그에게 조언을 구하는 게 좋겠어.
• 부정: ~하지 않는 게 좋겠다 「**had better+not+동사원형**」	You **had better not go** there alone. 너는 거기에 혼자 가지 않는 게 좋겠어. I don't feel well. I**'d better not go** out. 나는 몸이 안 좋아. 외출을 하지 않는 게 좋겠어.

3 used to

「used to+동사원형」의 형태로 쓰이며, 과거의 반복된 습관이나 지속된 상태를 나타냅니다.

형태	예문
과거의 습관: ~하곤 했다	I **used to read** three books a week. 나는 일주일에 세 권의 책을 읽곤 했어. They **used to take** piano lessons together. 그들은 피아노 교습을 같이 받곤 했었어.
과거의 상태: ~이었다	There **used to be** a big theater here. (예전에) 여기에 큰 극장이 있었어요. Mrs. Green **used to be** a doctor. (예전에) Green 부인은 의사셨어요.

• 과거의 반복된 습관을 나타내는 used to는 would로 바꿔 쓸 수 있어요. (과거의 상태를 나타내는 경우 바꿔 쓸 수 없음)
My dad and I **used to**(=**would**) go camping. 우리 아빠와 나는 캠핑하러 가곤 했어요.

Warm up

정답 및 해설 p.28

1 다음 우리말과 같은 뜻이 되도록, 보기에서 알맞은 조동사를 골라 쓰세요.

보기

would like to had better had better not used to

01 나는 딸기 아이스크림이 먹고 싶어요.

→ I _____would like to_____ have strawberry Ice cream.

02 너는 내 말을 듣는 것이 좋겠어.

→ You ________________ listen to me.

03 그는 아주 수줍은 소년이었어요.

→ He ________________ be a very shy boy.

04 예전에는 이곳이 도서관이었어요.

→ This ________________ be a library.

05 그는 요리 수업을 듣고 싶어 해요.

→ He ________________ take cooking classes.

06 Ted는 대통령을 만나고 싶어 해요.

→ Ted ________________ meet the President.

07 우리는 너무 많이 먹지 않는 게 좋겠어.

→ We ________________ eat too much.

08 Bennett는 테니스를 매일 치곤 했어요.

→ Bennett ________________ play tennis every day.

09 너는 따뜻한 물을 자주 마시는 것이 좋겠어.

→ You ________________ drink warm water often.

10 그들은 매년 여름 조부모님을 방문하곤 했어요.

→ They ________________ visit their grandparent every summer.

11 너는 건강에 더 좋은 음식을 먹는 것이 좋겠어.

→ You ________________ eat more healthy food.

12 우리는 보스턴으로 가는 마지막 버스를 놓치지 않는 게 좋겠어.

→ We ________________ miss the last bus to Boston.

WORDS

- strawberry 딸기
- President 대통령
- healthy 건강에 좋은, 건강한

would like to, had better, used to의 의미와 형태 익히기

1 다음 괄호 안에서 알맞은 것을 고르세요.

01 We (have / had) better meet early.

02 I used (go / to go) jogging every day.

03 She would like to (have / having) a kitten.

04 There (use / used) to be a hotel by the sea.

05 I would like (visit / to visit) the London Eye.

06 Nancy (has / had) better tell him everything.

07 Would he (like / likes) to learn about space?

08 You had better not (work / working) so hard.

09 Would you like (to dance / dancing) with me?

10 He (had better not / had not better) drive tonight.

11 I (would like / used) to sing well, but I don't now.

12 Ruth (would like to / had not better) be a movie star.

13 I (would like to / used to) talk to you for a few minutes.

14 When I was young, I (had better / used to) have very long hair.

15 My father (uses / used) to read a newspaper every morning last year.

• kitten 새끼 고양이 • space 우주

정답 및 해설 p.28

2 다음 보기에서 알맞은 조동사를 고르고, 주어진 동사를 이용해서 문장을 완성하세요.

[01-07] 보기

had better　　　had better not

01 You ___had better drive___ slowly on icy roads. (drive)

02 Jones is a liar. You ________________ him. (trust)

03 You ________________ smoking. It's bad for you. (quit)

04 I ________________ that to Carl. He will be upset. (say)

05 Margaret has a bad cold. She ________________ home today. (stay)

06 She's afraid of dogs. She ________________ anywhere near the dog. (g

07 It's an important matter. You ________________ a word with your pare
(have)

[08-14] 보기

used to　　　would like to

08 The weather is beautiful. I ________________ for a walk. (go)

09 I ________________ a hamburger. It's my favorite food. (have)

10 Kate ________________ very well, but she doesn't now. (dance)

11 Thank you for helping me. I ________________ you to lunch. (treat)

12 We ________________ friends, but now we don't even say hello. (be)

13 When I was a student, I ________________ to the library every day. (gc

14 Richard is a big fan of basketball. He ________________ a ticket for th
finals. (get)

WORDS

- icy 빙판의, 얼음에 뒤덮인
- quit 그만두다, 그만하다
- upset 속상한
- anywhere 어디에, 어디든지
- important 중요한, 중대한
- have a word 이야기하다
- thank 감사하다, 고마워하다
- treat 대접하다
- finals 결승전

Check up & Writing

would like to, had better, used to 문장 쓰기

1 다음 우리말과 같은 뜻이 되도록, 주어진 단어를 이용하여 문장을 완성하세요.

01 다시 한 번 시도해 보고 싶어요. (try)

→ I __would__ __like__ __to__ __try__ again.

02 너는 옷을 따뜻하게 입는 게 좋겠어. (dress warmly)

→ You ______ ______ ______ ______.

03 나는 바다에서 수영하고 싶어요. (swim)

→ I ______ ______ ______ ______ in the sea.

04 우리는 저 소파를 사지 않는 게 좋겠어. (buy)

→ We ______ ______ ______ ______ that sofa.

05 우리는 매년 겨울 스키 타러 가곤 했어요. (go skiing)

→ We ______ ______ ______ ______ every winter.

06 비가 그칠 때까지 여기 있는 게 좋겠어. (stay here)

→ I ______ ______ ______ ______ until the rain stops.

07 나는 (예전에) 영어 선생님이었어요. (be, an English teacher)

→ I ______ ______ ______ ______ ______ ______.

08 너는 그것에 대해 어떤 것도 얘기하지 않는 게 좋겠어. (say, anything)

→ You ______ ______ ______ ______ ______ about it.

09 그녀는 매일 오후 차 한 잔을 즐기곤 했었어요. (enjoy)

→ She ______ ______ ______ a cup of tea every afternoon.

10 우리는 사하라 사막을 여행하고 싶어요. (travel)

→ We ______ ______ ______ ______ to the Sahara Desert.

11 너는 음악을 좀 듣고 싶니? (listen)

→ ______ ______ ______ ______ ______ to some music?

12 Fred는 단것을 매우 좋아했었지만, 지금은 싫어해요. (love, sweets)

→ Fred ______ ______ ______ ______, but now he hates them.

WORDS

- try 시도하다; 노력하다
- until ~할 때까지
- desert 사막
- hate 몹시 싫어하다

정답 및 해설 p.29

❷ 다음 우리말과 같은 뜻이 되도록, 주어진 단어를 바르게 배열하여 문장을 완성하세요.

01 나는 잠을 좀 자는 게 좋겠어. (I, better, had, get)

→ I had better get some sleep.

02 나는 어렸을 때 뚱뚱했었어요. (used, be, to, fat, I)

→ ______________________ when I was a kid.

03 한국에 대해서 알고 싶으세요? (know, would, to, like, you)

→ ______________________ about Korea?

04 나는 공상 과학 영화를 보고 싶어요. (would, see, I, to, like)

→ ______________________ a sci-fi movie.

05 너는 택시를 타고 가는 것이 좋겠어. (take, had, you, better)

→ ______________________ a taxi.

06 저녁 먹으러 우리 집에 오실래요? (come, like, you, to, would)

→ ______________________ to my house for dinner?

07 우리는 매일 밖에서 놀곤 했었다. (to, outside, we, play, used)

→ ______________________ every day.

08 우리는 차가 막히기 전 가는 게 좋겠어. (had, go, we, better)

→ ______________________ before the rush hour.

09 예전에는 강에 오래된 다리가 있었어요. (an old bridge, used, there, to, be)

→ ______________________ over the river.

10 David는 미래에 동물들과 함께 하는 일을 하고 싶어 해. (like, to, would, David, work)

→ ______________________ with animals in the future.

11 그녀는 매일 저녁 오랫동안 산책을 하곤 했었어요. (used, she, a long walk, to, take)

→ ______________________ every evening.

12 너는 이렇게 늦은 시간에 그에게 전화하지 않는 게 좋겠어. (not, better, you, had, call)

→ ______________________ him at this late hour.

WORDS

• sic-fi 공상 과학의 • rush hour 혼잡시간대 • bridge 다리

Level up

조동사 II 최종 점검하기

1 다음 우리말과 같은 뜻이 되도록, 빈칸에 알맞은 조동사를 쓰세요.

01 나는 너를 오랫동안 기다리게 하지 않을 게.
→ I ______won't______ keep you wait long.

02 뉴욕 행 표를 사고 싶습니다.
→ I ________________ buy a ticket for New York, please.

03 너는 이 약을 먹는 게 좋겠어.
→ You ________________ take this medicine.

04 그는 주말마다 테니스를 치곤 했어.
→ He ________________ play tennis every weekend.

05 우리 아버지는 내년에 45세예요.
→ My father ________________ be 45 years old next year.

06 그들은 큰 도시에 살곤 했었어요.
→ They ________________ live in a big city.

07 우리는 너무 멀리 가지 않는 것이 좋겠어.
→ We ________________ go too far.

08 나 지금 바빠. 내가 나중에 너에게 전화할게.
→ I'm busy now. I ________________ call you later.

09 그는 TV를 너무 많이 보지 않는 게 좋겠어.
→ He ________________ watch too much TV.

10 우리는 이번 달 말까지는 집에 없을 거야.
→ We ________________ be at home until the end of this month.

11 우리는 방과 후에 스케이트 타러 가고 싶어요.
→ We ________________ go skating after school.

12 나는 내일 시험이 있어. 나는 집에 있으면서 공부하는 게 좋겠어.
→ I have a test tomorrow. I ________________ stay home and study.

WORDS

• later 나중에 • go skating 스케이트 타러 가다

정답 및 해설 p.29

2 다음 밑줄 친 부분을 바르게 고치세요.

01 I'm going miss you very much. to miss

02 Will you reading me the storybook?

03 The cafe uses to be a bookstore.

04 Would you like try my spaghetti?

05 He wills travel to the moon someday.

06 Brandon used spend money like water.

07 I used getting up at five in the morning.

08 You had better to come here and see this.

09 Harry going to save some money for a car.

10 I not will fight with my little brother again.

11 I would like study fashion design at college.

12 You have better go to the dentist regularly.

13 Laura is not go to sing a song at the wedding.

14 Do you going to practice taekwondo after school?

15 You look sick. You had not better go to work today.

WORDS

• spend money like water 돈을 물 쓰듯 쓰다 • dentist 치과 의사, 치과 • regularly 정기적으로 • wedding 결혼

Level up

③ 다음 우리말과 같은 뜻이 되도록, 주어진 단어를 이용해서 문장을 완성하세요.

01 그가 괜찮을까요? (all right)
→ Is he __going__ __to__ __be__ __all__ __right__?

02 우리는 같이 일하곤 했었어. (work together)
→ We ________ ________ ________ ________.

03 너는 최상의 경우를 바라는 게 좋겠어. (hope)
→ You ________ ________ ________ for the best.

04 비행기가 곧 이륙할 거예요. (take off, soon)
→ The plane ________ ________ ________ ________.

05 나는 우쿨렐레를 배우고 싶어. (learn)
→ I ________ ________ ________ ________ the ukulele.

06 너는 너의 가방을 여기다 두지 않는 게 좋겠어. (leave)
→ You ________ ________ ________ ________ your bag here.

07 나는 쉽게 포기하지 않을 거야. (give up)
→ I'm ________ ________ ________ ________ ________ easily.

08 나에게 집 좀 구경시켜줄래? (show)
→ ________ ________ ________ ________ around your house?

09 우리는 고급 호텔에서 묵을 거야. (stay at)
→ We are ________ ________ ________ ________ a luxury hotel.

10 너 오늘 오후에 집에 있을 거니? (be at home)
→ ________ ________ ________ ________ ________ this afternoon?

11 그 상점들은 크리스마스 연휴 동안 문을 열지 않을 거예요. (be open)
→ The stores ________ ________ ________ over the Christmas holidays.

12 이번 토요일에 쇼핑하러 가실래요? (go shopping)
→ ________ ________ ________ ________ ________ ________ this Saturday?

- all right 괜찮은
- together 함께, 같이
- hope 바라다, 희망하다
- take off 이륙하다
- ukulele 우쿨렐레
- give up 포기하다
- show ~ around ~에게 보여주다, 구경시켜 주다
- luxury 사치, 호화

❹ 다음 우리말과 같은 뜻이 되도록, 주어진 단어를 바르게 배열하여 문장을 완성하세요.

01 그의 초대를 받아들일 거니? (accept, will, you)

→ ______Will you accept______ his invitation?

02 너는 미술 수업에 등록할 거니? (to, sign up, going)

→ Are you ____________ for painting lessons?

03 사람들은 그의 말을 믿지 않을 거야. (believe, will, not)

→ People ____________ his words.

04 나는 다시 실패를 하지 않을 거야. (fail, not, am, to, going)

→ I ____________ again.

05 Patty는 내 가장 친한 친구였어. (used, my best friend, be, to)

→ Patty ____________.

06 저와 점심 같이 하실래요? (to, would, have, you, lunch, like)

→ ____________ with me?

07 그 문제는 그가 알아서 처리할 거예요. (take care of, will, the problem)

→ He ____________.

08 너는 커피를 너무 많이 마시지 않는 게 좋겠어. (not, had, drink, better)

→ You ____________ too much coffee.

09 Nicole과 Aiden은 다음 달에 결혼할 거야. (going, get married, to, are)

→ Nicole and Aiden ____________ next month.

10 의사 선생님과 진료 예약을 하고 싶어요. (make, would, an appointment, like, to)

→ I ____________ with the doctor.

11 우리는 그들의 제안에 대해 신중하게 생각해 보는 게 좋겠어. (had, think carefully, better)

→ We ____________ about their offer.

12 나는 한 달에 6권의 책을 읽곤 했는데, 지금은 더 이상 시간이 없어. (read, used, six books, to)

→ I ____________ a month, but I don't have time any more.

WORDS

- accept 받아들이다, 수락하다
- sing up 등록하다
- believe 믿다
- fail 실패하다
- take care of 돌보다, 처리하다
- get married 결혼하다
- appointment 약속
- make an appointment 약속을 하다

Actual test

[1-4] 다음 빈칸에 들어갈 말로 알맞은 것을 고르세요.

1

The class will ________ two hours later.

① end ② ends
③ ending ④ to end
⑤ ended

2

I am ________ my uncle this Sunday.

① go visit ② going visit
③ go to visit ④ going to visit
⑤ be going to visit

3

We ________ live in Alaska when I was young.

① will ② used to
③ had better ④ is going to
⑤ would you like

4

I would like ________ French.

① learn ② learns
③ learned ④ to learn
⑤ to learning

Note

1
will 다음에 동사의 어떤 형태가 오는지 생각해 보세요.

3
과거의 습관이나 상태를 나타내는 조동사를 찾아 보세요.
Alaska 알래스카

4
would like 다음에 오는 동사의 형태를 생각해 보세요.

정답 및 해설 p.30

[5-6] 다음 빈칸에 들어갈 말이 바르게 짝지어진 것을 고르세요.

5

- You look tired. You ___(A)___ stay home.
- I'm sorry. I ___(B)___ do it again.

(A)		(B)
① have better	-	won't
② have better	-	used to
③ had better	-	used to
④ had better	-	won't
⑤ had better not	-	won't

6

- I ___(A)___ become a great singer like Adele.
- My mom ___(B)___ be a flight attendant. She is a designer now.

(A)		(B)
① would like	-	uses to
② would like	-	used to
③ would like to	-	uses to
④ would like to	-	used to
⑤ would like to	-	be used to

7 다음 밑줄 친 부분과 의미가 같은 것은?

Hannah <u>wants to</u> travel around the world.

① will ② used to
③ had better ④ is going to
⑤ would like to

Note

5
충고와 의지를 나타내는 조동사가 필요해요.

6
소망과 과거의 상태를 나타내는 조동사가 필요해요.
flight attendant 승무원

7
소망을 나타내는 조동사를 찾아보세요.

Actual test

[8-9] 다음 대화의 빈칸에 알맞은 말을 고르세요.

8

A: I like these sneakers, but they are too expensive.
B: I think so too. You _________ buy them.

① had better
② would like to
③ are going to
④ aren't going to
⑤ had better not

> **Note**
> 8
> 조언, 충고를 나타내는 조동사를 찾고 어떤 형태가 알맞을지 생각해 보세요.
> sneakers 운동화

9

A: I'm going to play tennis this afternoon. Will you join me?
B: No, I won't. I _________ like tennis before I hurt my shoulder. I don't play it any more.

① won't
② used to
③ am going to
④ had better not
⑤ would like to

> 9
> 과거의 상태를 나타내는 조동사가 필요해요.
> shoulder 어깨

10 다음 빈칸에 들어갈 말이 나머지 넷과 다른 것은?

① _________ you give me a hand?
② _________ you go see a movie with Jason?
③ _________ you be at home tomorrow afternoon?
④ _________ you watch TV news yesterday?
⑤ _________ you take a picture for me?

> 10
> 문장의 시제에 주의하세요.

[11-13] 다음 밑줄 친 부분이 잘못된 것을 고르세요.

11

① Would you turn on the heater?
② You had not better be late again.
③ There used to be a large park here.
④ I would like to know more about you.
⑤ We're going to go to the concert tonight.

> 11
> 조동사의 형태에 주의하세요.

정답 및 해설 p.30

12 ① He isn't going to come with us.
② You had better start your homework now.
③ Would you like to stay and have dinner?
④ My parents will are angry at my mistake.
⑤ I used to go grocery shopping every Sunday.

13 ① Matt would like to meet you.
② Are they go to build a new school here?
③ This clothes shop used to be a restaurant.
④ I had better not go out in this cold weather.
⑤ She won't say anything about the accident.

14 다음 대화 중 자연스럽지 않은 것은?

① A: I can't solve this math problem.
B: Don't worry. I will help you.
② A: I gained 3 kg last month.
B: You had better not do some exercise.
③ A: Is he going to keep his promise?
B: Yes. He always keeps his word.
④ A: Here is my childhood picture. Have a look.
B: You used to have very long hair.
⑤ A: I'd like to have a tuna sandwich.
B: Anything to drink?

15 다음 빈칸에 공통으로 들어갈 말을 쓰세요.

• I would like ____________ be your friend.
• We used ____________ be very close friends.

Note

12
조동사 뒤에는 동사원형이 와요.
grocery shopping 장보기

14
word 말, 단어; 약속
have a look 한 번 슬쩍 보다

15
would like, used 다음에 어떤 형태가 오는지 생각해 보세요.

Actual test

16 다음 빈칸에 알맞은 말을 보기에서 골라 쓰세요. (단, 한 번씩만 쓸 것)

would like to	had better	used to	will

1) I ____________ go swimming every morning last year.

2) You have a cough and a runny nose. You ____________ go and see a doctor.

3) I ____________ wish you a happy birthday.

4) A: I'm so tired and sleepy. But I have to finish this.
B: I ____________ get you a cup of coffee. It will help you stay awake.

[17–18] 다음 우리말과 같은 뜻이 되도록, 주어진 단어를 바르게 배열하여 문장을 완성하세요.

17 우리는 지하철을 타는 게 좋겠어. (better, had, the subway, take)

→ We ________________________________.

18 나는 그의 사과를 받지 않을 거야. (his apology, not, accept, will)

→ I ________________________________.

[19–20] 다음 우리말과 같은 뜻이 되도록, 주어진 단어를 이용하여 문장을 완성하세요.

19 그들은 거기에 버스를 타고 갈 거예요. (get)

→ They ________________________ there by bus.

20 오늘 밤 우리와 저녁 먹으러 가실래요? (you, go out)

→ ________________________ for dinner with us tonight?

Note

16
1) last year는 과거 시간 표현이에요.
2) 충고를 나타내는 조동사가 필요해요.
3) 소망을 나타내는 조동사가 필요해요.
4) 의지를 나타내는 조동사가 필요해요.
awake 깨어 있는

17
조동사 긍정문은 「주어+조동사+동사원형」의 어순이에요.

18
조동사 부정문은 「주어+조동사+not+동사원형」의 어순이에요.
apology 사과

문장의 형태

Unit 01 1형식, 2형식 문장

Unit 02 3형식, 4형식 문장

Unit 03 5형식 문장

1형식, 2형식 문장

1형식 문장은 주어와 동사로 이루어지고, 2형식은 문장은 주어, 동사, 보어로 이루어진 문장입니다.

1 1형식과 2형식

1형식은 「주어+동사」 형태이고, 2형식은 「주어+동사+보어」 형태입니다. 1형식은 주로 부사(구)와 함께 쓰입니다.

1형식	2형식
「주어+동사(+수식어구)」	「주어+동사+보어」
The sun **shines**. 해가 빛나요. (The sun: 주어, shines: 동사)	Angela **is** my twin sister. Angela는 내 쌍둥이 여동생이에요. (Angela: 주어, is: 동사, my twin sister: 보어)
The bird **flies** in the sky. 새가 하늘을 날아요. (The bird: 주어, flies: 동사, in the sky: 수식어구)	He **looks** angry at me. 그가 나에게 화가 난 것처럼 보여요. (He: 주어, looks: 동사, angry: 보어, at me: 수식어구)

Plus 1

• 문장을 이루는 기본 요소에는 주어, 동사, 목적어, 보어가 있어요. 주어는 동작이나 상태의 주체, 동사는 주어의 동작이나 상태를 나타내는 말, 보어는 주어 또는 목적어를 보충 설명해주는 말, 목적어는 주어가 하는 동작의 대상이 되는 말이에요.

2 2형식 문장

2형식 문장에서는 보어로 명사 또는 형용사를 쓰고, 보어는 주어의 상태, 성질, 신분 등을 설명해 줍니다.

	형태	예문
주어	「**be**동사+명사/형용사」: ~이다/하다	My brother **is** a high school student. 우리 오빠는 고등학생이에요. James **is** friendly. James는 친절하다.
	「상태동사+명사/형용사」 • **become, get, turn, grow, fall:** ~되다, 해지다 • **remain, keep, stay:** ~한 상태를 유지하다	The boy **became** a musician. 그 소년은 음악가가 되었어요. Leaves **turn** yellow and red in fall. 나뭇잎들은 가을에 노랗고 빨갛게 변해요. They **remain** friends. 그들은 친구로 남아있어요. The students **kept** silent. 그 학생들은 침묵을 지키고 있었다.
	「감각동사+형용사」: • **feel**+형용사: ~하게 느끼다 • **look**+형용사: ~하게 보이다 • **smell**+형용사: ~한 냄새가 난다 • **sound**+형용사: ~하게 들리다 • **taste**+형용사: ~한 맛이 난다 cf. 감각동사 뒤에 명사가 오려면 like가 필요해요.	I **feel** happy. 나는 행복해. You **look** beautiful. 너 아름다워 보여. The coffee **smells** good. 커피에서 좋은 냄새가 나. It **sounds** interesting. 그거 재미있게 들려. This cake **tastes** sweet. 이 케이크는 달콤한 맛이 나요. She **looks like** an angel. 그녀는 천사 같아 보여. That **sounds like** a good idea. 그거 좋은 생각처럼 들려.

Plus 2

• 감각동사는 feel, look, smell 등과 같이 감각을 표현하는 동사예요.

정답 및 해설 p.31

1 다음 문장에서 주어와 동사를 찾아 표시하세요.

01 The moon rises.
주어 동사

02 Joshua speaks quietly.

03 The girl sings sweetly.

04 She ran around the park.

05 Luke looks young for his age.

06 A good medicine tastes bitter.

07 The neighbor's dog barks loudly.

08 This fresh bread smells delicious.

09 Mr. Chris is my geography teacher.

10 The children are in the playground.

11 My baby brother cries all the time.

12 Nathan felt asleep during math class.

13 Tommy became a great soccer player.

14 My grandparents are staying healthy.

WORDS

- rise 뜨다, 떠오르다
- quietly 조용하게
- sweetly 감미롭게, 달콤하게
- bitter 쓴
- neighbor 이웃
- bark 짖다
- geography 지리학
- fall asleep 잠들다

Start up

1형식, 2형식 문장 형태 익히기

1 다음 문장이 몇 형식 문장인지 고르세요.

01 The telephone rang. (1형식 / 2형식)

02 Two cats are on the roof. (1형식 / 2형식)

03 The sun rises in the east. (1형식 / 2형식)

04 Sandra smiled with relief. (1형식 / 2형식)

05 Suddenly, she felt dizzy. (1형식 / 2형식)

06 My mother drives carefully. (1형식 / 2형식)

07 Patrick looks like a nice guy. (1형식 / 2형식)

08 The plan sounds good to me. (1형식 / 2형식)

09 School starts at nine o'clock. (1형식 / 2형식)

10 My sister walks very slowly. (1형식 / 2형식)

11 The weather has turned warm. (1형식 / 2형식)

12 The milk in the fridge tastes sour. (1형식 / 2형식)

13 Everyone kept quiet during dinner. (1형식 / 2형식)

14 The student's name is James Cooper. (1형식 / 2형식)

15 The ugly duckling became a beautiful swan. (1형식 / 2형식)

- east 동쪽 · relief 안도, 안심 · dizzy 어지러운 · sour (우유가) 상한; 신 · ugly duckling 미운 오리 새끼
- swan 백조

정답 및 해설 p.32

❷ 다음 밑줄 친 부분이 올바르면 ○표, 틀리면 바르게 고치세요.

01 He goes church every Sunday. goes to

02 Silk feels smoothly.

03 That sounds like a lie.

04 The wind blows soft.

05 She danced gracefully.

06 This food smells badly.

07 The sky is growing darkly.

08 The boy smiled shy at me.

09 Her hair looks a bird's nest.

10 They lived happy ever after.

11 I work a computer company.

12 My face turned red with anger.

13 My father looks tiredly tonight.

14 The book became very popularly.

15 We ran hurriedly to the bus stop.

• smooth 매끄러운 • blow 불다 • gracefully 우아하게, 기품 있게 • nest 둥지 • anger 화
• hurriedly 다급하게

Check up & Writing

1형식, 2형식 문장 파악하기

❶ 다음 문장을 해석하고, 몇 형식인지 쓰세요.

01 Mom and Dad are coming. (1형식)
→ 엄마와 아빠가 오고 계셔.

02 His stories sound false. (   )
→ ____________________.

03 You smell like soap. (   )
→ ____________________.

04 You had better stay calm. (   )
→ ____________________.

05 The cake tasted too sweet. (   )
→ ____________________.

06 It is getting dark and cold. (   )
→ ____________________.

07 Bill and Sarah live peacefully. (   )
→ ____________________.

08 My mother worries too much. (   )
→ ____________________.

09 Christine always looks charming. (   )
→ ____________________.

10 Brian and his sister are at school. (   )
→ ____________________.

11 She feels sad with the bad news. (   )
→ ____________________.

12 My brother and I study every night. (   )
→ ____________________.

• false 사실이 아닌, 틀린 • calm 차분한, 침착한 • peacefully 평화롭게 • charming 매력적인

정답 및 해설 p.32

❷ 다음 우리말과 같은 뜻이 되도록, 주어진 단어를 바르게 배열하여 문장을 완성하세요.

01 시간은 빨리 흘러요. (flies, time, quickly)

→ Time flies quickly.

02 나는 그가 안 됐다고 느꼈어. (felt, I, sorry)

→ ______________________ for him.

03 Lucy는 그의 농담에 웃었다. (laughed, at his joke, Lucy)

→ ______________________.

04 너 공주 같아 보여. (like, a princess, look, you)

→ ______________________.

05 내 여동생이 고열로 아팠어요. (my sister, sick, fell)

→ ______________________ with a high fever.

06 내 강아지는 낯선 사람을 보면 짖어요. (barks, my dog, at strangers)

→ ______________________.

07 이 수프는 짜고 매워요. (this soup, salty and spicy, tastes)

→ ______________________.

08 그 남자는 주식으로 부자가 되었어요. (rich, became, the man)

→ ______________________ with stocks.

09 공연 중에는 자리에 계속 앉아 있어 주십시오. (seated, remain)

→ Please ______________________ during the performance.

10 가스레인지 위에서 무언가가 타고 있어요. (something, burning, is)

→ ______________________ on the stove.

11 우리 할아버지의 머리가 세었어요. (grey, turned, hair, my grandfather's)

→ ______________________.

12 그녀의 아이들은 항상 예의 바르게 행동해요. (her children, well, behave)

→ ______________ always ______________.

WORDS

· quickly 빨리 · laugh 웃다 · joke 농담 · princess 공주 · fever 열 · salty 짠 · spicy 매운
· stock 주식 · seated 앉아있는 · performance 공연 · grey 회색의 · behave 행동하다

3형식, 4형식 문장

3형식 문장은 주어, 동사, 목적어로 이루어진 문장이고, 4형식은 문장은 주어, 동사와 두 개의 목적어로 이루어진 문장입니다.

1 3형식과 4형식

3형식은 「주어+동사+목적어」 형태이고, 4형식은 「주어+동사+간접목적어+직접목적어」 형태입니다. 두 개의 목적어를 갖는 동사를 수여동사라고 하며 두 개의 목적어는 '~에게(간접목적어), …을(직접목적어)'라는 의미입니다.

3형식	4형식
「주어+동사+목적어」	「주어+동사+간접목적어+직접목적어」
Mom **made** a sweater. 엄마가 스웨터를 만드셨어요. (Mom: 주어 / made: 동사 / a sweater: 목적어) She **has** an apple for breakfast. (She: 주어 / has: 동사 / an apple: 목적어 / for breakfast: 수식어구) 그녀는 아침으로 사과를 하나 먹어요.	Mom **made** me a sweater. (Mom: 주어 / made: 동사 / me: 간 · 목 / a sweater: 직 · 목) 엄마가 나에게 스웨터를 만들어 주셨어요. I **gave** her some flowers. 나는 그녀에게 꽃을 줬어요. (I: 주어 / gave: 동사 / her: 간 · 목 / some flowers: 직 · 목)

• 수여동사에는 give, show, buy, ask, teach, send, make, bring, write 등이 있어요.

2 4형식에서 3형식으로 전환

4형식 문장의 간접목적어와 직접목적어의 위치를 바꾸고, 전치사를 사용하여 간접목적어를 부사구로 만들면 3형식 문장이 됩니다.

동사	예문
4형식: 「주어+동사+간 · 목+직 · 목」 → 3형식: 「주어+동사+목적어+부사구(전치사+간 · 목)」 • to를 쓰는 동사: **give, send, show, teach, tell, lend, write, bring, pass, sell** 등 • for를 쓰는 동사: **buy, make, get, cook, find** 등 • of를 쓰는 동사: **ask**	Glenn **showed** me his paintings. (4형식) → Glenn **showed** his paintings **to** me. (3형식) Glenn이 자신의 그림들을 내게 보여주었어요. Dad **bought** me a smart watch. (4형식) → Dad **bought** a smart watch **for** me. (3형식) 아빠가 나에게 스마트 워치를 사 주셨어요. He **asked** me a strange question. (4형식) → He **asked** a strange question **of** me. (3형식) 그 나에게 이상한 질문을 했어요.

• 직접목적어가 대명사(it, them)인 경우에는 4형식으로 쓰지 않고, 3형식 「주어+동사+목적어+부사구(전치사+간 · 목)」의 형태로만 써요.

Joshua gave me it. (×) Joshua gave it to me. (O) Joshua가 그것을 나에게 주었어요.

정답 및 해설 p.33

1 다음 문장에서 동사와 목적어를 찾아 표시하고, 몇 형식인지 쓰세요.

01 I need a few things. (3형식)
동사 목적어

02 I love vanilla ice cream. ( )

03 Dad scolded my brother. ( )

04 I did a lot of work today. ( )

05 They built a strong bridge. ( )

06 I lent her my favorite dress. ( )

07 Pass me the pepper, please. ( )

08 He gave her a diamond ring. ( )

09 Mom will buy me new jeans. ( )

10 Dave sent her a birthday card. ( )

11 The police caught the thieves. ( )

12 She lost her pet dog last week. ( )

13 The pharmacist gave me the medicine. ( )

14 His father made him a model airplane. ( )

WORDS

- vanilla 바닐라
- scold 꾸짖다, 야단치다
- strong 튼튼한; 힘이 센
- pepper 후추
- diamond 다이아몬드
- thief 도둑
- pharmacist 약사
- model airplane 모형 비행기

Start up

3형식, 4형식 문장의 형태 익히기

1 다음 괄호 안에서 알맞은 것을 고르세요.

01 She studies opera singing (Rome / in Rome).

02 Paul got a drink (to / for) me.

03 James asked some questions (of / to) me.

04 Julia made some sandwiches (us / for us).

05 I spilled the milk (the table / on the table).

06 My teacher gave some advice (to / for) me.

07 I will send (them / to them) a thank-you card.

08 The mailman delivered this parcel (me / to me).

09 The fisherman cast a net (the sea / into the sea).

10 Nancy bought a rain coat (to / for) her daughter.

11 Kelly showed pictures of her family (him / to him).

12 Mr. Wilson tells fairy tales (to / of) his grandchildren.

13 Becky writes (me a letter / a letter me) twice a month.

14 Books can teach (a lot of things us / a lot of things to us).

15 The four-leaf clover will bring (you good luck / good luck you).

WORDS

- opera singing 성악 · drink 마실 것, 음료 · spill 쏟다 · a thank-you card 감사 표시 카드
- mailman 우편집배원, 우체부 · deliver 배달하다 · parcel 소포, 꾸러미 · fisherman 어부 · cast 던지다
- net 그물 · tale 이야기 · fairy tale 동화 · grandchild 손자 · luck 행운

정답 및 해설 p.33

❷ 다음 두 문장의 의미가 같도록 빈칸에 알맞은 단어를 쓰세요.

01 Tim sent a postcard to me.
→ Tim sent ___me___ ___a___ ___postcard___.

02 He brought breakfast to her in bed.
→ He brought ________ ________ in bed.

03 Tell him your secret.
→ Tell ________ ________ ________ ________.

04 Mom cooked me fish.
→ Mom cooked ________ ________ ________.

05 He asked a silly question of her.
→ He asked ________ ________ ________ ________.

06 Julian teaches letters and numbers to students.
→ Julian teaches ________ ________ ________ ________.

07 Bill lent his car to us for the weekend.
→ Bill lent ________ ________ ________ for the weekend.

08 I sold him my old car.
→ I sold ________ ________ ________ ________ ________.

09 Her father will make a wooden desk for her.
→ Her father will make ________ ________ ________ ________.

10 Uncle Jim gave me a birthday gift.
→ Uncle Jim gave ________ ________ ________ ________ ________.

11 His dad bought him a cute kitten.
→ His dad bought ________ ________ ________ ________ ________.

12 A friend of mine got me a concert ticket.
→ A friend of mine got ________ ________ ________ ________ ________

· postcard 엽서 · secret 비밀 · silly 어리석은 · letter 글자 · number 수, 숫자 · wooden 나무로 된

Check up & Writing

3형식, 4형식 문장 완성하기

1 다음 주어진 단어를 바르게 배열하여 대화를 완성하세요.

01 A: How much did Brian lend you?
B: He ___lent me 5 dollars___. (me, 5 dollars, lent)

02 A: Here is a letter for you. Who is it from?
B: Jane ______________________. (it, me, sent, to)

03 A: Can I ______________________? (a favor, you, ask)
B: Of course. What is it?

04 A: You have a really pretty bracelet.
B: Johannah ______________________. (for, it, made, me)

05 A: Why are you so angry with Peter?
B: Because he doesn't ______________________. (the truth, me, tell)

06 A: What a beautiful dress you have! Where did you get it?
B: My aunt ______________________. (to, it, gave, me)

07 A: What are you doing with the computer?
B: I'm ______________________. (writing, to, Jessica, an email)

08 A: I'm hungry. I haven't eaten anything today.
B: I will ______________________ in a minute. (some food, bring, you)

09 A: Can you ______________________ to Central Park? (the way, show, me)
B: Oh, I'm on my way there. Come with me.

10 A: Parents' Day is coming. What did you buy for them?
B: I ______________________. (for, couple shirts, bought, them)

11 A: Who is your favorite teacher?
B: I like Mr. Chris best. He ______________________. (math, to, teaches, us)

12 A: I'm really thirsty. Will you ______________________?
(a glass of water, get, me)
B: Sure. Wait a minute.

WORDS
• favor 호의, 친절 • bracelet 팔찌

정답 및 해설 p.34

❷ 다음 우리말과 같은 뜻이 되도록, 주어진 단어를 이용하여 문장을 완성하세요.

01 나는 새 바비 인형을 원해요. (a new Barbie doll)
→ I ___want___ ___a___ ___new___ ___Barbie___ ___doll___.

02 내 개는 어디든지 나를 따라다녀요. (follow)
→ My dog ________ ________ everywhere.

03 우리는 지난달에 집을 팔았어요. (our house)
→ We ________ ________ ________ last month.

04 Jenny는 나에게 감자 샐러드를 요리해 줬어요. (potato salad)
→ Jenny ________ ________ ________ ________.

05 나에게 담요 하나를 가져다 주세요. (get, a blanket)
→ Please ________ ________ ________ ________.

06 Steve는 자신의 일을 아주 좋아해요. (his job)
→ Steve ________ ________ ________ very much.

07 Smith 씨는 그들에게 컴퓨터 과학을 가르쳐요. (computer science)
→ Mr. Smith ________ ________ ________ ________.

08 경찰이 나에게 몇 가지 질문을 했어요. (several questions)
→ The police ________ ________ ________ ________.

09 그녀가 그에게 외국 동전 몇 개를 보내주었어. (some foreign coins)
→ She ________ ________ ________ ________ ________.

10 내가 인터넷에서 재미있는 이야기를 찾았어. (an interesting story)
→ I ________ ________ ________ ________ on the Internet.

11 Ben은 엄마 지갑에서 돈을 좀 훔쳤어요. (some money)
→ Ben ________ ________ ________ from his mother's purse.

12 Robinson 여사는 우리를 따뜻하게 환영해 주셨어요. (give, a warm welcome)
→ Mrs. Robinson ________ ________ ________ ________ ________.

WORDS

• everywhere 어디든지 • blanket 담요 • foreign 외국의 • coin 동전 • welcome 환영

5형식 문장

5형식 문장은 주어, 동사, 목적어, 목적격보어로 이루어진 문장입니다.

1 5형식

「주어+동사+목적어+목적격보어」 형태이고, 목적격보어는 목적어의 성질이나 상태를 보충 설명해 주는 말입니다. 목적격보어는 동사에 따라 명사(구), 형용사(구), to부정사(구), 동사원형 등이 쓰입니다.

형태	예문
「주어+동사+목적어+목적격보어」	Her friends **call** her "**Fairy**." (명사) 그녀의 친구들을 그녀를 '요정'이라고 불러요. (주어 / 동사 / 목적어 / 목·보) My parents **want** me **to be honest**. (to부정사구) (주어 / 동사 / 목적어 / 목·보) 우리 부모님은 내가 정직하길 바라세요.

Plus 1 • to부정사는 「to+동사원형」의 형태이고, 문장에서 명사, 형용사, 부사 역할을 해요.

2 목적격보어의 형태

형태	예문
• 「동사+목적어+명사」: **call, make, name, elect** 등	They **made** their daughter a ballerina. 그들은 딸을 발레리나로 만들었어요. My classmates **elected** me class president. 우리 반 친구들이 나를 반장으로 뽑아주었어요.
• 「동사+목적어+형용사」: **make, keep, find, think** 등	Jennifer **found** the book boring. Jennifer는 그 책이 지루하다는 것을 알았어. We should **keep** our hands clean. 우리는 손을 깨끗이 해야 해요.
• 「동사+목적어+to부정사」: **want, ask, tell, expect, order, allow** 등	My sister **told** me to clean her room. 우리 언니가 나에게 자신의 방을 청소하라고 했어요. Richard **asked** her to dance. Richard가 그녀에게 춤을 추자고 했어요.
• 「사역동사+목적어+동사원형」: **make, have, let** ※ 사역동사: 주어가 목적어에게 어떤 행위나 동작을 하게 하는 동사 *cf.* help는 준사역동사이며, 목적격보어로 to부정사 또는 동사원형 둘 다 올 수 있어요.	Josh always **makes** me laugh. Josh는 항상 나를 웃게 만들어요. They **let** him go there alone. 그들이 그가 그곳에 혼자 가는 것을 허락했어요. I **helped** Mom (to) prepare dinner. 나는 엄마가 저녁을 준비하는 것을 도와드렸어요.
• 「지각동사+목적어+동사원형」 **see, watch, feel, hear, smell** 등 ※ 지각동사: 감각 기관을 통해 느끼는 것을 말하는 동사	I **saw** her sing on the stage. 나는 그녀가 무대에서 노래하는 것을 보았어. Amy heard **them** talk about him. Amy는 그들이 그에 대해 이야기하는 것을 들었어.

Plus 2 • 지각동사의 목적격보어로 현재분사(V-ing)를 써서 동작이 진행 중임을 강조할 수 있어요.
I saw her **singing** on the stage. 나는 그녀가 무대에서 노래하는 있는 것을 보았어요.

정답 및 해설 p.34

1 다음 문장에서 동사와 목적어, 목적격보어를 찾아 표시하세요.

01 They named him Richard.
동사 목적어 목·보

02 We elected her speaker.

03 I want you to forgive me.

04 I heard someone scream.

05 Dave helped me move my bed.

06 He had me wash his dirty socks.

07 My father told me to read a lot.

08 He asked her to turn off the TV.

09 They expected me to stay longer.

10 She made the boy carry her luggage.

11 My brother always makes me angry.

12 Ann found the magazine very useful.

13 I saw children enjoying a snowball fight.

14 She ordered me to get out of her room.

WORDS

- name 이름을 지어주다, (지위에) 임명하다
- elect 선출하다
- scream 비명을 지르다
- expect 기대하다, 예상하다
- luggage 짐
- useful 유용한
- snowball 눈뭉치
- snowball fight 눈싸움
- order 명령하다, 지시하다

Start up

5형식 목적격보어 형태 익히기

1 다음 괄호 안에서 알맞은 것을 고르세요.

01 He (named / wanted) his cat "Yoyo."

02 Don't (call / keep) me a liar.

03 The police told him (stop / to stop).

04 She keeps her house (neat / neatly).

05 I heard something (fall / to fall) down.

06 Karen (helped / told) him find a new house.

07 They expect us (dress / to dress) for dinner.

08 My children always make me (smile / to smile).

09 The old lady ordered us (keep / to keep) quiet.

10 The doctor advised me (do / to do) some exercise.

11 Mom watched us (to swim / swimming) in the sea.

12 A lot of students found his class (interest / interesting).

13 Martin wants me (finish / to finish) the work on time.

14 I let my son (play / to play) computer games for thirty minutes a day.

15 My parents didn't allow me (sleep / to sleep) over at Jessica's house

WORDS

- neat 깔끔한, 정돈된
- dress for dinner 만찬회에 예복을 입다
- advise 조언하다, 충고하다
- allow 허락하다
- sleep over 자고 오다[가다]

정답 및 해설 p.35

❷ 다음 밑줄 친 부분이 올바르면 ○표, 틀리면 바르게 고치세요.

01 He asked me marry him. — to marry

02 I think James wise.

03 I found his advice very help.

04 Technology makes life easily.

05 People elected him the Mayor.

06 She advised me sleep enough.

07 Brad helped me moving my sofa.

08 Carrie felt someone pulling her hair.

09 My father had me washing his car.

10 Welcome! Let me to take your coat.

11 They named their daughter to Venus.

12 The movie made her for a global star.

13 The teacher ordered us follow the rules.

14 Max saw her to leave, but he didn't say goodbye.

15 Mr. Green allowed us to use calculators in the exam.

· technology (과학) 기술 · the Mayor 시장 · pull 당기다, 잡아당기다 · global 세계적인 · goodbye 작별인사
· calculator 계산기

Check up & Writing

5형식 문장 쓰기

❶ 다음 우리말과 같은 뜻이 되도록, 주어진 단어를 바르게 배열하여 문장을 완성하세요.

01 내 친구들이 나를 천재라고 불러요. (a genius, me, call)

→ My friends ______call me a genius______.

02 Sam은 내가 마음을 바꾸길 원해요. (to change, me, wants)

→ Sam ________________ my mind.

03 우리는 이를 깨끗하게 유지해야 해요. (clean, our teeth, keep)

→ We must ________________.

04 그는 그녀가 위층으로 올라오는 것을 보았어요. (coming, her, saw)

→ He ________________ upstairs.

05 나는 Tina가 사려 깊다고 생각했어요. (thought, considerate, Tina)

→ I ________________.

06 우리 언니는 내가 자신의 컴퓨터를 사용하지 못하게 해요. (use, me, let)

→ My sister doesn't ________________ her computer.

07 나는 미용사에게 머리를 짧게 자르라고 시켰어요. (cut, had, the hairdresser)

→ I ________________ my hair short.

08 부엌에서 무언가가 타고 있는 냄새가 나. (something, smell, burning)

→ I can ________________ in the kitchen.

09 그들은 우리가 그 게임에서 이길 거라고는 예상하지 못했어요. (expect, to win, us)

→ They didn't ________________ the game.

10 그 간호사는 나에게 앉아서 기다리라고 했어요. (me, to sit down and wait, told)

→ The nurse ________________.

11 나는 그 사탕 상자가 비었다는 것을 알게 되었어요. (the candy box, found, empty)

→ I ________________.

12 그들은 자신들의 아들들은 유명한 건축가로 만들었어요. (their sons, famous architects, made)

→ They ________________.

WORDS

- upstairs 위층으로, 위층에서
- considerate 사려 깊은, 배려하는
- hairdresser 미용사
- burn 타다, 태우다
- architect 건축가

❷ 다음 우리말과 같은 뜻이 되도록, 주어진 단어를 이용하여 문장을 완성하세요.

01 그 음식이 나를 아프게 만들었어. (sick)
→ The food __made__ __me__ __sick__.

02 나는 내 여동생이 울고 있는 것을 들었어. (cry)
→ I ________ ________ ________ ________.

03 이 드레스는 너를 날씬하게 보이게 만들어. (look thin)
→ This dress ________ ________ ________ ________.

04 그는 절대로 내가 그의 전화기를 만지게 하지 않는다. (touch)
→ He never ________ ________ ________ his phone.

05 그녀는 자신의 집을 너무 따뜻하게 유지해요. (her house, too warm)
→ She ________ ________ ________ ________ ________.

06 Jennie는 그에게 그 클럽에 가입해 달라고 부탁했어. (join)
→ Jennie ________ ________ ________ ________ the club.

07 선생님이 내게 그녀에게 사과하라고 지시했어. (apologize)
→ The teacher ________ ________ ________ ________ to her.

08 그 선생님은 새로 온 학생이 부지런하다는 것을 알았어요. (the new student, diligent)
→ The teacher ________ ________ ________ ________ ________.

09 우리는 그를 우리 팀 주장으로 선출했어요. (captain of our team)
→ We ________ ________ ________ ________ ________ ________.

10 Ron은 나에게 휴식을 취하라고 조언했어요. (take a rest)
→ Ron ________ ________ ________ ________ ________ ________.

11 우리는 그 남자가 이웃집에 들어가는 것을 보았어요. (the man, enter)
→ We ________ ________ ________ ________ the neighbor's house.

12 엄마는 내가 내 친구들과 캠핑하러 가는 것을 허락하셨어요. (go camping)
→ Mom ________ ________ ________ ________ ________ with my friends.

WORDS
· thin 날씬한 · apologize 사과하다 · diligent 부지런한 · captain 주장; 선장, 기장 · neighbor 이웃

Level up

문장의 형식 최종 점검하기

1 다음 괄호 안에서 알맞은 것을 고르세요.

01 Jeremy (looks / looks like) very hungry.

02 My coffee got (cold / coldly).

03 Mrs. Nora speaks (kind / kindly).

04 We (went / went to) the flea market.

05 I found the movie very (exciting / excite).

06 My parents want me (be / to be) a pianist.

07 Laura saw me (walking / to walk) in the rain.

08 Jean gave her favorite necklace (for / to) me.

09 I had the repairman (fix / fixing) my computer.

10 They remained (silent / silently) during worship.

11 The teacher ordered us (stand / to stand) in line.

12 I heard someone (knock / to knock) on my door.

13 Dad bought (me a smartphone / a smartphone me).

14 My brother doesn't let me (enter / to enter) his room.

15 The doctor advised me (avoid / to avoid) too much sugar.

WORDS

- flea 벼룩
- flea market 벼룩시장
- repairman 수리공
- remain 계속 ~하다, 남아 있다
- silent 조용한, 침묵을 지키는
- worship 예배
- knock 노크하다
- avoid 피하다

정답 및 해설 p.36

② 다음 밑줄 친 부분이 올바르면 ○표, 틀리면 바르게 고치세요.

01 These flowers smell well. good

02 Her voice sounds a baby.

03 The traffic is very heavily.

04 My friends call me "Midas."

05 He told the news of everyone.

06 Fennec foxes live the desert.

07 Jacob kicked the ball very hard.

08 Let me to help with your suitcase.

09 Will you bring the newspaper me?

10 Marcus expects me feel the same.

11 I felt something to crawl up my back.

12 I will ask some simple questions for you.

13 His girlfriend made a birthday cake to him.

14 She sent her grandson a pop-up dinosaur book.

15 The children are playing happy on the playground.

WORDS

- well 잘, 좋게 · voice 목소리 · kick 차다 · suitcase 여행 가방 · crawl 기다, 기어가다
- back 등 · simple 간단한, 단순한 · grandson 손자 · dinosaur 공룡

Level up

❸ 다음 우리말과 같은 뜻이 되도록, 주어진 단어를 이용해서 문장을 완성하세요.

01 물고기들은 바다에서 헤엄쳐요. (swim)

→ Fish swim in the ocean.

02 그 아이디어 나에게는 멋지게 들려. (great)

→ The idea ________ ________ to me.

03 James가 이 땅을 소유해요. (own, this land)

→ James ________ ________ ________.

04 그는 Nancy를 자신의 비서로 지명했어요. (make, his secretary)

→ He ________ ________ ________ ________.

05 그녀는 자신의 어머니와 정말 닮았어요. (resemble)

→ She ________ ________ ________ very much.

06 Daniel은 좋은 변호사가 되었어요. (a good lawyer)

→ Daniel ________ ________ ________ ________.

07 학생들은 그 시험이 어렵다는 것을 알았어요. (the test, difficult)

→ The students ________ ________ ________ ________.

08 경찰이 그에게 가만히 서 있으라고 지시했어요. (stand still)

→ The police ________ ________ ________ ________ ________.

09 나는 Susan에게 꽃 한 다발을 사 줬어. (a bunch of flowers)

→ I ________ ________ ________ ________ ________ ________.

10 그는 그녀가 자신의 새 차를 운전하도록 허락했어. (allow, drive)

→ He ________ ________ ________ ________ his brand new car.

11 그들은 나에게 잘못된 사이즈 신발을 보냈어. (the wrong size shoes)

→ They ________ ________ ________ ________ ________ ________.

12 Peter는 그 소녀에게 연애편지를 썼어. (the girl, a love letter)

→ Peter ________ ________ ________ ________ ________ ________.

WORDS

- own 소유하다
- land 땅, 육지
- secretary 비서
- resemble 닮다
- still 가만히 있는
- stand still 가만히 있다
- bunch 다발
- brand new 완전 새 것인

정답 및 해설 p.36

❹ 다음 우리말과 같은 뜻이 되도록, 주어진 단어를 바르게 배열하여 문장을 완성하세요.

01 그 아기는 금방 잠들었어요. (asleep, fell)
→ The baby ___fell asleep___ soon.

02 문을 열어 둡시다. (open, the door, keep)
→ Let's ________________.

03 그것은 딸기 맛이 나요. (a strawberry, tastes, like)
→ It ________________.

04 그녀는 거기에 조용히 앉아 있었어요. (quietly, there, sat)
→ She ________________.

05 Sue는 그 소식에 기분이 안 좋아 보였어요. (unhappy, looked)
→ Sue ________________ at the news.

06 우리 아버지가 내게 잔디를 깎으라고 시키셨어. (cut, made, me)
→ My father ________________ the lawn.

07 우리 아빠는 내가 그 영화를 보게 하지 않으실 거야. (watch, me, let)
→ My dad won't ________________ the movie.

08 Karen이 우리에게 해산물 리소토를 요리해 줬어. (us, seafood risotto, cooked)
→ Karen ________________.

09 어떤 것도 나의 마음을 바꿀 수 있게 만들진 못 해. (change, me, make, my mind)
→ Nothing can ________________.

10 Cindy는 사람들이 크리스마스 캐럴을 부르는 것을 들었어요. (people, singing, heard)
→ Cindy ________________ Christmas carols.

11 나는 내 가장 친한 친구에게 내 비밀을 말했어요. (my secret, to, told, my best friend)
→ I ________________.

12 Harrie가 나에게 그 새 프로젝트에 대한 나의 생각을 물었어요. (me, asked, my thoughts)
→ Harrie ________________ about the new project.

WORDS

- asleep 잠이 든, 자고 있는
- fall asleep 잠들다
- unhappy 불행한
- lawn 잔디
- seafood 해산물
- risotto 리소토
- thought 생각

Actual test

[1-4] 다음 빈칸에 들어갈 말로 알맞은 것을 고르시오.

1

Clare looks _________.

① happily ② friendly
③ kindly ④ sadly
⑤ nicely

2

He showed his old pictures _________ her.

① to ② for
③ of ④ with
⑤ from

3

Her curly hair makes her _________ younger.

① look ② looks
③ looked ④ looking
⑤ to look

4

I want you _________ to me carefully.

① listen ② listens
③ listened ④ listening
⑤ to listen

[5-6] 다음 문장의 빈칸에 들어갈 말로 알맞지 않은 것을 고르세요.

5

The little girl smiles _________.

① shy ② sweetly
③ brightly ④ warmly
⑤ beautifully

Note

1
2형식 문장의 보어 자리에는 형용사나 명사가 와요.
friendly 상냥한, 다정한

2
4형식을 3형식으로 전환할 때 show는 어떤 전치사가 필요한지 생각해 보세요.

3
make는 목적격보어 자리에 명사, 형용사, 동사원형이 올 수 있어요.
curly 곱슬곱슬한

4
want는 목적격보어 자리에 어떤 형태가 오는지 생각해 보세요.

5
1형식 문장이며 빈칸에는 수식어구가 와야 해요.
sweetly 다정하게
brightly 밝게

정답 및 해설 p.37

6

Mr. Brown ________ me to sit down.

① ordered ② wanted
③ asked ④ told
⑤ had

7 다음 두 문장이 같은 뜻이 되도록 빈칸에 들어갈 말로 알맞은 것은?

Will you get me a cup of green tea?
= Will you get a cup of green tea ________ me?

① to ② for
③ of ④ with
⑤ from

[8-9] 다음 빈칸에 들어갈 말이 바르게 짝지어진 것을 고르세요.

8

- The interview made me ____(A)____.
- She watched her children ____(B)____ in the yard.

	(A)		(B)
①	nerve	-	play
②	nervous	-	play
③	nervous	-	to play
④	nervously	-	play
⑤	nervously	-	to play

9

- It looks ____(A)____ a very expensive car.
- My parents don't let me ____(B)____ my hair.

	(A)		(B)
①	for	-	dye
②	for	-	to dye
③	like	-	dye
④	like	-	dying
⑤	like	-	to dye

Note

6
목적격보어 자리에 to부정사가 있어요. to부정사를 목적격보어로 취하지 않는 동사를 찾아보세요.

8
문장의 동사가 각각 make와 watch예요.
nerve 신경
nervous 긴장한, 불안해 하는

9
문장의 동사가 각각 look, let이에요.
dye 염색하다

10 다음 우리말을 영어로 바르게 옮긴 것은?

그들이 나에게 조금 더 기다리라고 말했다.

① They told me wait a little longer.
② They told me waits a little longer.
③ They told me waited a little longer.
④ They told me waiting a little longer.
⑤ They told me to wait a little longer.

[11-12] 다음 문장과 형태가 같은 것을 고르세요.

11 Greg sat at the desk.

① It sounds wonderful.
② The dog jumps very high.
③ His friends call him "E.T."
④ Dad bought me a new bike.
⑤ They painted the bedroom walls.

12 The students read poems.

① It is getting dark.
② I saw her crossing the road.
③ The moon is shining brightly.
④ Mom made me some cookies.
⑤ I'll meet him at the train station.

[13-14] 다음 밑줄 친 부분이 잘못된 것을 고르세요.

13 ① It rained suddenly.
② She spoke to me angrily.
③ The boy helped the lady kindly.
④ This tomato soup smells deliciously.
⑤ My mother drives a car carefully.

Note

11
주어진 문장은 「주어+동사(+수식어구)」 형태인 1형식 문장이에요.

12
주어진 문장은 「주어+동사+목적어」 형태인 3형식 문장이에요.

13
2형식 문장의 보어로 형용사가 필요해요.

정답 및 해설 p.37

14 ① Laughs will <u>keep you young</u>.
② He <u>saw her playing</u> the cello.
③ My granddad <u>had me walk</u> his dog.
④ The police <u>ordered him tell</u> the truth.
⑤ Every student in the class <u>thinks her smart</u>.

15 다음 문장에서 <u>잘못된</u> 부분을 찾아 바르게 고치세요.

1) I didn't hear you to call my name.

2) Nancy got a pillow to me.

3) This music sounds wonderfully.

16 다음 두 문장이 같은 뜻이 되도록 빈칸에 알맞은 말을 쓰세요.

1) My son always asks me strange questions.
= My son always asks ______________________.

2) Helen told us a funny story.
= Helen told ______________________.

3) I bought her a science book.
= I bought ______________________.

Note

14
문장의 동사와 목적격보어의 형태를 확인하세요.

15
1) 5형식 문장의 동사가 hear로 지각동사예요.
2) get은 4형식에서 3형식으로 바꿀 때 쓰는 전치사 무엇인지 생각해 보세요.
3) 2형식 문장의 보어로는 형용사가 와요.
pillow 베개

16
4형식에서 3형식으로 전환하는 문제로 동사에 맞는 전치사를 사용하세요.

[17-19] 다음 우리말과 같은 뜻이 되도록, 주어진 단어를 이용하여 문장을 완성하세요.

Note

17 Kate는 그 책이 유용하다는 것을 알았어. (useful)

→ Kate ______________________.

18 의사는 그에게 몸에 좋은 음식을 먹으라고 권했어요. (healthy food)

→ The doctor ______________________.

19 그는 나에게 20달러를 빌려주었어. (twenty dollars)

→ He ______________________.

20 다음 우리말과 같은 뜻이 되도록, 주어진 단어를 바르게 배열하여 문장을 완성하세요.

20
1) 1형식 문장, 2) 2형식 문장, 3) 3형식 문장, 4) 4형식 문장, 5) 5형식 문장의 어순으로 단어를 배열하세요.

1) Patrick은 매우 빨리 수영해요. (Patrick, very, swims, fast)

→ ______________________.

2) 날씨가 따뜻해졌어요. (warm, has become, the weather)

→ ______________________.

3) 그는 자신의 발을 심하게 다쳤어요. (hurt, he, his foot)

→ ______________________ badly.

4) Brian이 너의 집주소를 나에게 물었어.
(asked, Brian, your address, me)

→ ______________________.

5) 그녀는 그 자동차 사고가 일어나는 것을 보았어요.
(saw, the car accident, happen, she)

→ ______________________.

Review test

정답 및 해설 p.38

1 다음 우리말과 같은 뜻이 되도록, 어법상 어색한 부분을 찾아 바르게 고치세요. Chapter 1-3

01 Three plus three was six. was → is
삼 더하기 삼은 육이에요.

02 Look at the stars! They are twinkle. →
별들을 봐! 별들이 반짝이고 있어.

03 Do you waiting for the school bus? →
너는 학교 버스를 기다리고 있니?

04 I lose my passport a few days ago. →
나는 며칠 전에 내 여권을 잃어버렸어요.

05 I didn't playing computer games then. →
나는 그때 컴퓨터 게임을 하고 있지 않았어요.

06 We are not in New York last July. →
우리는 지난 7월에 뉴욕에 없었어요.

07 Sue only drink mineral water with lemon. →
Sue는 레몬을 넣은 생수만 마셔요.

08 He hasn't tell anyone about his plan yet. →
그는 아직 그의 계획에 대해 아무한테도 말하지 않았어.

09 Sandra and Kelvin have been to Canada. →
Sandra와 Kelvin은 캐나다에 가버렸어.

10 She cutted her finger when she was cooking. →
그녀는 요리하고 있을 때 손을 베었어.

11 Did you seen Matt Damon's movie before? →
너는 전에 Matt Damon의 영화를 본 적이 있니?

12 They collects recycling paper and plastic. →
그들은 재활용 종이와 플라스틱을 모아요.

Words plus 더하기, 플러스 twinkle 반짝거리다 passport 여권 mineral 미네랄 collect 모으다, 수집하다 recycling 재활용 plastic 플라스틱

Review test

❷ 다음 문장을 괄호 안에 주어진 지시대로 바꿔 쓰세요. Chapter 1-3

01 My favorite singer is on TV. (과거)

→ My favorite singer was on TV ______ last night.

02 Does Jones go skiing in winter? (과거)

→ ______ last winter?

03 I don't listen to the radio. (과거)

→ ______ an hour ago.

04 We lived here ten years ago. (현재완료)

→ ______ for ten years.

05 Stephen was sick last weekend. (현재완료)

→ ______ since last weekend.

06 James took a shower this morning. (현재)

→ ______ every morning.

07 Do the kids swim in the lake? (현재 진행)

→ ______ now?

08 I did my homework two hours ago. (현재완료)

→ ______ already.

09 Did you eat Mexican food last night? (현재완료)

→ ______ before?

10 I didn't take pictures of my family. (과거 진행)

→ ______ at that time.

11 We ate dinner at seven o'clock last night. (현재)

→ ______ every day.

12 The train moves slowly into the station. (현재 진행)

→ ______ now.

정답 및 해설 p.38

❶ 다음 괄호 안에서 알맞은 것을 고르세요.

Chapter 4

01 Steven (can / cans) play the drums.

02 He (may not / not may) be late.

03 Hello? (May / Must) I speak to Glenn?

04 Can you (come / coming) to my house?

05 Jim is at school now. He (must / can't) be Jim.

06 It's ten o'clock. You (may / have to) go to bed now.

07 Chameleons (able to / are able to) change their colors.

08 This book is really interesting. You (should / may) read it.

09 We have enough time. We (have to / don't have to) take a taxi.

10 Look at your dirty hands. You (must / may) wash your hands first.

❷ 다음 우리말과 같은 뜻이 되도록, 주어진 단어를 이용하여 문장을 완성하세요.

01 제가 물 한 잔 마셔도 될까요? (have)

→ May/Can/Could ___I___ ___have___ a glass of water?

02 오늘 오후에 눈이 내릴지도 몰라. (snow)

→ It ________ ________ this afternoon.

03 술을 마시면 운전을 하면 안 된다. (drive)

→ You ________ ________ ________ if you drink.

04 너의 부모님들은 틀림없이 매우 기쁘실 거야. (very happy)

→ Your patents ________ ________ ________ ________.

05 그녀는 살을 뺄 필요가 없어. (lose weight)

→ She ________ ________ ________ ________ ________.

06 나는 독일어를 한 마디도 못 해요. (speak, a single word)

→ I ________ ________ ________ ________ ________ of German.

07 어렸을 때 나는 모든 것을 기억할 수 있었어요. (remember, everything)

→ I ________ ________ ________ ________ ________ when I was young

Words chameleon 카멜레온 weight 무게, 체중 single 단 하나의

Review test

1 다음 괄호 안에서 알맞은 것을 고르세요. Chapter 5

01 I (will not / not will) change my hairstyle.
02 The library (uses / used) to be a train station.
03 I would like (have / to have) a cup of coffee.
04 Emma will (meet / meets) him at the bus stop.
05 Are you going (go / to go) to his birthday party?
06 Kevin used to (go / going) jogging every morning.
07 Max (be going to / is going to) travel to New York.
08 (Do / Would) you like to go swimming tomorrow?
09 You (had better not / had not better) annoy them.
10 We had better (eat / eating) something before we leave.

2 다음 우리말과 같은 뜻이 되도록, 주어진 단어를 이용하여 문장을 완성하세요.

01 너 요리 수업에 등록할 거니? (sign up for)
→ Will you sign up for the cooking class?
02 너는 아침을 거르지 않는 게 좋겠어. (skip breakfast)
→ You ________ ________ ________ ________ ________.
03 그는 내 말을 듣지 않을 거예요. (listen)
→ He ________ ________ ________ ________ ________ to me.
04 나는 너와 영화 보러 가고 싶어. (go)
→ I ________ ________ ________ ________ to the movies with you.
05 그들은 이탈리아 식당을 개업할 거야. (open)
→ They ________ ________ ________ ________ an Italian restaurant.
06 내 가장 친한 친구는 우리 집 근처에 살곤 했어요. (live near)
→ My best friend ________ ________ ________ ________ my house.
07 우리는 미래를 위해 돈을 조금 저축하는 게 좋겠어. (save some money)
→ We ________ ________ ________ ________ ________ for the future.

Words hairstyle 머리모양 annoy 짜증나게 하다, 귀찮게 하다 sign up for 등록하다 future 미래

정답 및 해설 p.39

❶ 다음 괄호 안에서 알맞은 것을 고르세요.

Chapter 6

01 Bill works (diligent / diligently).

02 He asked a favor (to / of) me.

03 The girl (looks / looks like) a doll.

04 Susan came (the party / to the party).

05 This grapefruit tastes (bitter / bitterly).

06 My brother made a toy car (to / for) me.

07 Henry gave (her a necklace / a necklace her).

08 His songs always make me (happy / happily).

09 She wanted me (do / to do) everything for her.

10 My parents don't let me (play / to play) computer games.

❷ 다음 우리말과 같은 뜻이 되도록, 주어진 단어를 바르게 배열하여 문장을 완성하세요.

01 모든 사람들은 나이를 먹는다. (gets, everyone, older)

→ Everyone gets older.

02 그 기차는 일찍 출발했어요. (early, the train, left)

→ ______________________.

03 Matt는 자신의 잘못을 깨달았어요. (realized, Matt, his mistake)

→ ______________________.

04 그가 그녀에게 몇 가지 조언을 했어요. (some advice, her, he, gave)

→ ______________________.

05 그녀가 나에게 좀 더 크게 말하라고 부탁했어요. (asked, speak, me, she, to)

→ ______________________ more loudly.

06 Kate는 자신의 차가 고장 났다는 것을 알았어. (broken, Kate, found, her car)

→ ______________________.

07 나는 그들이 공원에서 야구하는 것을 보았어요. (I, baseball, saw, them, play)

→ ______________________ in the park.

Words diligently 부지런히 grapefruit 자몽 bitter 쓴 realize 깨닫다, 알아차리다

Review test

1 다음 우리말과 같은 뜻이 되도록, 어법상 어색한 부분을 찾아 바르게 고치세요. Chapter 4-6

01 Can I to borrow your umbrella? to borrow → borrow
내가 네 우산을 빌려도 될까?

02 The pasta smells terribly. →
그 파스타는 냄새가 고약해.

03 I not will forget your kindness. →
저는 당신의 친절을 잊지 않을게요.

04 I heard him to talk about you. →
나는 그가 너에 대해 이야기 하는 것을 들었어.

05 I would like invite you to my wedding. →
나는 너를 내 결혼식에 초대하고 싶어.

06 Will you help me setting the table? →
내가 식탁을 차리는 것 좀 도와줄래?

07 He didn't eat lunch. He may is hungry. →
그는 점심을 먹지 않았어. 그는 배가 고플지도 몰라.

08 Aunt Ann sent some cookies for me. →
Ann 이모가 나에게 쿠키를 좀 보내주셨어.

09 Should I preparing some gifts for them? →
내가 그들에게 줄 선물 좀 준비해야 할까?

10 He bought a chocolate cake to his son. →
그는 자신의 아들에게 초콜릿 케이크를 사 줬어요.

11 You not must bring any food into the pool. →
너는 음식을 수영장에 가지고 오면 안 돼.

12 Larry used be my close friend when I was little. →
Larry는 내가 어렸을 때 내 친한 친구였어.

Words | kindness 친절 | set the table 식탁을 차리다

정답 및 해설 p.39

❷ 다음 우리말과 같은 뜻이 되도록, 주어진 단어를 바르게 배열하여 문장을 완성하세요.

01 공기가 상쾌하게 느껴져요. (feels, the air, fresh)

→ The air feels fresh ______.

02 법은 사람들을 안전하게 해준다. (safe, people, keep)

→ Laws ______.

03 너는 정장을 입을 필요 없어. (have, wear, don't, to)

→ You ______ a suit and tie.

04 저에게 더 많은 기회를 주세요. (me, give, more chances)

→ Please ______.

05 그녀는 똑똑한 소녀임이 틀림없어. (a smart girl, be, must)

→ She ______.

06 오늘 오후에는 날씨가 좋을 거예요. (going, be, is, to, nice)

→ The weather ______ this afternoon.

07 나는 절벽에서 다이빙을 할 수 있어요. (dive off, can, the cliff)

→ I ______.

08 우리는 어두워지기 전에 떠나는 게 좋겠어. (better, leave, had)

→ We ______ before it gets dark.

09 우리 형은 내년에 대학교에 입학할 거야. (university, will, enter)

→ My brother ______ next year.

10 우리는 거리에 쓰레기를 버리면 안 돼. (not, throw, garbage, should)

→ We ______ on the streets.

11 그들은 개인적으로 서로를 모를지도 몰라. (may, each other, know, not)

→ They ______ personally.

12 그녀는 그가 그 돈을 가져가는 것을 보았어요. (take, him, the money, saw)

→ She ______.

Words law 법 safe 안전한 wear a suit and tie 정장을 입다 dive 다이빙하다, 뛰어들다 cliff 절벽 garbage 쓰레기 personally 개인적으로

Achievement test

[1-6] 다음 빈칸에 들어갈 말로 알맞은 것을 고르세요.

1

I have broken my leg. I _________ walk without help.

① will ② may
③ can't ④ must
⑤ don't have to

2

We _________ cross the street when the traffic light is red.

① used to ② may not
③ must not ④ would like to
⑤ don't have to

3

Fred _________ study hard if he wants to get good grades.

① may ② can't
③ used to ④ should
⑤ have to

4

Jessica arrived home after a long flight. She _________ be very tired.

① must ② won't
③ may not ④ used to
⑤ had better

5

I let my sister _________ my favorite dress.

① wear ② wore
③ worn ④ wearing
⑤ to wear

6

They told me _________ here.

① wait ② waits
③ waited ④ waiting
⑤ to wait

[7-9] 다음 대화의 빈칸에 들어갈 말이 바르게 짝지어진 것을 고르세요.

7

A: I _________ be a great pianist.
B: Then you _________ practice the piano hard.

① have to - used to
② had better - may
③ had better - had to
④ would like to - should
⑤ would like to - don't have to

8

A: You look _________ in that suit. What's the occasion?
B: I _____ attend my aunt's wedding.

① nice - will
② nice - may
③ nice - can
④ nicely - will
⑤ nicely - may

9

A: Will you lend your book ________ me?
B: Sorry. I ________ read it today.

① to - am going to
② to - don't have to
③ of - am going to
④ for - don't have to
⑤ for - had better not

[10-11] 다음 빈칸에 들어갈 말로 알맞지 않은 것을 고르세요.

10

__________ you tell me your email address?

① Can
② May
③ Will
④ Could
⑤ Would

11

She __________ him to leave the room.

① ordered
② wanted
③ made
④ asked
⑤ told

12 다음 밑줄 친 부분의 의미가 나머지 넷과 다른 하나를 고르면?

① She may be very busy now.
② The rumor may not be true.
③ You may go out with your friends.
④ He may not want to join us for dinner.
⑤ There may be a lot of people at the festival.

[13-14] 다음 문장의 밑줄 친 부분과 바꾸어 쓸 수 있는 것을 고르세요.

13

I've done my homework. May I watch TV now?

① Should
② Must
③ Will
④ Can
⑤ Do

14

We must save the energy.

① used to
② have to
③ are able to
④ had better
⑤ would like to

[15-16] 다음 문장과 형태가 같은 것을 고르세요.

15

The students remained silent during the test.

① The milk smells bad.
② The restaurant opens at ten.
③ The lady showed me the way to the theater.
④ She bought some flowers from a flower shop.
⑤ My brother doesn't allow me to use his computer.

16

I found the movie very boring.

① I can't live without you.
② Jason writes good stories.
③ Your plan sounds perfect.
④ I named my pet dog "Mini."
⑤ Max sends me a letter every week.

[17-19] 다음 중 밑줄 친 부분이 잘못된 것을 고르세요.

17 ① She asked me to close the door.
② We'd better keep the food cold.
③ Eric helped her to move a table.
④ This music makes me sadly.
⑤ Let me do this for you.

18 ① You shouldn't take his advice.
② Greg musted stay up late last night.
③ You don't have to bring your lunch.
④ It's warm here. You'd better take off your coat.
⑤ We will be able to arrive at the airport in time.

19 ① It tastes like a chocolate.
② I saw him to leave an hour ago.
③ Christine works at a big company.
④ The police asked her some questions.
⑤ Grandma tells us interesting stories.

[20-22] 다음 두 문장이 같은 뜻이 되도록 빈칸에 알맞은 말을 쓰세요.

20

I could jump high when I was young.

= I ______________ jump high when I was young.

21

We don't have to hurry. We are not late.

= We ______________ hurry. We are not late.

22

I want to go to the amusement park.

= I ______________ go to the amusement park.

23 다음 문장의 빈칸에 알맞은 전치사를 쓰세요.

1) Mom bought a puppy ________ me.

2) He asked lots of questions ________ her.

3) Mr. Colin teaches music ________ the students.

정답 및 해설 p.40

[24-25] 다음 밑줄 친 부분을 바르게 고치세요.

24

It is raining ⓐ heavy. We ⓑ had not better go camping today.

ⓐ ____________________

ⓑ ____________________

25

You ⓐ look like thirsty. Can I get a glass of cold water ⓑ to you?

ⓐ ____________________

ⓑ ____________________

[26-27] 다음 우리말과 같은 뜻이 되도록, 주어진 단어를 이용하여 문장을 완성하세요.

26

우리는 10시 전에 여기에 와야 해. (be, here)

→ ____________________ before ten.

27

엄마가 내게 화장실을 청소하라고 시켰어요. (make, clean, the bathroom)

→ Mom ____________________.

[28-30] 다음 우리말과 같은 뜻이 되도록, 주어진 단어를 바르게 배열하여 문장을 완성하세요.

28

David는 어렸을 때 그는 개를 무서워하곤 했었어.
(used, afraid of, be, dogs, to)

→ David ____________________ when he was a kid.

29

나는 우리 아빠가 노래를 부르는 것을 들은 적이 없어요. (have, my father, heard, sing, never)

→ I ____________________.

30

Sarah가 나에게 그녀의 공책을 빌려주었어요. (lent, her notebook, me)

→ Sarah ____________________.

[16-18] 다음 중 밑줄 친 부분이 잘못된 것을 고르시오.

16 ① Mom, can I have some money?
② I'm not going to tell you again.
③ They are sitting on the couch.
④ Will she invites me to the party?
⑤ Were you cooking dinner at that time?

17 ① Is he a good dentist?
② Was there a lot of traffic?
③ I'm not interested in sports.
④ There is many nice places in London.
⑤ Eric and I were at the concert hall last night.

18 ① I feel cold today.
② Mary didn't show me the picture.
③ You should keep your hands cleanly.
④ My father works for a car company.
⑤ Sam reads a newspaper every morning.

[22-23] 다음 우리말과 같은 뜻이 되도록, 주어진 단어를 이용하여 문장을 완성하시오.

22 5점

그 선물 상자에는 다섯 권의 책이 있다. (books)

→ ______________ in the gift box.

23 5점

내가 실수로 내 안경을 떨어뜨렸다. (drop)

→ ______________ by mistake.

[24-25] 다음 우리말과 같은 뜻이 되도록, 주어진 단어를 바르게 배열하여 문장을 완성하시오.

24 5점

그의 할머니는 그를 왕자라고 부른다.
(him, calls, his grandma, a prince)

→ ______________.

25 5점

너는 휴가를 이탈리아에서 보낼 예정이니?
(you, your vacation, are, spend, going to)

→ ______________ in Italy?

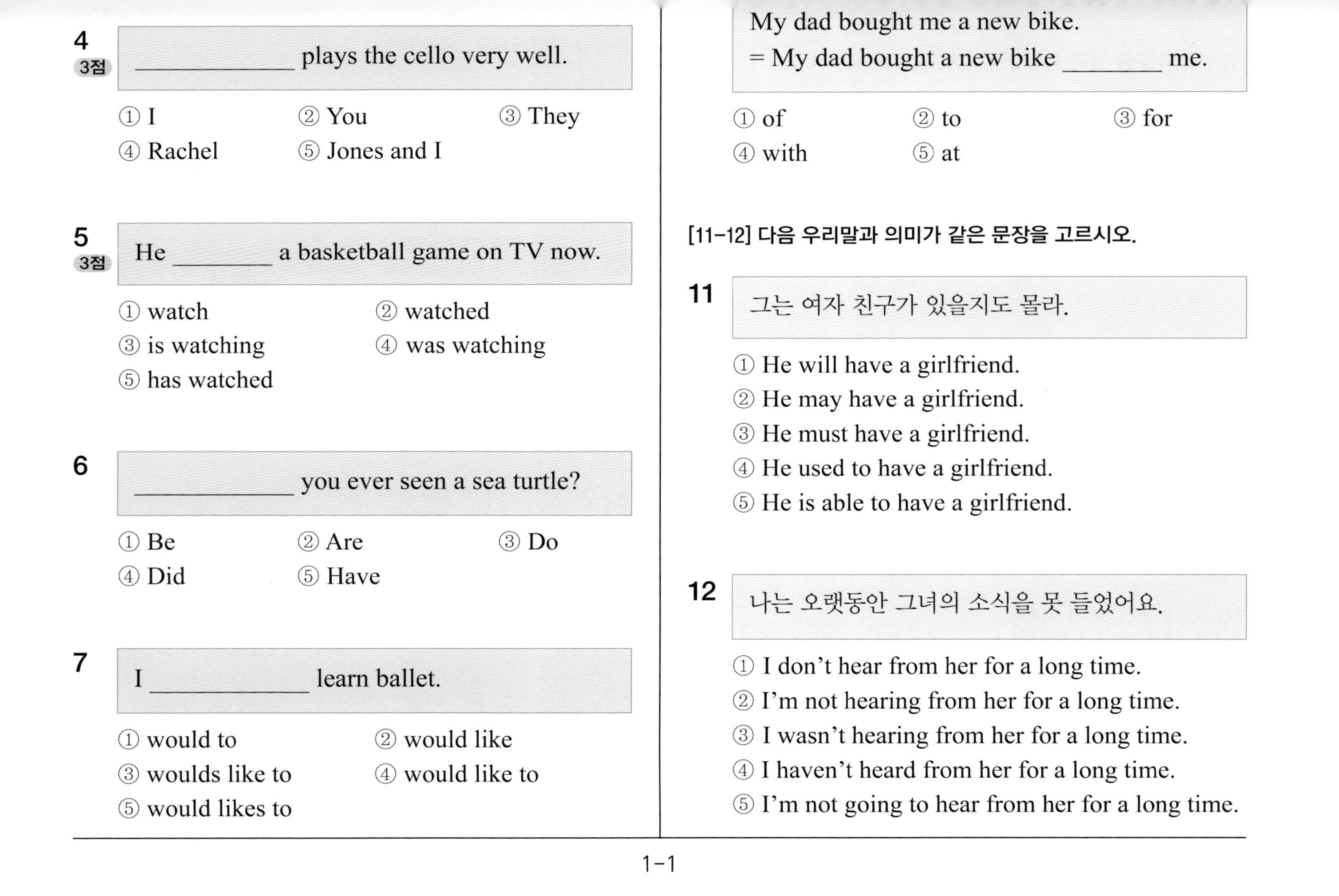

4 3점

_______ plays the cello very well.

① I ② You ③ They
④ Rachel ⑤ Jones and I

5 3점

He _______ a basketball game on TV now.

① watch ② watched
③ is watching ④ was watching
⑤ has watched

6

_______ you ever seen a sea turtle?

① Be ② Are ③ Do
④ Did ⑤ Have

7

I _______ learn ballet.

① would to ② would like
③ woulds like to ④ would like to
⑤ would likes to

My dad bought me a new bike.
= My dad bought a new bike _______ me.

① of ② to ③ for
④ with ⑤ at

[11-12] 다음 우리말과 의미가 같은 문장을 고르시오.

11

그는 여자 친구가 있을지도 몰라.

① He will have a girlfriend.
② He may have a girlfriend.
③ He must have a girlfriend.
④ He used to have a girlfriend.
⑤ He is able to have a girlfriend.

12

나는 오랫동안 그녀의 소식을 못 들었어요.

① I don't hear from her for a long time.
② I'm not hearing from her for a long time.
③ I wasn't hearing from her for a long time.
④ I haven't heard from her for a long time.
⑤ I'm not going to hear from her for a long time.

Longman

GRAMMAR MENTOR JOY plus 1

그래머 멘토 조이 플러스 하나

Vocabulary 미니북

WAYS LEARNING

PEARSON

ongman

GRAMMAR MENTOR JOY

롱맨
그래머
멘토
조이
시리즈

Grammar Mentor Joy Pre
Grammar Mentor Joy Early Start 1
Grammar Mentor Joy Early Start 2
Grammar mentor Joy Start 1
Grammar mentor Joy Start 2
Grammar mentor Joy 1
Grammar mentor Joy 2
Grammar mentor Joy 3
Grammar mentor Joy 4
Grammar mentor Joy plus 1
Grammar mentor Joy plus 2
Grammar mentor Joy plus 3
Grammar mentor Joy plus 4

최신개정판
400만부 돌파
롱맨 JOY
시리즈

nkbooks
ww.inkbooks.co.kr
.용 추가 학습자료 신청 및 구매문의
455 – 9620

RSON
gman
PEARSON LONGMAN

정가 12,800원

ISBN 979-11-88228-09-6 63740

품질 경영 및 공산품 안전관리법에 의한 품질 표시

모델명: Grammar Mentor Joy
제조자명: PEARSON
주소: 서울시 종로구 청계천로 35, 관정빌딩 6층
전화번호: 02) 455-9620
제조국명: 대한민국
⚠ 주의: 종이에 손을 베지 않도록 주의하세요.

Grammar Mentor Joy Series

롱맨 JOY 시리즈 400만 부 돌파

교재 명	교재 특징	권장 대상
	Grammar Mentor Joy Pre (1권) ● 초등 영문법 학습을 위한 준비서 ● 기초적인 영문법 습득 ● 다양한 문제풀이와 삽화를 이용한 단계별 학습 ● 학습자 눈높이에 맞춘 챕터 구성	2~4학년
	Grammar Mentor Joy Early Start 1, 2 (2권) ● 기초 어휘와 문장을 통한 체계적인 학습 ● 초보자를 위한 문법 습득 ● 다양한 문제풀이와 단계별 학습 ● 학습자 눈높이에 맞춘 챕터 구성	3~5학년
	Grammar Mentor Joy Start 1, 2 (2권) ● 초보자를 위한 문법 습득 ● 다양한 문제풀이와 단계별 학습 ● 사고력과 응용력 향상을 위한 문제 제공 ● 기본적인 영문법 습득	3~5학년
	Grammar Mentor Joy 1, 2, 3, 4 (4권) ● 초등학교 고학년을 위한 예비 중학 영문법 제시 ● 다양한 서술형 문제를 통해 중학 영문법을 체험 ● 다양한 문제풀이와 단계별, 수준별 학습	4~6학년
	Grammar Mentor Joy Plus 1, 2, 3, 4 (4권) ● 중학 영문법을 위한 영문법 제시 ● 중학 영문법의 모든 범위를 체계적 학습 ● 서술형 문제를 통한 중학 내신 대비 ● 다양한 문제풀이와 단계별, 수준별 학습	5학년~ 중1, 2학년

Longman

GRAMMAR MENTOR

그래머 멘토 조이 플러스 하나

정답 및 해설

JOY plus 1

PEARSON Longman

ALWAYS LEARNING

PEARSON

GRAMMAR JOY plus 1

MENTOR

정답 및 해설

Chapter 1 Be동사

Unit 01 be동사의 현재형과 과거형

Warm up p.013

❶ 01 am 02 is 03 were
04 are 05 is 06 are
07 was 08 was 09 are
10 is 11 were 12 were

Start up p.014

❶ 01 am, are, are 02 are, are, are
03 is, is, are 04 am, is, are
05 is, is, are 06 was, was, were
07 is, was 08 was, were
09 were, are

[해석]

01 나는 축구를 잘해.
그는 테니스를 잘 쳐.
우리는 운동을 잘해.
02 여우는 영리해요.
코알라는 귀여워요.
그것들은 동물이에요.
03 Peter는 토론토에서 출신이에요.
Louis는 밴쿠버에서 출신이에요.
그들은 캐나다 출신이에요.
04 나는 Isabel이에요.
내 가장 친한 친구는 Nancy예요.
우리는 같은 반이에요.
05 우리 아버지는 피아니스트세요.
우리 어머니는 기타리스트세요.
그들은 음악가세요.
06 나는 뉴욕에 있었어요.
우리 형은 시카고에 있었어요.
우리는 미국에 있었어요.
07 Erica는 지금 15세이에요.
그녀는 작년에 14세였어요.
08 Bill은 극장에 있었어요.
Sandy와 나는 서점에 있었어요.
09 우리 부모님은 어제 바쁘셨어요.
그들은 오늘 한가하세요.

❷ 01 I am 02 It is
03 The vegetables are 04 She is
05 The tickets are 06 We are
07 Greg is 08 You are
09 It was 10 He was
11 I was 12 The letters were
13 You were 14 The jacket was
15 Amy and Bill were

[해석]

01 나는 중학생이에요.
02 그것은 좋은 영화예요.
03 그 야채들은 신선해요.
04 그녀는 똑똑하고 아름다워요.
05 그 표는 비싸요.
06 우리는 커피숍에 있어요.
07 Greg는 학교에서 인기가 있어요.
08 너는 훌륭한 농구 선수야.
09 눈이 내리는 날이었어요.
10 그는 평범한 10대였어요.
11 나는 점심을 먹은 후에 매우 졸렸어.
12 그 편지들은 탁자 위에 있었어요.
13 너는 학교에 결석했어.
14 그 외투는 나에게 너무 작았어요.
15 Amy와 Bill은 그때 엘리베이터에 있었어요.

Check up & Writing p.016

❶ 01 am 02 is 03 It's
04 are 05 is 06 ○
07 ○ 08 are 09 I'm
10 was 11 ○ 12 were
13 We're 14 is 15 were

[해석]

01 나는 지금 부엌에 있어요.
02 그는 거짓말쟁이에요.
03 그것은 내 책가방이에요.
04 그들은 브라질 출신이에요.
05 Anne은 조용한 소녀예요.
06 너는 빨리 배우는 구나.
07 그녀는 좋은 이웃이에요.
08 우리는 시험 볼 준비가 됐어요.
09 나는 여기 새로 온 학생이에요.
10 어제는 흐렸어요.
11 에펠탑은 파리에 있어요.
12 그들은 한 시간 전에 여기에 있었어요.
13 우리는 박물관 앞에 있어.
14 Joe는 지금 학교 버스에 있어요.
15 Tim과 Brian은 어젯밤 콘서트홀에 있었어.

❷ 01 They, are
02 She, is
03 We, were
04 You, are
05 It, is
06 The, questions, are
07 The, boy, is
08 I, was
09 He, was
10 Jennifer, and, I, are
11 His, brother, was
12 My, parents, were

Unit 02 be동사의 부정문과 의문문

Warm up p.019

❶ 01 am not 02 Am 03 Are
04 isn't 05 Are 06 are not
07 aren't 08 Is 09 Were
10 is not 11 is not 12 Was

Start up p.020

❶ 01 is not 02 was not 03 am not
04 is not 05 was not 06 was not
07 is not 08 are not 09 are not
10 were not 11 are not 12 were not

❷ 01 Is he
02 Are you
03 Are they
04 Are we
05 Is it
06 Is the bank
07 Are you
08 Are these oranges
09 Was the science test
10 Were Sarah and Rue
11 Am I
12 Was Jeremy

[해석]
01 A: 그는 사무실에 있나요?
B: 네, 그래요.
02 A: 여기 새로 오셨나요?
B: 네, 그래요.
03 A: 그들은 너에게 친절하니?
B: 응, 그래.
04 A: 우리 거의 다 왔니?
B: 아니, 그렇지 않아.
05 A: 그것이 너의 스마트폰이니?
B: 아니, 그렇지 않아.
06 A: 은행이 이 근처에 있니?
B: 응, 그래.
07 A: 너는 유령이 무섭니?
B: 아니, 그렇지 않아.
08 A: 이 오렌지들은 단가요?
B: 네, 그래요.
09 A: 과학 시험이 어려웠니?
B: 아니, 그렇지 않았어.
10 A: Sarah와 Rue는 파티에 있었니?
B: 아니, 그렇지 않았어.
11 A: 제가 경기장에 가는 버스를 맞게 탔나요?
B: 네, 그래요.
12 A: Jeremy는 지난 금요일에 병원에 있었니?
B: 응, 그랬어.

Check up & Writing p.022

❶ 01 You aren't lonely
02 His dog isn't friendly
03 The cake wasn't tasty
04 She isn't from Sweden
05 The restaurant isn't open
06 It wasn't an easy decision
07 The singer wasn't famous
08 They aren't good swimmers
09 The clothes weren't on sale
10 We aren't ready for the game
11 You aren't members of the book club
12 Ben and Mark weren't at the same school

[해석]
01 너는 외롭지 않아.
02 그의 개는 사람을 잘 따르지 않아요.
03 그 케이크는 맛있지 않았어.
04 그녀는 스웨덴 출신이 아니야.
05 그 식당을 문을 열지 않았어.
06 그것은 쉬운 결정이 아니었어요.
07 그 가수는 유명하지 않았어요.
08 그들은 수영을 잘하지 않아요.
09 그 옷들은 할인하지 않았어.
10 우리는 그 게임을 할 준비가 안 됐어요.
11 너희들은 그 북클럽 회원이 아니야.
12 Ben과 Mark는 같은 학교에 있지 않았어.

❷ 01 am, not, a, good, student
02 Am, I, right
03 Is, she, sick
04 Was, this, box
05 Are, you, angry
06 We, are, not

07 They, were, not, interested
08 Is, your, sister
09 The actor, is, not
10 The, new, shoes, are, not
11 The, school, trip, was, not, fun
12 Were, you, and, your, friend

Unit 03 There is / There are

Warm up p.025

❶ 01 is 02 Is 03 is
04 Was 05 were 06 was
07 are 08 was not 09 aren't
10 Were 11 isn't 12 Are there

Start up p.026

❶ 01 There are 02 There is
03 There is 04 There is
05 There is 06 There is
07 There are 08 There is
09 There are 10 There are
11 There are 12 There are
13 There is 14 There are
15 There is

[해석]

01 그 테이블에 세 명의 소녀가 있어요.
02 창문에 파리 한 마리가 있어요.
03 새장에 앵무새 한 마리가 있어요.
04 문가에 한 여성이 있어요.
05 밖에 눈이 많이 내려요.
06 수프에 소금이 약간 들어갔어요.
07 싱크대에 지저분한 그릇들이 있어요.
08 유리잔에 주스가 좀 있어요.
09 책상 위에 야구공 다섯 개가 있어요.
10 시내에 가게가 많아요.
11 마을에는 학교가 두 개뿐이에요.
12 주차장에 차가 많아요.
13 산에 작은 마을이 하나 있어요.
14 그 토론 동아리에 40명의 회원이 있어요.
15 소방서 옆에 우체국이 있어요.

❷
01 There is not[isn't] much money in my wallet
02 There is not[isn't] a TV in his house
03 There was not[wasn't] enough food for everyone
04 There are not[aren't] two white tigers in the zoo
05 There were not[weren't] a lot of people at the mall
06 There are not[aren't] many pictures in the storybook
07 Is there an art gallery in the town
08 Is there a mirror in your room
09 Are there four seasons in Korea
10 Were there toy robots in the box
11 Was there a lemon tree in the garden
12 Are there sandwiches on the kitchen table

[해석]

01 내 지갑에 돈이 많이 있어요. → 내 지갑에 돈이 많지 않아요.
02 그의 집에 TV가 있어요. → 그의 집에 TV가 없어요.
03 모든 사람이 먹을 충분한 음식이 있었어요. → 모든 사람이 먹을 만큼 음식이 충분하지 않았어요.
04 동물원에 두 마리의 백호가 있어요. → 동물원에 두 마리의 백호가 없어요.
05 쇼핑몰에 사람이 많았어요. → 쇼핑몰에 사람이 많지 않았어요.
06 그 이야기책에 그림이 많아요. → 그 이야기책에는 그림이 많지 않아요.
07 시내에 미술관이 있어요. → 시내에 미술관이 있나요?
08 네 방에 거울이 있어. → 네 방에 거울이 있니?
09 한국에 4계절이 있어요. → 한국에 4계절이 있나요?
10 상자 안에 장난감 로봇들이 있었어요. → 상자 안에 장난감 로봇들이 있었나요?
11 정원에 레몬 나무 한 그루가 있었어요. → 정원에 레몬 나무 한 그루가 있었나요?
12 부엌 식탁에 샌드위치가 있어요. → 부엌 식탁에 샌드위치가 있나요?

Check up & Writing p.028

❶ 01 Are there 02 there wasn't
03 there aren't 04 there were
05 there are 06 Is there
07 Is there 08 Are there
09 is there 10 are there
11 are there 12 is there

[해석]

01 A: 바구니에 쿠키가 있나요?
B: 네, 그래요.
02 A: 어제 숙제 있었니?
B: 아니, 그렇지 않아.
03 A: 네 배낭에 만화책 있니?

B: 아니, 그렇지 않아.
04 A: 그 식당에 사람이 많았니?
B: 응, 그래.
05 A: 너의 반에 예쁜 소녀가 있니?
B: 응, 그래.
06 A: 냄비에 물이 많이 있나요?
B: 아니요, 하나도 없어요.
07 A: 이 근처에 주유소가 있나요?
B: 네, 모퉁이에 하나 있어요.
08 A: 손님들이 앉을 의자가 충분하나요?
B: 아니요, 그렇지 않아요.
09 A: 냉장고에 버터가 얼마나 있나요?
B: 조금 밖에 남지 않았어요.
10 A: 벽에 사진이 몇 개 있나요?
B: 세 장의 사진이 있어요.
11 A: 가족이 몇 명이니?
B: 5명이야.
12 A: 네 주머니에 돈이 얼마나 있니?
B: 10달러 있어.

❷
01 There were old buildings
02 There is not any water
03 There is some good news
04 Was there an accident
05 There was not much time
06 Were there any letters
07 Are there two beds
08 Is there a bus stop
09 There are three sharks
10 There are 20 students
11 There was an orange
12 There were not any empty tables

Level up p.030

❶ 01 I am
02 Are you
03 Whales are not
04 They are
05 He is not
06 These pants are
07 Is there
08 There are
09 We were not
10 Was she
11 There was not
12 The students were
13 I was not
14 Were there
15 My daughter was

[해석]
01 나는 지금 러시아에 있어.
02 너 괜찮니?
03 고래는 물고기가 아니야.
04 그들은 매우 달라요.
05 그는 부유한 사람이 아니야.
06 이 바지는 너무 꽉 껴.
07 탁자 위에 램프가 있나요?
08 주차장에 차가 두 대뿐이야.
09 우리는 지난주에 바쁘지 않았어.
10 그녀는 그림에 관심이 있었나요?
11 꽃병에 물이 하나도 없었어요.
12 학생들은 방학하는 것에 신이 나 있었어요.
13 나는 어제 오후에 체육관에 없었어.
14 대기실에 다섯 명이 있었나요?
15 내 딸은 작년에 1학년이었어요.

❷ 01 am
02 am not
03 is not
04 Was
05 ○
06 are
07 ○
08 Is
09 are
10 was
11 were
12 were not
13 isn't
14 ○
15 Were

[해석 및 해설]
01 나는 지금 매우 졸려.
02 나는 겁쟁이가 아니야.
*am not은 줄여 쓸 수 없다.
03 그 강은 깊지 않아.
04 그것은 슬픈 영화였니?
05 이 포도는 싱싱한가요?
06 일 년은 12달이에요.
07 그녀는 인기 있는 여배우가 아니야.
08 너의 언니는 너에게 잘해주니?
09 우리 부모님은 나에게 화가 나셨어요.
10 Walter는 어제 도서관에 있었어.
11 우리 형들은 2010년에 일본에 있었어.
*in 2010은 과거 시간 표현으로 were가 되어야 한다.
12 양말은 서랍에 없었어요.
13 냉장고에 우유가 하나도 없어요.
14 얼마나 많은 공원이 시내에 있니?
15 지하철에 사람이 많았니?

❸ 01 Is, he, good
02 They, are, very, polite
03 Spiders, are, not, insects
04 Are, her, books, interesting
05 Steve, is, a, nice, guy
06 There, are, pretty, dolls
07 Are, there, fifty, states
08 Was, she, at, school
09 There, is, a, lake
10 The, Spanish, test, was, not
11 I, am, a, big, fan
12 There, is, not, a, restroom

④

01 Are you sick
02 He is a basketball player
03 Is there a drugstore
04 They were bored
05 Are these bags yours
06 There was not much juice
07 There are three theaters
08 The chicken salad was delicious
09 My sister is not 10 years old
10 Was Brian a skater
11 I am your new math teacher
12 We were not in the same art class

Actual test p.034

1 ① 2 ④ 3 ③ 4 ② 5 ③ 6 ③
7 ② 8 ① 9 ③ 10 ③ 11 ④ 12 ④
13 ③ 14 ④ 15 1) were 2) is
16 1) There is 2) There are
17 They were not surprised at the news
18 Is your father an architect
19 Are these pencils
20 He was, He is

[해석 및 해설]

1 나는 지금 정말 배고파요.
2 그는 지난여름에 하와이에 있었어요.
3 접시에 치즈가 있어요.
*There is가 있으므로 빈칸에는 단수명사 또는 셀 수 없는 명사가 와야 한다.
4 어제는 화창했어요. 지금은 눈이 내려요.
*주어가 it이고, yesterday는 과거 시간 표현, now는 현재 시간 표현으로 was, is를 고른다.
5 그들은 한 시간 전에 체육관에 있었어요. 그들은 지금 도서관에 있어요.
*주어가 they이고, an hour ago는 과거 시간 표현, now는 현재 시간 표현으로 were, are를 고른다.
6 그녀는 지금 콘서트에 있어요.
① Will은 내 좋은 친구예요.
② Christine은 사랑스러운 소녀예요.
③ Paul은 뒤뜰에 있어요.
④ 그 영화는 매우 재미있어요.
⑤ 이 수프는 맛있어요.
*주어진 문장의 be동사 뒤에 장소를 나타내는 말이 있으므로 '~에 있다'라는 의미이다. be동사 뒤에 장소를 나타내는 말이 있는 ③을 고른다.
7 A: 오늘이 일요일인가요?
B: 아니요, 그렇지 않아요.
*be동사 의문문의 부정의 대답은 「No, 주어(대명사)+be동사+not」의 형태이다.
8 A: 내가 학교에 늦었나요?
B: 네, 그래요.
*2인칭(you)으로 대답하고 있으므로 1인칭으로 물어야 한다.
9 ① 나는 지난 주말에 바빴어요.
② 그녀는 작년에 중국에 있었어요.
③ 지금 내 개가 매우 아파요.
④ 오늘 아침에 비가 왔어요.
⑤ 어제 사고가 있었어요.
*①, ②, ④, ⑤ 과거 시간 표현이 있으므로 was, ③ now는 현재 시간 표현으로 is가 와야 한다.
10 ① 그는 내 영어 선생님이에요.
→ 그는 내 영어 선생님이 아니에요.
② 우리는 바다 동물에 관심 있어요.
→ 우리는 바다 동물에 관심이 없어요.
③ 나는 내 점수에 만족해요.
→ 나는 내 점수에 만족하지 않아요.
④ Jeff는 형에게 화가 났어요.
→ Jeff는 형에게 화가 나지 않았어요.
⑤ 공항에 사람들이 많았어요.
→ 공항에 사람들이 많지 않았어요.
*③ am not을 amn't로 줄여 쓸 수 없다.
11 ① 그것은 인기 있는 노래예요.
② 오늘은 내 생일이 아니에요.
③ 지붕에 고양이 두 마리가 있어요.
④ Mike는 물을 무서워하나요?
⑤ 우리는 그때 기차에 있었어요.
*④ Mike가 단수명사로 Is가 되어야 한다.
12 ① 나는 대만 출신이에요.
② 그 바지는 싸지 않아요.
③ 이 꽃들이 장미인가요?
④ 당신은 경찰이 아니에요.
⑤ 너는 어제 학교에 결석했니?
13 ① 밖에 차가 한 대 있었어요.
② 이 근처에 커피숍이 있나요?
③ 병에 설탕이 없어요.
④ 탁자에 숟가락과 포크가 있어요.
⑤ 그때 교실에는 학생이 한 명도 없었어요.
*뒤에 셀 수 없는 명사가 있으므로 isn't가 되어야 한다.
14 ① A: 저 책은 15달러인가요?
B: 아니요, 그렇지 않아요. 그건 10달러예요.
② A: Clare는 수줍음이 많은 소녀인가요?
B: 아니요, 그렇지 않아요.
③ A: 너희들은 캠프로 신이 나 있니?
B: 네, 그래요.
④ A: Richard와 Sue는 같은 동아리에 있나요?

B: 아니요, 그렇지 않아요.
⑤ A: 차가운 물이 있나요?
B: 네, 냉장고에 조금 있어요.
*④ Richard and Sue(복수명사)를 대신하는 대명사는 they로 he isn't가 아니라 they aren't가 되어야 한다.

15 1) Sam과 Max는 작년에 우리 반 친구였어요.
2) 그녀는 지금 욕실에 있어요.

16 1) 컵에 차가 조금 있어요.
2) 강에 백조 다섯 마리가 있어요.

17 그들은 그 소식을 듣고 놀랐어요.
→ 그들은 그 소식을 듣고 놀라지 않았어요.
*be동사 부정문은 「주어+be동사+not」의 형태이다.

18 너의 아버지는 건축가이시다.
→ 너의 아버지는 건축가이시니?
*be동사 의문문은 「Be동사+주어 ~?」의 형태이다.

Chapter 2 일반동사

Unit 01 일반동사의 현재형

Warm up p.041

❶

01	go	goes	26	hear	hears
02	have	has	27	arrive	arrives
03	walk	walks	28	hold	holds
04	listen	listens	29	tie	ties
05	try	tries	30	follow	follows
06	use	uses	31	wait	waits
07	kiss	kisses	32	wish	wishes
08	hope	hopes	33	carry	carries
09	believe	believes	34	allow	allows
10	hurry	hurries	35	pay	pays
11	tell	tells	36	reply	replies
12	build	builds	37	laugh	laughs
13	die	dies	38	travel	travels
14	marry	marries	39	delay	delays
15	invent	invents	40	pass	passes
16	act	acts	41	treat	treats
17	keep	keeps	42	happen	happens
18	relax	relaxes	43	cross	crosses
19	mix	mixes	44	ask	asks
20	save	saves	45	think	thinks
21	finish	finishes	46	stand	stands
22	remember	remembers	47	give	gives
23	find	finds	48	say	says
24	set	sets	49	wake	wakes
25	move	moves	50	belong	belongs

[해설]
35, 39, 48 *「모음+y」로 끝나는 동사로 동사원형에 -s를 붙인다.

Start up p.042

❶ 01 go 02 live 03 tastes
04 grow 05 cries 06 play
07 speak 08 teaches 09 has
10 love 11 finishes 12 does
13 pray 14 leaves 15 exercises

[해석]
01 나는 방과 후에 체육관에 가요.
02 사자는 무리 지어 살아요.
03 그것은 달콤하고 신 맛이 나요.
04 나무들은 여름에 빨리 자라요.
05 그 아기는 밤에 시끄럽게 울어요.
06 우리 언니들은 첼로를 잘 연주해요.
07 그들은 독일어를 유창하게 말해요.
08 그는 대학에서 영어를 가르쳐요.
09 그 영화는 해피엔딩이에요.
10 너는 마카로니 치즈를 정말 좋아하는 구나.
11 우리 학교는 3시 30분에 끝나요.
12 Ron은 저녁을 먹고 나서 숙제를 해요.
13 우리는 가족과 친구들을 위해 기도해요.
14 그 기차는 몬트리올로 6시에 출발해요.
15 Kathy는 일주일에 세 번 운동해요.

❷ 01 write 02 sounds 03 flows
04 smiles 05 know 06 opens
07 brush 08 buys 09 lives
10 takes 11 have 12 bakes
13 studies 14 fixes 15 begin

[해석]
01 나는 그에게 매일 이메일을 써요.
02 흥미로울 것 같아.
03 그 강은 바다로 흘러요.
04 그 소녀는 항상 나에게 미소를 지어요.
05 너는 과학에 대해 정말 많이 아는구나.
06 그 박물관은 9시에 열어요.
07 우리는 식사 후에 이를 닦아요.
08 그녀는 인터넷으로 옷을 사요.
09 Thomson 씨는 우리 옆집에 살아요.
10 Eric은 매일 아침에 샤워를 해요.
11 수컷 공작새는 화려한 깃털이 있어요.
12 엄마는 일요일 아침에 머핀을 구우세요.
13 우리 이모는 뉴욕에서 패션 디자인을 공부해요.

14 우리 아빠는 항상 집에서 고장 난 것들을 고쳐요.
15 크리스마스 연휴는 12월 24에 시작해요.

Check up & Writing p.044

❶ 01 work 02 need 03 ○
04 catches 05 sells 06 flies
07 ○ 08 does 09 mixes
10 pays 11 ○ 12 runs
13 worries 14 go 15 look

[해석 및 해설]

01 나는 이탈리아 식당에서 일해요.
02 그들은 너의 충고가 필요해.
03 그 수업은 10시 30분에 시작해요.
04 그는 돈을 벌려고 물고기를 잡아요.
05 그 가게는 중고 책을 팔아요.
06 그 새는 공중으로 날아올라요.
07 그것은 5달러 20센트예요.
08 그는 일주일에 두 번 빨래를 해요.
09 내 아들은 친구들과 잘 어울린다.
10 Peter는 항상 제때 청구서를 지불해요.
*「자음+y」로 끝나는 동사가 아니므로 pays가 되어야 한다.
11 그녀는 보통 커다란 검은색 가방을 들고 다녀요.
12 그 버스는 30분마다 운행해요.
13 Rachel은 종종 자신의 미래를 걱정해요.
14 우리는 일주일에 5일을 학교에 가요.
15 Owen과 Richard는 형제 같아 보여요.

❷ 01 My, parents, understand
02 Angelina, studies
03 They, go
04 He, tries
05 His, head, touches
06 I, lose
07 My, dog, barks
08 We, take
09 The, company, publishes
10 She, sees
11 The, old, man, collects
12 My, brothers, play

Unit 02 일반동사의 과거형

Warm up p.047

❶ 01 had, has 02 see, saw
03 looked, look 04 lived, live
05 learn, learned 06 came, comes
07 raise, raised 08 eat, ate
09 rained, rains 10 works, worked
11 reads, read

[해석]

01 Max는 지난달 낡은 자전거를 가지고 있었어요.
그는 지금 새 자전거를 가지고 있어요.
02 나는 요즘 자주 Kelly를 봐요.
나는 어제 그녀를 봤어요.
03 어젯밤 너는 아름다워 보였어.
너 지금 멋져 보여.
04 그들은 일 년 전에 시골에 살았어요.
그들은 지금 도시에 살아요.
05 우리는 요즘 요가를 배워요.
우리는 6개월 전에 발레를 배웠어요.
06 아빠는 지난주에 늦게 집에 들어오셨어요.
아빠는 요즘 일찍 집에 들어오세요.
07 요즘 많은 사람들이 애완동물을 길러요.
나는 약 10년 전에 개를 키웠어요.
08 아시아의 많은 사람들이 매일 쌀을 먹어요.
그는 오늘 아침에 밥 두 공기를 먹었어요.
09 어젯밤에 비가 세차게 내렸어요.
한국은 여름에 비가 많이 내려요.
10 우리 언니는 지금 우체국에서 일해요.
그녀는 2015년에 은행에서 일했어요.
11 Julian은 요즘 인터넷으로 뉴스를 읽어요.
그는 작년에 매일 아침 신문을 읽었어요.

Start up p.048

❶ 01 cut 02 told 03 drank
04 worried 05 hurt 06 moved
07 caught 08 woke 09 found
10 spent 11 gave 12 taught
13 brought 14 changed 15 missed

[해석]

01 Cindy가 케이크를 반으로 잘랐어.
02 그녀는 나에게 무서운 이야기를 얘기해 줬어요.
03 나는 우유 두 잔을 마셨어.
04 나는 어젯밤에 너를 걱정했어.
05 그의 말이 내 기분을 상하게 했어.
06 그들은 새 아파트로 이사했어요.
07 Alex는 호수에서 큰 물고기를 잡았어요.
08 우리는 아침에 일찍 일어났어요.
09 내가 소파 밑에서 네 열쇠를 찾았어.
10 그는 골드 코스트에서 휴가를 보냈어요.
11 우리 엄마가 잘 자라고 나에게 입 맞췄어요.

12 Jones 선생님은 작년에 지리학을 가르쳤어요.
13 Brian은 점심으로 햄 샌드위치를 가져왔어.
14 우리는 언니는 어제 머리 모양을 바꿨어요.
15 Janet은 오늘 아침에 학교 버스를 놓쳤어요.

❷ 01 put 02 enjoyed 03 met
04 stopped 05 dropped 06 ○
07 left 08 ○ 09 lent
10 arrived 11 lost 12 cried
13 made 14 opened 15 ○

[해석 및 해설]

01 Rachel은 자신의 차에 우유를 넣었어요.
02 나는 그 축제를 굉장히 즐겼어.
03 그는 Jane을 2010년에 처음 만났어요.
04 엘리베이터가 갑자기 멈췄어요.
*「단모음+단자음」으로 끝나는 동사로 자음을 한 번 더 쓰고 -ed를 붙인다.
05 내가 바닥에 숟가락을 떨어뜨렸어요.
*「단모음+단자음」으로 끝나는 동사로 자음을 한 번 더 쓰고 -ed를 붙인다.
06 너 프로젝트를 훌륭하게 해냈구나.
07 그녀는 몇 주 전에 마을을 떠났어요.
08 Dave는 어젯밤에 배가 아팠어요.
09 Karen이 나에게 그녀가 가장 좋아하는 목걸이를 빌려주었어요.
10 Dean 씨는 어제 일본에 도착했어요.
*-e로 끝나는 동사로 동사원형에 -d를 붙인다.
11 그는 지하철에서 자신의 스마트폰을 잃어버렸어.
12 그 영화가 매우 슬퍼서 나는 많이 울었어요.
13 Ron은 여름 방학 계획을 세웠어.
14 그녀는 지난달에 액세서리 가게를 개업했어요.
15 Christina는 자신의 친구들로부터 선물과 카드를 받았어요.

Check up & Writing p.050

❶ 01 I learned to swim
02 We grew strawberries
03 Mom read me a book
04 The birds flew south
05 Eric thought about the problem
06 He wrote her a love letter
07 Rick ran around the park
08 She took a walk
09 My father rode a bike
10 Dad fixed the hole
11 The cafe closed
12 Billy knew the truth

[해석]

01 나는 요즘 수영을 배워요.
→ 나는 지난여름 방학에 수영을 배웠어요.
02 우리는 정원에 딸기를 키워요.
→ 우리는 작년에 딸기를 키웠어요.
03 엄마가 매일 밤 나에게 책을 읽어 주세요.
→ 엄마가 어젯밤 나에게 책을 읽어 주셨어요.
04 그 새들은 겨울에 남쪽으로 날아가요.
→ 그 새들은 지난겨울에 남쪽으로 날아갔어요.
05 Eric은 그 문제에 대해 항상 생각해요.
→ Eric은 지난달에 그 문제에 대해 생각했어요.
06 그는 일주일에 한 번 그녀에게 연애편지를 써요.
→ 그는 한 시간 전에 그녀에게 연애편지를 썼어요.
07 Rick은 매일 아침 공원을 달려요.
→ Rick은 오늘 아침 공원을 달렸어요.
08 그녀는 매일 산책해요.
→ 그녀는 오늘 오후에 산책했어요.
09 우리 아버지는 자전거를 타고 출근해요.
→ 우리 아버지는 오늘 자전거를 타고 출근했어요.
10 아빠는 지붕에 난 구멍을 고쳐요.
→ 아빠가 어제 지붕에 난 구멍을 고쳤어요.
11 그 카페는 10시에 닫아요.
→ 그 카페는 어젯밤 12시에 닫았어요.
12 Billy는 이제 그녀에 대한 진실을 알고 있어요.
→ Billy는 3일 전에 그녀에 대한 진실을 알았어요.

❷
01 had, a, good, time
02 took, my, wallet
03 paid, for, lunch
04 showed, us
05 snowed, a, lot
06 baked, cookies
07 sang, to, the, piano
08 helped, me
09 hit, the, nail
10 chatted, on, the, phone
11 did, the, dishes
12 studied, very, hard

[해설]

06 *bake는 –e로 끝나는 동사로 동사원형에 –d를 붙인다.
10 *chat은 「단모음+단자음」으로 끝나는 동사로 자음을 한 번 더 쓰고 –ed를 붙인다.

Unit 03 일반동사의 부정문

Warm up
p.053

❶ 01 don't　02 doesn't　03 didn't
04 doesn't　05 doesn't　06 don't
07 didn't　08 don't　09 didn't
10 didn't　11 doesn't　12 don't
13 don't　14 didn't　15 didn't

[해석]

01 나는 Paul에 대해 잘 알지 못해요.
02 이 셔츠는 나에게 맞지 않아요.
03 그 소년은 아무것도 훔치지 않았어요.
04 그녀는 스키니 진을 입지 않아요.
05 Sandra는 쇼핑을 즐기지 않아요.
06 그들은 TV 드라마를 보지 않아요.
07 우리는 치킨 샐러드를 주문하지 않았어요.
08 너는 내 말을 주의 깊게 듣지 않아.
09 나는 지난주에 여유 시간이 없었어요.
10 너는 어제 그 소식을 나에게 말해주지 않았어.
11 아직도 추워. 봄인 거 같지 않아.
12 채식주의자들은 고기와 생선을 먹지 않아요.
13 James와 Bill은 서로 말을 하지 않아요.
14 그들은 2016년에 우승하지 않았어요.
15 Ted는 작년에 그 축구팀에서 뛰지 않았어요.

Start up
p.054

❶ 01 don't like　02 don't want
03 don't get　04 don't need
05 doesn't read　06 doesn't sound
07 doesn't work　08 doesn't use
09 didn't take　10 didn't wait
11 didn't buy　12 didn't stop
13 didn't practice　14 didn't visit
15 didn't go

[해석]

01 나는 비 오는 날을 좋아하지 않아요.
02 너는 그의 도움을 원하지 않는구나.
03 그들은 잘 지내지 않아요.
04 우리는 음식이 더 필요하지 않아.
05 그녀는 만화책을 읽지 않아요.
06 나에게는 흥미롭게 들리지 않아.
07 내 컴퓨터가 제대로 작동하지 않아요.
08 우리 엄마는 자신의 요리법에 설탕을 사용하지 않아요.
09 그는 마지막 기차를 타지 않았어요.
10 우리는 그 버스를 오랫동안 기다리지 않았어요.
11 Sophia는 나에게 아이스크림을 사 주지 않았어요.
12 너는 빨간 불에 멈추지 않았어.
13 Kevin은 경기에서 졌어. 그는 충분히 연습하지 않았어.
14 그들은 런던에서 대영박물관을 방문하지 않았어요.
15 Willy와 Jane은 어젯밤에 영화를 보러가지 않았어요.

❷ 01 don't speak　02 ○
03 do not listen　04 watch
05 cook　06 don't eat
07 didn't save　08 leave
09 doesn't talk　10 ○
11 ○　12 did not have
13 doesn't work　14 did not say
15 doesn't spend

[해석]

01 우리는 독일어를 말하지 않아요.
02 내 개는 사람들을 물지 않아요.
03 나는 록 음악을 듣지 않아요.
04 그들은 TV 뉴스를 보지 않아요.
05 Steven은 그 국수를 요리하지 않았어요.
06 너는 요즘 많이 먹지 않는구나.
07 나는 작년에 많은 돈을 저축하지 않았어요.
08 그녀는 어젯밤에 토론토로 떠나지 않았어.
09 그는 가족에 대해 많이 얘기하지 않아요.
10 그들은 내 상황을 이해하지 못해요.
11 선생님은 나에게 질문을 하지 않았어요.
12 우리는 오늘 점심을 같이 먹지 않았어요.
13 Jennifer는 더 이상 그 호텔에서 일하지 않아요.
14 나를 보았을 때 Amanda는 나에게 인사를 하지 않았어요.
15 Lena는 요즘 친구들과 많은 시간을 보내지 않아요.

Check up & Writing
p.056

❶ 01 I don't have a kitten
I have a puppy
02 My brother doesn't ride a motorbike
My brother rides a bike
03 We don't go camping on Monday
We go camping on Saturday
04 Carol doesn't play the trumpet in the orchestra
Carol plays the flute in the orchestra
05 I didn't travel by train
I traveled by plane
06 Dad didn't come home early after work
Dad came home late after work
07 They don't sell meat and chicken
They sell vegetables and fruit

08 Rachel didn't read an adventure novel
Rachel read a romantic novel

[해석]

01 나는 새끼 고양이가 없어요.
나는 강아지가 있어요.
02 우리 형은 오토바이를 타지 않아요.
우리 형은 자전거를 타요.
03 우리는 월요일에 캠핑을 가지 않아요.
우리는 토요일에 캠핑을 가요.
04 Carol은 오케스트라에서 트럼펫을 연주하지 않아요.
Carol은 오케스트라에서 플루트를 연주해요.
05 나는 기차를 타고 여행하지 않았어요.
나는 비행기를 타고 여행했어요.
06 아빠는 일이 끝나고 일찍 들어오지 않았어요.
아빠는 일이 끝나고 늦게 들어오셨어요.
07 그들은 고기와 닭고기를 팔지 않아요.
그들은 야채와 과일을 팔아요.
08 Rachel은 모험 소설을 읽지 않았어요.
Rachel은 연애 소설을 읽었어요.

❷

01 don't, have, brothers, and, sisters
02 doesn't, look, good
03 didn't, drop, the, glass
04 don't, scold, me
05 doesn't, drink, coffee
06 don't, play, golf
07 doesn't, work, well
08 didn't, start, on, time
09 didn't, bring, a, camera
10 don't, stay, at, the, hotel
11 didn't, answer, my, call
12 doesn't, live, in

Unit 04 일반동사의 의문문

Warm up p.059

01 Do	02 Did	03 hear
04 Do	05 Does	06 Does
07 Do	08 Do	09 Did
10 Does	11 run	12 play
13 arrive	14 Did	15 enjoy

[해석]

01 이 드레스를 입으니 나 예뻐 보이니?
02 내가 실수를 했나요?
03 너는 그의 소식을 들었니?
04 너는 가족이 그립니?
05 Lisa는 중국 음식을 좋아하나요?
06 그녀는 공상 소설을 쓰나요?
07 그들은 6시에 일어나나요?
08 너는 매일 아침 수영하니?
09 너의 부모님은 어젯밤에 외출하셨니?
10 네 남동생은 콜라를 마시니?
11 그 버스는 10분마다 운행하나요?
12 Jeff는 그 밴드에서 기타를 연주하나요?
13 그들은 며칠 전에 서울에 도착했나요?
14 그녀는 어제 생일 파티를 했니?
15 너의 아이들은 학교생활을 즐기니?

Start up p.060

❶

01 Did, cook	02 Does, run
03 Do, play	04 Do, sleep
05 Do, go	06 Do, study
07 Does, close	08 Does, grow
09 Does, cry	10 Did, draw
11 Did, send	12 Did, have

[해석]

01 A: 네 언니가 이 파스타를 만들었니?
B: 네, 그랬어요.
02 A: 사자는 빨리 달리나요?
B:네, 그래요.
03 A: 그 소년들은 하키를 하나요?
B: 네, 그래요.
04 A: 너는 바닥에서 자니?
B: 아니, 그러지 않아.
05 A: 그들은 자주 해변에 가나요?
B: 아니요, 그러지 않아요.
06 A: 네 아이들은 열심히 공부하니?
B: 응, 그래.
07 A: 그 미술관은 9시에 닫니?
B: 응, 그래.
08 A: 그 농부는 오렌지를 재배하나요?
B: 네, 그래요.
09 A: 너의 젖먹이 여동생은 많이 우니?
B: 아니, 그러지 않아.
10 A: Hannah가 이 그림을 그렸나요?
B: 아니요, 그러지 않았어요.
11 A: 그가 이 편지들을 너에게 보냈니?
B: 아니, 그러지 않았어.
12 A: 너와 너의 친구들은 즐거운 시간을 보냈니?
B: 네, 그랬어요.

❷ 01 Does he take
02 ○
03 Did Ben go
04 Does the girl want
05 Do you bring
06 Did you see
07 Did they win
08 Did Kevin fail
09 Does your uncle
10 ○
11 Do we have
12 he didn't
13 you did
14 it doesn't
15 ○

[해석 및 해설]

01 그는 피아노 교습을 받나요?
02 너의 어머니는 운전하시니?
03 Ben은 오늘 병원에 다녀왔니?
04 그 소녀는 빨간색 리본을 원하나요?
05 너 도서관 카드 가져왔니?
06 너는 오늘 아침에 Larry를 봤니?
07 그들이 축구 경기에서 이겼니?
08 Kevin이 작년에 그 시험에서 떨어졌나요?
09 네 삼촌을 너의 집을 자주 방문하시니?
10 그녀가 직접 이 스웨터를 만들었나요?
11 우리 오늘 역사 시간에 쪽지 시험이 있니?
12 A: Justin이 이 노래를 썼니?
B: 아니요, 그러지 않았어요.
*명사로 물으면 대명사로 대답해야 하므로 he did가 되어야 한다.
13 A: 내가 내 취미에 대해서 너에게 말했었나?
B: 응, 그래.
*1인칭으로 물으면 2인칭으로 대답해야 하므로 you did가 되어야 한다.
14 A: 이 기차는 브리스틀까지 직행하나요?
B: 아니요, 그렇지 않아요.
*현재형으로 묻고 있으므로 it doesn't가 되어야 한다.
15 A: 네 부모님이 너에게 용돈을 주시니?
B: 응, 그러셔.

Check up & Writing p.062

❶ 01 Do you know the answer, I/we do
02 Do we have enough time, we/you do
03 Does it snow a lot in New York, it does
04 Did you hear the storm last night, I/we did
05 Does Jake remember his wife's birthday, he doesn't
06 Did the accident happen this morning, it did
07 Do Lisa and Mary like playing badminton, they don't
08 Did Susan buy a new blouse at the mall, she didn't

[해석 및 해설]

01 너(희)는 답을 아니?
응, 그래.
*의문문의 주어가 you일 경우 단수 I 또는 복수 we로 대답할 수 있다.
02 우리 시간이 충분하니?
응, 그래.
*의문문의 주어가 we일 경우 we 또는 you로 대답할 수 있다.
03 뉴욕에 눈이 많이 내리나요?
네, 그래요.
04 너(희)는 어젯밤에 폭풍우 소리를 들었니?
응, 그래.
*2인칭으로 묻고 긍정의 대답이므로 I/we do를 쓴다.
05 Jake는 아내의 생일을 기억하니?
아니, 그렇지 않아.
*단수명사(Jake)로 묻고 부정의 대답이므로 he doesn't를 쓴다.
06 그 사고는 오늘 아침에 일어났나요?
네, 그래요.
*단수명사로 묻고 긍정의 대답이므로 it did를 쓴다.
07 Lisa와 Mary는 배드민턴 치는 걸 좋아하니?
아니, 그렇지 않아.
*복수명사로 묻고 부정의 대답이므로 they don't를 쓴다.
08 Susan은 쇼핑몰에서 새 블라우스를 샀니?
아니, 그러지 않았어.
*단수명사(Susan)로 묻고 부정의 대답이므로 she didn't를 쓴다.

❷ 01 Do you need a ride
02 Do they treat you
03 Does Eric call you
04 Does Alicia have blond hair
05 Did you wash your clothes
06 Did they go on a vacation
07 Did she graduate from
08 Did we have science homework
09 Does Jones cook for you
10 Do you carry your umbrella
11 Do your grandparents live
12 Does your sister study law

Level up p.064

❶ 01 drinks
02 runs
03 study
04 Do, come
05 Does, resemble
06 visit

07 doesn't, like
08 don't, blame
09 rode
10 ate
11 cut
12 didn't, fight
13 didn't, paint
14 Did, work
15 Did, receive

[해석]

01 내 남동생은 우유를 많이 마셔요.
02 그 강은 도시를 통과해 흘러요.
03 우리는 학교에서 영어 문법을 공부해요.
04 너는 스페인 출신이니?
05 그녀는 아버지를 닮았나요?
06 매년 많은 사람들이 이 박물관을 방문해요.
07 Jacob은 이기적인 사람들을 좋아하지 않아요.
08 나는 어떤 것에 대해서도 너를 비난하지 않아.
09 Sam은 자전거를 타고 출근했어요.
10 나는 아침밥으로 계란 하나와 토스트를 먹었어요.
11 우리 아버지는 지난 일요일에 잔디를 깎았어요.
12 그는 Jeff와 싸우지 않았어요.
13 우리는 그 벽을 페인트칠하지 않았어요.
14 그는 작년에 너와 함께 일했니?
15 너는 파티 초대장을 받았니?

❷ 01 miss
02 doesn't smoke
03 cries
04 don't go
05 planned
06 studied
07 didn't eat
08 found
09 Did you tell
10 had
11 Did
12 don't care
13 she does
14 he did
15 I don't

[해석 및 해설]

01 그녀는 부모님을 그리워하니?
02 우리 아버지는 담배를 안 피우세요.
03 우리 젖먹이 여동생은 온종일 울어요.
04 우리는 수영하러 잘 가지 않아요.
05 그들은 여름휴가 계획을 세웠어요.
*「단모음+단자음」으로 끝나는 동사로 자음을 한 번 더 쓰고 -ed를 붙인다.
06 Brian은 파리에서 예술과 음악을 공부했어요.
07 내 남동생은 어젯밤 저녁밥을 먹지 않았어요.
08 나는 침대 밑에서 그녀의 휴대 전화를 찾았어.
09 너는 그에게 너의 결정에 대해 말했니?
10 그는 어제 두통이 심했어요.
11 Nick과 Sarah는 회의에 참석했니?
12 요즘 사람들은 다른 사람을 신경 쓰지 않아요.
13 A: 그녀는 학교 근처에 사니?
B: 응, 그래.
14 A: Kevin이 내 선물을 좋아했니?
B: 응, 그래. 그가 너에게 감사해했어.
15 A: 너는 커피를 좀 원하니?
B: 아니, 그렇지 않아. 나는 커피를 마시지 않아.
*일반동사 의문문으로 I don't가 되어야 한다.

❸ 01 brushes, her, hair
02 Do, know, you
03 Does, taste, good
04 got, free, movie, tickets
05 don't, remember, his, name
06 solved, the, problem
07 left, his, bag
08 sleeps, a, lot
09 Did, enjoy, the, flower, festival
10 worries, about, my, health
11 doesn't, use, the, Internet
12 didn't, go, to, the, same, school

❹ 01 You have a beautiful smile
02 The bird flies high
03 I don't exercise
04 Did the children play
05 Do you like spicy food
06 We traveled to Europe
07 Does Jane have a boyfriend
08 He didn't brush his teeth
09 This bag doesn't go well
10 I made a chocolate cake
11 Mr. Sanders taught science
12 My brother washes the dishes

Actual test p.068

1 ⑤ 2 ③ 3 ③ 4 ① 5 ⑤ 6 ③
7 ④ 8 ③ 9 ① 10 ④ 11 ④ 12 ⑤
13 ③ 14 ①
15 1) ⓐ cleans ⓑ do 2) ⓐ had ⓑ stayed
16 1) Does it snow 2) We flew kites
3) She doesn't wear
17 he did
18 I don't
19 Does Mr. Green teach history
20 They didn't watch a baseball game

[해석 및 해설]

1 *⑤ -sh로 끝나는 동사는 동사에 -es를 붙인다.
2 *③ 「자음+y」로 끝나는 동사는 y를 i로 고치고 -ed를 붙인다.
3 그녀는 항상 옷을 잘 입어요.
*dresses가 3인칭 단수 동사로 she를 고른다.

4 나는 아이스크림을 정말 좋아해요. 나는 그것을 매일 먹어요.
*주어가 I이고 문맥상 '좋아한다'라는 의미가 되어야 하므로 like를 고른다.

5 너는 어제 Eric을 봤니?
*yesterday는 과거 시간 표현으로 Did를 고른다.

6 그녀는 자신의 부모님과 같이 살아요.
*3인칭 단수 일반동사 현재형 부정문은 「doesn't+동사원형」의 형태이다.

7 그들은 대회 연습을 열심히 했어요.
*일반동사 과거형 의문문은 「Did+주어+동사원형」의 형태이다.

8 • Grace는 무용 강습을 받아요.
• 그들은 일주일에 한 번 영화를 보러 가요.
*Grace는 단수동사, they는 3인칭 복수로 각각 takes와 go를 고른다.

9 • 너는 슈퍼마켓에서 빵을 사니?
• 나는 신문을 읽지 않아.
*현재형 의문문이고 주어가 you이므로 Do, 현재형 부정문이고 주어가 I로 don't를 고른다.

10 • 그는 며칠 전에 새 자전거를 샀어요.
• 우리는 어젯밤에 잘 자지 못했어요.
*a few days ago는 과거 시간 표현으로 과거형 bought, last night는 과거 시간 표현으로 didn't를 고른다.

11 A: 너희 아버지는 주말에 일하시니?
B: 아니, 그렇지 않아. 그는 월요일부터 금요일까지 일하셔.
*주어가 your father, he이므로 Does, works를 고른다.

12 ① 나는 창문을 깨지 않았어요.
② 우리는 지난 일요일에 스케이트를 타러 갔어요.
③ 그녀는 추리 소설을 읽니?
④ Ron은 일주일에 세 번 운동해요.
⑤ 우리 형은 야구를 하지 않아요.
*⑤ 현재형 부정문이고 주어가 단수명사로 「doesn't+동사원형」의 형태가 되어야 한다.

13 ① 내 고양이는 어디든지 나를 따라다녀요.
② 너는 요즘 첼로를 배우니?
③ Larry와 Sam은 여름 스포츠를 즐겨요.
④ 그 소녀는 사탕 몇 개를 주머니에 넣었어요.
⑤ Andy와 Becky는 서로 몰라요.
*③ 주어가 복수명사로 enjoy가 되어야 한다.

14 ① A: 너는 숙제를 하는 데 내 도움이 필요하니?
B: 아니, 그렇지 않아. 나 벌써 끝냈어.
② A: 그 영화는 해피엔딩인가요?
B: 네, 그래요. 나는 결말이 마음에 들어요.
③ A: 너와 너의 형은 자주 싸우니?
B: 아니, 그렇지 않아. 우리는 잘 지내.
④ A: Harry는 매일 아침 조깅하러 가나요?
B: 네, 그래요. 그는 공원 주위를 조깅해요.
⑤ A: Clare가 어젯밤 집에 늦게 들어왔니?
B: 아니요, 그러지 않았어요. 그녀는 6시에 집에 들어왔어요.
*① 2인칭 you로 묻고 있으므로 1인칭 I 또는 we로 대답한다.

15 1) 내 남동생이 식탁을 치우고 내가 설거지를 해요.
2) Kate는 어제 두통이 심했어요. 그녀는 온종일 누워 있었어요.

16 *1) 3인칭 단수 일반동사 현재형 의문문으로 「Does+주어+동사원형」의 형태로 쓴다.
*2) yesterday가 있으므로 fly의 과거형 flew를 사용해서 문장을 완성한다.
*3) 현재형 부정문이고, 주어가 she로 「doesn't+동사원형」의 형태로 쓴다.

17 A: 셰익스피어가 '로미오와 줄리엣'을 썼나요?
B: 네, 그래요. 그는 뛰어난 작가였어요.
*과거형 의문문이고, 긍정의 대답이므로 Shakespeare를 대신하는 대명사 he를 써서 he did로 쓴다.

18 A: 너는 애완동물이 있니?
B: 아니, 그렇지 않아. 나는 동물을 좋아하지 않아.
*현재형 의문문이고 2인칭으로 묻고 있으므로 I don't를 쓴다.

Chapter 3 시제

Unit 01 진행 시제

Warm up p.075

❶ 01 wearing 02 lying
03 shining 04 feeding
05 beginning 06 making
07 running 08 taking
09 shopping 10 dancing
11 skating 12 walking
13 climbing 14 looking
15 putting

[해석]

01 나는 장화를 신고 있어.
02 너는 지금 나에게 거짓말을 하고 있어.
03 해가 밝게 빛나고 있어요.
04 나는 그때 내 애완견에게 먹이를 주고 있었어.
05 그녀의 머리가 세기 시작했어요.
06 그 소녀는 종이 인형을 만들고 있어요.
07 아이들이 언덕을 뛰어 내려오고 있어요.

08 Mark는 지금 샤워를 하고 있어요.
09 우리 언니들을 몰에서 쇼핑을 하고 있었어요.
10 사람들은 음악에 맞춰 춤을 추고 있었어요.
11 그녀는 얼어붙은 호수에서 스케이트를 타고 있었어요.
12 우리는 강변을 따라서 걷고 있었어요.
13 다람쥐 두 마리가 나무 위로 올라가고 있었어요.
14 수리공들이 기계를 들여다보고 있어요.
15 Jacob은 더러운 옷을 세탁기에 넣고 있었어요.

Start up p.076

❶ 01 raining 02 going
03 wearing 04 cooking
05 is walking 06 planning
07 staying 08 not listening
09 are traveling 10 were
11 am studying 12 wasn't
13 Are 14 not talking
15 tying

[해석]

01 비가 정말 많이 내리고 있어.
02 나는 휴가를 가고 있어.
03 Kelly는 반바지를 입고 있지 않았어요.
04 너희 엄마는 지금 저녁을 요리하고 계시니?
05 Rachel은 지금 자신의 개를 산책시키고 있어.
06 그들은 그녀를 위해서 파티를 계획하고 있었어.
07 우리는 그 당시에 집에 머무르고 있었어요.
08 그는 라디오를 듣고 있지 않았어요.
09 우리는 지금 오타와를 여행하고 있어요.
10 그들은 쇼핑몰에서 즐거운 시간을 보내고 있었나요?
11 시끄럽게 하지 마. 나 지금 공부하고 있어.
12 우리 할머니는 치즈 케이크는 만들고 계시지 않았어.
13 아이들은 운동장에서 축구를 하고 있나요?
14 나 네게 얘기하는 게 아니었어. 나 혼잣말을 하고 있었어.
15 내 딸은 선물 상자에 리본을 묶고 있어요.

❷ 01 is, calling 02 is, standing
03 isn't, drawing 04 is, driving
05 Are, looking, for 06 am, not, waiting
07 are, dying 08 Are, taking
09 Was, laughing 10 wasn't, snowing
11 weren't, going 12 was, singing
13 were, talking 14 were, sitting
15 Were, preparing

[해석]

01 누군가가 너의 이름을 부르고 있어.
02 Sam은 내 뒤에 서 있어요.
03 Jacob은 공룡을 그리고 있지 않아요.
04 우리 엄마는 지금 차로 출근하고 있어요.
05 그들이 나를 찾고 있나요?
06 나는 Albert를 기다리고 있지 않아요.
07 그 나무들이 가뭄으로 죽어가고 있어요.
08 너희들은 요즘 요가 수업을 받고 있니?
09 그가 나를 보고 웃고 있었니?
10 그 당시에는 눈이 내리고 있지 않았어요.
11 우리는 그때 학교에 가고 있지 않았어요.
12 Eva는 그녀가 좋아하는 노래를 부르고 있었어요.
13 너는 그때 전화로 얘기하고 있었어.
14 그들은 그 당시에 버스에 앉아 있었어요.
15 너희들은 파티에 가져갈 음식을 준비하고 있었니?

Check up & Writing p.078

❶ 01 Dad is coming home from work
02 They want food and water
03 Chris was not exercising at the gym
04 We are leaving for San Francisco now
05 My brother was not studying then
06 They are not working at the factory now
07 Jeff has two sisters and a brother
08 She was lying on the bench at the park
09 The children were swimming in the sea then
10 Were you doing the dishes at 7 last night
11 I was sleeping when you called me last night
12 Is he practicing hard for the singing competition

[해석 및 해설]

01 아빠가 일을 끝내고 집에 오고 계셔.
02 그들은 음식과 물을 원해요.
*상태동사로 진행형으로 만들 수 없다.
03 Chris는 체육관에서 운동하고 있지 않았어요.
04 우리는 지금 샌프란시스코로 떠나.
05 우리 오빠는 그때 공부하고 있지 않았어요.
06 그들은 지금 공장에서 일하고 있지 않아요.
07 Jeff는 두 명의 누나와 한 명의 남동생이 있어.
*상태동사로 진행형으로 만들 수 없다.
08 그녀는 공원 벤치에 누워 있었어요.
*-ie로 끝나는 동사는 ie로 y로 고치고 -ing를 붙인다.
09 아이들은 그때 바다에서 수영하고 있었어요.
*「단모음+단자음」으로 끝나는 동사로 마지막 자음을 한 번 더 쓰고 -ing를 붙인다.
10 너는 어젯밤 7시에 설거지하고 있었니?
11 네가 어젯밤에 나에게 전화했을 때 나는 자고 있었어.

12 그는 노래 경연대회를 위해 열심히 연습하고 있니?

❷ 01 is, ringing, loudly
02 Are, listening, to, me
03 am, not, eating, a, candy
04 Is, using, the, bathroom
05 is, winning, the, game
06 Was, cleaning, the, garden
07 were, standing, on, the, street
08 are, taking, a, rest
09 is, not, making, a, beef, stew
10 was, baking, an, apple, pie
11 were, not, playing, hide, and, seek
12 was, carrying, a, heavy, box

Unit 02 현재완료 시제

Warm up p.081

❶ 01 read 02 gone 03 stolen
04 been 05 lost 06 forgotten
07 learned 08 stayed 09 lived
10 had 11 planned 12 blown
13 taken 14 grown 15 worked

[해석]
01 나는 그 책을 몇 번 읽어 본 적이 있어요.
02 Clare는 캘리포니아로 가버렸어.
03 누군가 내 차를 훔쳐갔어.
04 그녀는 전엔 시카고에 가 본 적이 있어.
05 우리 엄마는 선글라스를 잃어버리셨어.
06 그녀는 그의 전화번호를 잊어버렸어.
07 그들은 2년 동안 골프를 배우고 있어.
08 Rick은 한 달 동안 베이징에 머물고 있어.
09 우리 가족은 내가 열 살 때부터 여기에 살고 있어.
10 나는 어젯밤부터 이가 아파요.
11 우리는 지난달부터 장거리 자동차 여행 계획을 세우고 있어요.
12 오늘 아침부터 바람이 세게 불고 있어요.
13 나는 여덟 살 때부터 피아노 수업을 듣고 있어.
14 우리 아버지는 정원에 토마토를 키우고 계셔.
15 우리 엄마는 3년 동안 그 가게에서 일하고 계세요.

Start up p.082

❶ 01 have, seen 02 Has, gone
03 Have, finished 04 Has, opened
05 Have, played 06 has, snowed
07 has, bought 08 has, not, decided
09 has, driven 10 has, never, used
11 has, taught 12 has, not, written
13 has, never, eaten 14 have, loved
15 have, not, talked

[해석]
01 나는 그녀를 전에 어디선가 본 적이 있어요.
02 Sally는 산책을 갔나요?
03 너는 짐 싸는 것을 끝냈니?
04 누군가 문을 열었나요?
05 너는 전에 체스를 해 본 적 있니?
06 지난 월요일부터 눈이 세차게 내리고 있어요.
07 Becky는 벌써 비행기 표를 샀어.
08 Abigail은 아직 결정하지 않았어요.
09 우리 아버지는 이 자동차를 15년 동안 운전하고 계셔.
10 Kim 씨는 컴퓨터를 써 본 적이 없어요.
11 우리 어머니는 2013년부터 학교에서 영어를 가르치고 계세요.
12 그는 나에게 한 달 동안 답장을 쓰지 않고 있어요.
13 그녀는 전에 카레라이스를 먹어 본 적이 없어.
14 Sarah와 Ross는 5년 동안 서로 사랑하고 있어.
15 Jake와 Amy는 서로 이야기를 하지 않고 있어.

❷ 01 has gone shopping
02 have sold our car
03 have turned off the TV
04 has broken his leg
05 has come
06 has eaten all the cake
07 has rained
08 has been sick
09 have left my book
10 has had this bed
11 has liked Clare
12 has studied in Australia

[해석]
01 엄마는 쇼핑하러 가셨어요.
02 우리는 우리 차를 팔아버렸어요.
03 나는 TV를 껐어요.
04 Matt는 다리가 부러졌어요.
05 여름이 왔어요.
06 우리 형이 케이크를 다 먹어버렸어요.
07 어젯밤부터 비가 내리고 있어요.
08 Walter는 금요일부터 아팠어요.
09 나는 지하철에 내 책을 두고 내렸어요.
10 그는 7년 동안 이 침대를 가지고 있어요.
11 Jim은 어렸을 때부터 Clare를 좋아하고 있어요.
12 그녀는 3년 동안 호주에서 공부하고 있어요.

Check up & Writing p.084

❶ 01 has, won
02 have, read
03 has, lost
04 have, taken
05 Have, visited
06 has, not, told
07 Have, started
08 have, washed
09 has, swum
10 has, been
11 have, enjoyed
12 have, not, eaten

❷ 01 has already left the station
02 She has been to
03 They have just arrived
04 He hasn't moved
05 It has been very hot
06 Have you met James
07 Have you ever stayed
08 has worn the sneakers
09 I have called you several times
10 He has been absent
11 I have never borrowed money
12 The police haven't found any evidence

Level up p.086

❶ 01 is, playing
02 am, learning
03 Were, having
04 Is, using
05 was, lying
06 are, running
07 aren't listening
08 wasn't, doing
09 have, grown
10 Have, heard
11 have, never, felt
12 Has, declined
13 hasn't, told
14 has, gone
15 have, been

[해석]

01 Bill은 지금 자신의 개와 놀고 있어요.
02 나는 요즘 드럼을 배우고 있어요.
03 너는 그때 아침을 먹고 있었니?
04 그는 지금 내 노트북 컴퓨터를 쓰고 있니?
05 내가 Nick을 보았을 때 그는 잔디에 누워 있었어요.
06 아이들은 지금 눈 속에서 즐겁게 뛰고 있어요.
07 그 학생들은 지금 선생님 말씀을 듣고 있지 않아요.
08 내가 집에 돌아왔을 때 Sue는 숙제를 하고 있지 않았어요.
09 너 정말 많이 컸구나.
10 너는 이 노래를 들어 본 적이 있니?
11 나는 외로움을 느껴 본 적이 없어.
12 그녀가 우리의 저녁 초대를 거절했니?
13 그녀는 자신의 비밀을 아무한테도 말하지 않았어요.
14 Ellie가 나가버려서 당신은 지금 그녀를 만날 수 없어요.
15 우리는 어렸을 때부터 친한 친구였어요.

❷ 01 is not watching
02 tying
03 seen
04 lost
05 like
06 knows
07 closed
08 cutting
09 ○
10 have visited
11 ○
12 ○
13 have not
14 repairing
15 for

[해석 및 해설]

01 그녀는 지금 TV를 보고 있지 않아요.
02 Irene는 신발 끈을 묶고 있어요.
03 너는 무지개를 본 적이 있니?
04 나는 어제 내 시계를 잃어버렸어.
05 우리는 멕시코 음식을 정말 좋아해.
*상태동사로 진행형으로 만들 수 없다.
06 Mike는 그들을 아주 잘 알아요.
*상태동사로 진행형으로 만들 수 없다.
07 그 식당은 벌써 문을 닫았어.
08 미용사가 그녀의 머리를 자르고 있어요.
*「단모음+단자음」으로 끝나는 동사로 자음을 한 번 더 쓰고 -ing를 붙인다.
09 너는 전에 테니스를 쳐 본 적 있니?
10 아이들은 그 동물원을 두 번 방문한 적이 있어요.
*주어가 복수명사로 have visited가 되어야 한다.
11 별들을 봐! 그것들이 반짝거리고 있어.
12 그녀는 해외에 한 번도 안 나가 봤어요.(그녀는 나라 밖으로 나가 본 적이 없어요.)
13 나는 그 문제에 대해 생각해 보지 않았어.
14 Lucas는 그때 자신의 자전거를 고치고 있었니?
15 Dave는 6개월 동안 새 휴대 전화를 갖고 싶어 하고 있어요.
*기간을 나타내는 말이 왔기 때문에 for가 되어야 한다.

❸ 01 am, standing, behind, you
02 Have, learned, Chinese
03 has, just, landed
04 has, never, danced
05 are, not, making, pasta
06 Were, changing, your, clothes
07 have, never, driven, a, car
08 Have, finished, the, book
09 were, drinking, coffee
10 are, going, on, a, picnic
11 Is, listening, to, the, radio
12 have, not, sent, the, invitations

❹ 01 It has rained
02 am taking a rest

03 The store has not opened
04 have been at home
05 is not wearing a hat
06 hasn't heard the rumor
07 has just baked these cookies
08 was looking for her cat
09 are cooking dinner
10 Are you having a good time
11 Have you ever ridden a roller coaster
12 were waiting for a school bus

Actual test p.090

1 ④ 2 ④ 3 ⑤ 4 ⑤ 5 ② 6 ④
7 ③ 8 ① 9 ③ 10 ④ 11 ⑤ 12 ②
13 ⑤ 14 ④
15 1) ⓐ worn ⓑ since 2) ⓐ don't know ⓑ met
16 1) I have never played 2) was cutting potatoes 3) Is he going home 4) has just ended
17 They were not watching a baseball game
18 Has she broken her arm
19 We are enjoying the view of the river
20 Max has been to the USA three times

[해석 및 해설]

1 *④ 「단모음+단자음」으로 끝나는 동사로 자음을 한 번 더 쓰고 -ing를 붙인다.

2 네가 전화했을 때 나는 자고 있었어.
*when 이하가 과거 시간 표현으로 과거 진행 시제 was sleeping이 되어야 한다.

3 우리는 5년 동안 서로 알고 지내고 있어요.
*현재완료는 「have/has+p.p.」의 형태이다.

4 그녀는 지금 과학 숙제를 하고 있어요.

5 A: 너는 그때 Brian 집에서 놀고 있었니?
B: 아니요, 그렇지 않아요. 나는 도서관에서 공부하고 있었어요.

6 A: Isabel은 어디에 있니? 나는 최근에 그녀를 본 적이 없어.
B: 그녀는 시드니에 갔어.
*'최근에 본 적 없다'라는 의미가 되어야 하므로 haven't seen, '가버려서 현재 여기에 없다'라는 의미가 되어야 하므로 has gone을 고른다.

7 그녀는 전에 학교에서 스페인어를 공부한 적이 있어요.
① 우리는 막 저녁식사를 끝냈어요.
② 그녀는 작년부터 요가를 배우고 있어요.
③ 나는 사람들 앞에서 노래를 불러 본 적이 없어요.
④ 우리 엄마가 어딘가에서 지갑을 잃어버리셨어요.
⑤ 그들은 5년 동안 서로 사랑하고 있어요.
*주어진 문장은 경험, ① 완료, ② 계속, ③ 경험, ④ 결과, ⑤ 계속 용법이다.

8 나는 태어났을 때부터 여기서 살고 있어요.
① 우리 아버지는 20년째 City Bank에서 일하고 계세요.
② 그녀는 버스에 전화를 놓고 내렸어요.
③ 우리는 막 호텔에 도착했어.
④ 나는 말을 타 본 적이 없어.
⑤ 영화가 막 시작했어요.
*주어진 문장은 계속, ① 계속, ② 결과, ③ 완료, ④ 경험, ⑤ 완료 용법이다.

9 그녀는 이 테이블을 10년째 가지고 있어요.
*과거에 시작된 일이 현재까지 계속되고 있으므로 현재완료 문장을 고른다.

10 *과거의 한 시점에서 진행 중인 일을 나타내므로 과거진행 「be동사의 과거형+V-ing」 형태를 고른다.

11 *현재까지의 경험을 묻는 의문문으로 현재완료 의문문 「Have/Has+주어+p.p.」 형태를 고른다.

12 ① 그는 2015년부터 태권도 수업을 받고 있어요.
② 그녀는 그 소식을 한 시간 전에 들었니?
③ 나는 바다에서 여러 번 수영해 본 적이 있어.
④ 너는 도쿄에 가 본 적이 있니?
⑤ 그들은 아직 떠나지 않았어요.
*② an hour ago는 과거 시간 표현으로 현재완료와 쓸 수 없다. 따라서 Did she hear가 되어야 한다.

13 ① 벨이 울려요.
② 우리는 버스를 기다리고 있어요.
③ 너는 우리 선생님에 대해 얘기하고 있니?
④ 사람들이 빗속을 걸어가고 있었어요.
⑤ 그녀는 긴 곱슬머리예요.
*⑤ have(가지다)는 상태동사로 진행형으로 만들 수 없다.

14 ① A: 주문하실 준비되셨나요?
B: 아니요, 아직 정하지 못했어요.
② A: 밖에 눈이 엄청나게 내리고 있어.
B: 오늘은 집에 있는 게 좋겠구나.
③ A: Miranda는 시험공부를 하고 있니?
B: 아니요. 그녀는 컴퓨터를 하고 있어요.
④ A: 오늘은 기분이 어때?
B: 두통이 있었는데 지금은 괜찮아.
⑤ A: 네가 집에 왔을 때 그는 무엇을 하고 있었니?
B: 그는 부엌에서 설거지하고 있었어.
*④ 두통이 지금은 괜찮아 진 것으로 과거에 시작된 일이 현재까지 계속 영향을 미치는 현재완료는 쓸 수 없다. 따라서 had가 되어야 한다.

15 1) Rebecca는 열 살 때부터 안경을 쓰고 있어요.
*현재완료는 「have/has+p.p.」의 형태로 worn, she was ten은 시작 시점으로 since로 고친다.
2) 나는 그녀를 몰라요. 나는 전에 그녀를 만난 적이 없어요.
*know는 상태동사로 진행형으로 만들 수 없기 때문에

don't know, 현재완료 부정으로 met으로 고친다.

16 1) *현재완료 부정으로 「have+never+p.p.」의 형태로 쓴다.
2) *과거 진행 시제로 「was+V-ing」의 형태로 쓰는데, cut은 「단모음+단자음」으로 끝나는 동사로 자음을 한 번 더 쓰고 -ing를 붙인다.
3) *현재 진행 시제 의문문으로 「Be동사+주어+V-ing」의 형태로 쓴다.
4) *현재완료 완료 용법으로 「has++p.p.」의 형태가 되어야 하며 just는 보통 has와 p.p. 사이에 쓴다.

17 그들은 야구 경기를 보고 있었어요. → 그들은 야구를 보고 있지 않았어요.

18 그녀는 팔이 부러졌어. → 그녀는 팔이 부러졌니?

Review test p.095

Chapter 1

❶ 01 am 02 are 03 am
04 are 05 was 06 is
07 was 08 is 09 were
10 were

[해석]

01 나는 새를 무서워해요.
02 Erica와 Irene는 쌍둥이예요.
03 나는 여기에 새로 온 학생이에요.
04 우리는 지금 3학년이에요.
05 Mark는 2013년에 호주에 있었어요.
06 밖에 날씨가 정말 좋아.
07 나는 어젯밤에 매우 피곤하고 졸렸어요.
08 탁자 위에 작은 선물 상자가 있어요.
09 Ted와 나는 30분 전에 버스 정류장에 있었어요.
10 지난 주말 축제에는 많은 사람이 있었어요.

❷ 01 am, not, a, liar
02 Is, good, at
03 was, not, a, good, idea
04 Were, late, for, school
05 There, are, two, cars
06 Is, there, a, problem
07 are, not, on, the, playground

Chapter 2

❶ 01 worries 02 has 03 does
04 watches 05 walk 06 stopped
07 cried 08 bought 09 spent
10 invited

[해석]

01 그녀는 항상 우리를 걱정해요.
02 그 호텔 방은 전망이 좋아요.
03 Jake는 일주일에 두 번 빨래를 해요.
04 우리 아빠는 종종 TV로 운동 경기를 봐요.
05 내 여동생과 나는 매일 학교에 걸어서 가요.
06 눈이 어젯밤에 그쳤어요.
07 Ann은 그 영화 끝부분에서 울었어요.
08 나는 청바지와 한 벌과 티셔츠 하나를 샀어요.
09 우리는 여행에 많은 돈을 썼어요.
10 Jennifer는 자신의 생일 파티에 나를 초대했어요.

❷ 01 don't, trust
02 Does, he, understand
03 Does, the, theater, open
04 Did, you, make, a, big, mistake
05 didn't, know, the, answer
06 doesn't, get, up, early
07 Do, you, listen, to, classical, music

Chapter 3

❶ 01 am going 02 sitting 03 skating
04 since 05 having 06 has
07 has seen 08 looked 09 is fixing
10 have grown

[해석]

01 나는 수영하러 가고 있어.
02 Kevin은 소파에 앉아 있었어요.
03 우리는 빙판에서 스케이트를 타고 있었어요.
04 지난주부터 날씨가 좋아요.
05 그들은 블루베리 머핀을 먹고 있어요.
06 그녀는 자신의 보고서를 벌써 끝냈어.
07 Jenny는 그 영화를 다섯 번 봤어.
08 나는 일주일째 내 개를 찾고 있어요.
09 우리 형은 지금 컴퓨터를 고치고 있어요.
10 그들은 10년 전부터 그 나무들을 기르고 있어요.

❷ 01 I, have, never, driven
02 Are, the, plants, dying
03 is, not, wearing, gloves
04 has, gone, to, London
05 Have, you, eaten
06 Were, you, having, lunch
07 I, was, jogging
08 has, not, cleaned, his, room

Chapter 1-3

❶ 01 Do, write, poems
02 are, famous, actors

03 have, fallen
04 is, not, traveling
05 has, not, been, abroad
06 Were, you, surprised
07 was, in, the, pool
08 had, a, big, dinner
09 Are, you, talking, about
10 does, not, read, online, news
11 was, hiding, under, the, bed
12 Have, learned, any, foreign, languages

❷ 01 It is cold
02 You are not a coward
03 Have you ever been
04 I have never met
05 There was a piano
06 They have just moved
07 She has lost her glasses
08 Alex was dancing
09 Are you making a snowman
10 I was not taking a nap
11 My puppy is lying on the sofa
12 Were you at Angela's house

Achievement test

Chapter 1-3

p.100

1 ④ 2 ② 3 ⑤ 4 ④ 5 ② 6 ③
7 ② 8 ③ 9 ④ 10 ④ 11 ② 12 ②
13 ⑤ 14 ⑤ 15 ④ 16 ② 17 ⑤ 18 ⑤
19 ④ 20 ⓐ is ⓑ sings ⓒ has
21 ⓐ saw ⓑ was wearing
22 ⓐ were ⓑ was not
23 I have lost my bike
24 Erica has been sick since Thursday
25 There are some books
26 I was washing my hands
27 Billy has studied Japanese since 2012
28 My computer does not work
29 Did she ask your phone number
30 Have you called the police

[해석 및 해설]

1 ④ 「자음+y」로 끝나는 동사로 y를 i로 바꾸고 -es를 붙인다.
2 ② eat은 불규칙 변화 동사로 과거형이 ate이다.
3 ⑤ e로 끝나는 동사는 e를 빼고 동사원형에 -ing를 붙인다.
4 우리는 지금 바다에서 수영하고 있어요.
*now가 현재 시간 표현으로 현재시제 또는 현재 진행 시제를 고른다.
5 John은 매일 아침에 커피를 마셔요.
*주어가 단수명사이고 현재의 반복적인 습관으로 drinks를 고른다.
6 그녀는 어젯밤에 Grey와 영화를 보러 갔어요.
*last night는 과거 시간 표현으로 과거형을 고른다.
7 나는 서울에 10년 동안 살고 있어요.
*현재완료 문장으로 빈칸 뒤에 기간을 나타내는 말이 있으므로 for를 고른다.
8 그들이 막 그 다리를 건설했어요.
*현재완료 문장으로 과거분사형 built를 고른다.
9 Sue는 그때 치킨 수프를 요리하고 있었어요.
*과거 진행 시제로 과거의 한 시점을 나타내는 at that time(그때)를 고른다.
10 우리는 10년째 친구로 지내고 있어요.
① Jessica는 중국에 떠나 버렸어요.
② 그 콘서트는 막 시작했어요.
③ 그는 벌써 그녀에게 편지를 보냈어요.
④ 나는 어렸을 때부터 발레를 하고 있어요.
⑤ Mike는 그 산에 오른 적이 없어요.
*주어진 문장은 계속, ① 결과, ② 완료, ③ 완료, ④ 계속, ⑤ 경험 용법이다.
11 나는 그의 책을 여러 번 읽었어요.
① 나는 그의 전화번호를 잊어버렸어요.
② Aron은 프레저 아일랜드에 두 번 가봤어요.
③ 그들은 아직 공항에 도착하지 않았어요.
④ 그녀는 벌써 숙제를 끝냈어요.
⑤ 그는 다섯 달째 보스턴에서 지내고 있어요.
*주어진 문장은 경험, ① 결과, ② 경험, ③ 완료, ④ 완료, ⑤ 계속 용법이다.
12 ① Mike는 나를 향해 공을 던지고 있어요.
② 나는 그 소년들을 아주 잘 알아요.
③ 아이들이 복도에 뛰고 있어요.
④ 그들은 파티에서 즐거운 시간을 보내고 있었나요?
⑤ 내가 그를 봤을 때 그는 로봇을 가지고 놀고 있었어요.
*② 상태동사로 진행형으로 만들 수 없다.
13 ① 너는 유령을 본 적이 있니?
② 그들은 휴가를 가버렸어요.
③ 나는 5년째 피아노를 치고 있어요.
④ 그는 어제부터 아무것도 먹지 않고 있어요.
⑤ 엄마는 2010년에 병원에서 일했어요.
*⑤ in 2010은 과거 시간 표현으로 과거형이 되어야 한다.
14 ① 이 토마토들은 싱싱하지 않아요.
② 우리 어머니는 TV를 보지 않으세요.
③ 너는 Jain의 생일을 잊어버렸니?
④ 그녀는 하루에 세 번 이를 닦아.
⑤ 병에 물이 조금 있어.
*⑤ some water가 셀 수 없는 명사로 was가 되어야

한다.
15 ① 너는 지금 배가 고프니?
② Mark는 테니스 선수가 아니야.
③ 일주일은 7일이에요.
④ Alice는 학교 근처에 사나요?
⑤ 엄마는 내 학교생활을 걱정하셔.
*④ 주어가 단수명사로 Does가 되어야 한다.
16 그들은 3시에 학교에 있었어요.
→ 그들은 3시에 학교에 있지 않았어요.
17 Albert는 전에 크리켓을 해 본 적이 있다.
→ Albert는 전에 크리켓을 해 본 적이 있니?
18 ① A: 너는 그 컴퓨터를 쓰고 있니?
B: 아니, 그렇지 않아. 너는 그것을 사용해도 돼.
② A: 당신은 얼마나 오랫동안 수학을 가르쳤나요?
B: 나는 그것을 3년 동안 가르치고 있어요.
③ A: 너는 컴퓨터 게임을 좋아하니?
B: 아니. 나는 컴퓨터 게임을 하지 않아.
④ A: 너는 부엌에서 무엇을 하고 있니?
B: 샌드위치를 좀 만들고 있어.
⑤ A: Jacob이 너에게 이메일을 보냈니?
B: 아니. 나는 그에게서 몇 통의 이메일을 받았어.
*⑤ 보내지 않았다고 했는데, 몇 통 받았다고 얘기하고 있으므로 자연스럽지 않다.
19 ① A: Susan은 어디에 있니?
B: 그녀는 막 나갔어.
② A: 이 근처에 우체국이 있나요?
B: 네. 쭉 가다가 왼쪽으로 도세요.
③ A: 너는 서울에 가 본 적 있니?
B: 응. 나는 거기에 세 번 가 봤어.
④ A: 비가 마침내 그쳤어.
B: 나는 비가 지겨워. 비가 아직도 내리고 있어.
⑤ A: Calvin은 그의 방에서 무엇을 하고 있었니?
B: 그는 만화책을 읽고 있었어.
*비가 그쳤다고 했는데, 비가 내리고 있다는 대화는 자연스럽지 않다.
20 그는 내가 제일 좋아하는 가수야. 그는 노래를 아주 잘 하고 목소리도 아름다워.
*he가 3인칭 단수로 is, sings, has가 되어야 한다.
21 내가 어젯밤에 그를 보았을 때 그는 우스꽝스러운 모자를 쓰고 있었어.
*when절은 과거 시점을 나타내야 하므로 과거형 saw, '~하고 있었다'라는 의미가 되어야 하므로 과거 진행 was wearing이 되어야 한다.
22 콘서트에 사람들이 많이 있었어. 하지만 재미있지는 않았어.
*a lot of people은 복수명사로 were, be동사 부정형은 「be동사+not」으로 was not이 되어야 한다.
23 나는 내 자전거를 잃어버렸어요.
24 Erica는 목요일부터 아팠어요.
25 *'~가 있다'라는 의미이고, 뒤에 복수명사가 있으므로 There are를 쓴다.
27 *과거에 시작된 일이 현재까지 계속되고 있음을 나타내므로 현재완료를 쓴다.

Chapter 4 조동사 I

Unit 01 can과 be able to

Warm up p.107

❶ 01 swim 02 can
03 are able to 04 ride
05 use 06 pass
07 can 08 couldn't
09 be 10 can't go
11 will be able to 12 could
13 to arrive 14 get
15 wasn't

[해석]
01 나는 바다에서 수영할 수 있어요.
02 너 안으로 들어와도 돼.
03 우리는 너를 도와줄 수 있어.
04 너는 오토바이를 탈 수 있니?
05 내가 너의 휴대 전화를 써도 될까?
06 치즈를 나에게 건네줄래?
07 그 남자는 이 무거운 바위를 들어 올릴 수 있어요.
08 그녀는 어젯밤에 잠을 잘 자지 못했어.
09 내일 아침 여기에 올 수 있니?
10 너는 늦은 밤에 외출하면 안 돼.
11 그들은 결승전에 이길 수 있을 거야.
12 내가 어렸을 때 그 나무에 오를 수 있었어.
13 그는 제시간에 역에 도착할 수 있었어요.
14 우리는 그 콘서트 표를 구할 수 없었어요.
15 Taylor는 어제 파티에 올 수 없었어.

Start up p.108

❶ 01 be 02 ○
03 are able to 04 tell
05 Can 06 could/was able to
07 answer 08 will be able to
09 Are 10 ○
11 can't/cannot 12 ○
13 were not able to 14 is able to
15 couldn't/were not able to

[해석 및 해설]

01 조용해 줄래? 나 통화하고 있어.
02 우리는 겨울 스포츠를 즐길 수 있어.
03 개는 몇 가지 색을 볼 수 있어요.
04 그 어린 소녀는 시계를 볼 줄 아니?
05 그는 이 문장을 이해할 수 있니?
06 어렸을 때 나는 줄넘기를 잘 할 수 있었어.
*when 이하가 과거 시간 표현으로 과거의 능력을 나타내는 could 또는 was able to가 되어야 한다.
07 그녀는 그 질문에 쉽게 대답할 수 있었어.
08 열심히 공부하면 그는 그 시험에 통과할 수 있을 거야.
*can은 미래형이 없기 때문에 will be able to로 미래의 능력을 나타낸다.
09 너는 악기를 연주할 수 있니?
10 숙제 끝냈어요. 이제 TV 봐도 돼요?
11 내 컴퓨터가 고장 났어. 나는 이메일을 보낼 수가 없어.
12 국립 박물관에 가는 길을 좀 저에게 알려주시겠어요?
13 그들은 그 문제의 해결 방안을 찾을 수 없었어요.
14 Richard는 훌륭한 작가야. 그는 좋은 이야기를 쓸 수 있어.
15 네 영어가 많이 늘었구나. 일 년 전에는 한 마디도 못했었어.
*a year ago는 과거 시간 표현으로 과거형 couldn't 또는 were not able to가 되어야 한다.

❷ 01 can't see
02 can't fly
03 can't read
04 can't hear
05 can cook
06 can do
07 can't speak
08 am able to see
09 are able to buy
10 are not able to go
11 am not able to remember
12 is able to drive
13 is able to play
14 are not able to get

[해석]

01 너무 어두워. 나는 네가 전혀 안 보여.
02 타조는 새지만, 날 수 없어.
03 Ian은 읽을 수 없어. 그는 겨우 두 살이야.
04 뭐? 여기 너무 시끄러워. 네 말을 들을 수가 없어.
05 우리 형은 요리사예요. 그는 요리를 정말 잘해요.
06 나는 네 도움이 필요 없어. 나는 혼자 모든 것을 할 수 있어.
07 우리 할아버지는 중국에 10년 동안 사셨는데, 중국어를 못해요.
08 나 새 안경을 샀어. 이제 나는 잘 볼 수 있어.
09 가격이 적당해. 우리는 이 소파를 살 수 있어.
10 날씨가 정말 안 좋아. 너는 외출할 수 없어.
11 나는 전에 그를 만난 적이 있는데, 그의 이름을 기억할 수 없어.
12 Amy는 운전면허 시험에 통과했어. 그녀는 차를 운전할 수 있어.
13 Brandon은 기타리스트야. 그는 기타를 아주 잘 연주할 수 있어.
14 교통이 정말 안 좋아. 우리 제시간에 공항에 도착할 수 없어.

Check up & Writing p.110

❶ 01 Is the boy able to fly a kite
02 I am able to reach the top shelf
03 Are you able to write Russian
04 T-Red was able to walk on two legs
05 Hannah is able to play the piano a little
06 My grandmother is not[isn't] able to use the Internet
07 Were you able to ride a bike when you were eight
08 She was not[wasn't] able to go to the movies last night
09 He is not[isn't] able to speak any Korean at all
10 I was not[wasn't] able to dance before I took lessons
11 They were not[weren't] able to meet the deadline for the project
12 The firefighter was able to save the kid from the burning house

[해석]

01 그 소년은 연을 날릴 수 있니?
02 나는 맨 위 선반에 손이 닿아.
03 너는 러시아어를 쓸 수 있니?
04 T-Rex는 두 발로 걸을 수 있었어.
05 Hannah는 피아노를 조금 칠 수 있어.
06 우리 할머니는 인터넷을 사용할 수 없어.
07 네가 여덟 살 때 너는 자전거를 탈 수 있었니?
08 그녀는 어젯밤에 영화를 보러 갈 수가 없었어.
09 그는 한국어를 전혀 할 수 없어요.
10 나는 강습을 받기 전까지는 춤을 못 췄어.
11 그들은 프로젝트 마감 시간을 맞추지 못했어.
12 그 소방관은 불타는 집에서 아이를 구해낼 수 있었어.

❷ 01 Can I ask you
02 Can you come here
03 Can you call me
04 The parrot can talk
05 You can have a cookie
06 I couldn't swim
07 He is not able to ride
08 She is able to write
09 Ruth can play
10 They could return home
11 My granddad can't walk
12 We will be able to catch

[해설]

12 *can은 미래형이 없기 때문에 will be able to를 사용해서 미래의 능력을 나타낸다.

Unit 02 may, must

Warm up p.113

❶ 01 may 02 must 03 must
04 May 05 may 06 must not
07 must 08 may 09 may not
10 can't be 11 must 12 must not

Start up p.114

❶ 01 May 02 must not skip
03 take 04 must not be
05 may not 06 be
07 ○ 08 ○
09 enter 10 must not
11 must 12 snow
13 stop 14 must be
15 ○

[해석]

01 성함이 어떻게 되시나요?
02 너는 수업을 빼먹으면 안 돼.
03 제가 당신 사진을 찍어도 될까요?
04 그들은 다시 늦으면 안 돼.
05 그는 지금 학교에 없을지도 몰라.
06 너는 칼을 조심해야 해.
07 너는 점심을 먹고 나서 아이스크림을 먹어도 좋아.
08 시간이 늦어지고 있어. 우리 지금 떠나야 해.
09 Lilly는 올해 그 대회에 참가할지도 몰라.
10 너는 계란 알레르기가 있어. 너는 그것을 먹으면 안 돼.
11 그 밴드는 10대 사이에서 인기가 있는 게 틀림없어.
12 흐리고 추워. 오늘 늦게 눈이 내리지도 몰라.
13 신호등이 빨간불이야. 너는 차를 세워야 해.
14 Mike는 4개 국어를 해. 그는 똑똑한 게 틀림없어.
15 그는 친구들과 농구를 하고 있어. 그가 아팠을 리가 없어.

❷ 01 must be 02 must not tell
03 must not play 04 must throw
05 must fasten 06 must not sit
07 must eat 08 may not rain
09 may be 10 may not join
11 may leave 12 may see
13 may look at 14 may not have

[해석]

01 너는 모든 사람들에게 예의를 지켜야 해.
02 너는 아무한테도 말하면 안 돼. 그건 비밀이야.
03 아이들은 거리에서 놀면 안 돼요.
04 우리는 쓰레기를 쓰레기통에 버려야 해.
05 너는 운전을 하기 전에 안전벨트를 매야 해.
06 페인트가 아직 마르지 않았어. 너는 그 벤치에 앉으면 안 돼.
07 Sue는 그녀의 건강을 위해 신선한 과일과 채소를 먹어야 해.
08 날이 꽤 화창해. 오늘은 비가 내리지 않을지도 몰라
09 따뜻하게 입어. 밖은 추울지도 몰라.
10 그녀는 아직 회사에 있어. 그녀는 우리와 함께 저녁을 하지 못할 수도 있어.
11 여러분들이 시험을 마치면 교실에서 나가도 좋아요.
12 요즘 나는 바쁘지만 주말에는 너를 볼 수 있을지도 몰라.
13 그 그림들은 봐도 좋지만 만질 수는 없다.
14 그는 그 자동차를 사지 않기로 했어.

Check up & Writing p.116

❶ 01 May, I, have
02 can't, be, that, bad
03 may, keep
04 may, not, like, shopping
05 must, be, a, genius
06 must, not, speak
07 must, be, very, brave
08 may, stay, here
09 may, travel, to, Spain
10 may, not, be, at, home
11 must, take, care, of
12 must, not, make, a, fire

❷ 01 I must do
02 He may agree
03 You may sit next to

04 You must not bite
05 May I take your order
06 Your rain boots may be
07 You must not open the box
08 The dress may be expensive
09 Anna may not go
10 He must have a lot of friends
11 Mr. Wilson must be a good teacher
12 I must complete the report

Unit 03 have to, should

Warm up p.119

❶ 01 follow 02 try
03 park 04 has to
05 shouldn't 06 not be
07 go 08 be
09 wear 10 smoke
11 doesn't have to 12 shouldn't
13 had to 14 don't have to
15 not touch

[해석]

01 우리는 규칙을 지켜야 해.
02 Matt가 그것을 다시 시도해야 하나요?
03 우리는 차를 여기에 주차해야 하나요?
04 그녀는 지금 결정을 내려야 해요.
05 너는 밤에 시끄럽게 하면 안 돼.
06 아이들은 집에 혼자 있으면 안 돼.
07 Ryan은 내일 일찍 출근해야 해요.
08 학생들은 8시 30분까지는 학교에 와야 해요.
09 우리는 수영장에서 수영복을 입어야 해.
10 표지판을 봐! 그는 여기서 담배를 피우면 안 돼.
11 Daniel은 Joshua를 기다릴 필요 없어.
12 네 저녁 식사는 7시야. 늦으면 안 돼.
13 Harry는 어제 여동생들을 돌봐야 했어.
14 우리는 서두를 필요 없어. 우리는 시간이 많아.
15 너는 박물관에서 그림을 만지면 안 돼.

Start up p.120

❶ 01 should sleep
02 shouldn't shout
03 shouldn't forget
04 should get
05 shouldn't be
06 should clean
07 should read
08 don't have to pay
09 don't have to do
10 doesn't have to work
11 have to be
12 have to wear
13 has to prepare
14 have to finish

[해석]

01 아이들은 규칙적으로 잠을 자야 해요.
02 너는 공공장소에서 소리를 지르면 안 돼.
03 학생들은 숙제를 잊으면 안 된다.
04 너 피곤해 보여. 너는 좀 쉬어야 해.
05 영화는 5시에 시작해. 우리는 늦으면 안 돼.
06 네 방이 엉망이구나. 너는 방을 청소해야 해.
07 너희들은 문제를 풀기 전에 문제를 주의 깊게 읽어야 해.
08 공짜야. 우리는 아무것도 지불할 필요가 없어.
09 너는 아무것도 할 필요가 없어. 그냥 앉아서 기다려.
10 그녀는 백만장자야. 그녀는 돈을 벌려고 일을 할 필요가 없어.
11 너는 주의해야 해. 그렇지 않으면 다칠 수도 있어.
12 인라인 스케이트를 탈 때는 우리는 헬멧을 써야 해.
13 Nancy에게 오늘 손님이 몇 명 있어. 그녀는 음식을 준비해야 해.
14 마감이 이번 주 금요일이야. 너는 그때까지 네 프로젝트를 마쳐야 해.

❷ 01 have to save
02 don't need to[need not] wear
03 don't need to[need not] be
04 doesn't need to[need not] say
05 doesn't need to[need not] buy
06 doesn't need to[need not] cook
07 has to be
08 have to turn off
09 have to hurry up
10 has to practice
11 don't need to[need not] give
12 have to work

[해석]

01 우리는 물과 에너지를 절약해야 해요.
02 우리는 정장을 입을 필요 없어.
03 너는 완벽해 질 필요 없어.
04 그는 그것에 대해 미안하다고 얘기할 필요 없어.
05 Ben은 새 자전거를 살 필요가 없어.
06 내가 피자를 시켰어. 그녀는 요리하지 않아도 돼.
07 Jim은 반 친구들에게 친절하게 대해야 해.
08 너희들은 수업 시간에 휴대 전화를 꺼야 해.

09 우리 10분밖에 남지 않았어. 우리는 서둘러야 해.
10 그 경기에서 이기려면 Timothy는 열심히 연습해야 해요.
11 그 책 가져! 나에게 돌려줄 필요 없어.
12 나 일이 정말 많아. 오늘 밤은 늦게까지 일해야 해.

Check up & Writing p.122

❶ 01 don't, have/need, to, be, afraid
02 should, be, quiet
03 shouldn't, eat
04 should, change, her, plan
05 Should, I, tell, her
06 shouldn't, drive
07 have, to, respect
08 don't, have/need, to, come
09 shouldn't, speak, to, your, mother
10 had, to, do, my, homework
11 don't, have/need, to, take
12 have, to, take, a, test

❷ 01 You don't have to go
02 She should not tell lies
03 You should not make fun of
04 He has to be strong
05 Should we buy more furniture
06 My dad had to work
07 Mark doesn't have to know
08 We don't have to answer
09 You should knock on the door
10 I have to ask my parents
11 You should stop eating fast food
12 You shouldn't make the same mistake

Level up p.124

❶ 01 May
02 Should
03 may not
04 Could
05 Do I have to
06 don't have to
07 can't
08 must not
09 couldn't
10 Can you
11 must
12 must

❷ 01 be
02 cannot/can't ride
03 keep
04 ○
05 Are
06 Can/Could
07 have to do
08 may not
09 able to pass
10 had to
11 explain
12 ○
13 could play
14 don't have to
15 can't/cannot

[해석 및 해설]
01 Rachel이 맞을지도 몰라.
02 그는 스쿠터를 탈 수 없어요.
03 잔돈을 가지셔도 돼요.
04 불을 켜 주시겠어요?
05 너는 내 마음을 읽을 수 있니?
*be able to의 형태로 Are가 되어야 한다.
06 케첩을 나에게 건네줄래?
07 제가 집안일을 다 해야 하나요?
08 그는 우리와 함께 해변에 가지 않을지도 몰라.
09 나는 운전면허 시험에 통과할 수 없었어.
10 Dave는 어젯밤 밤을 새야만 했어.
11 게임 규칙 좀 설명해 줄래?
12 너의 부모님은 네 성적에 놀라신 게 틀림없어.
13 Peter는 다섯 살 때 피아노를 칠 수 있었어.
14 우리는 시간이 많아. 우리는 택시를 탈 필요가 없어.
*have to의 부정은 don't have to이다.
15 Jim은 학교에 있을 리가 없어. 내가 몇 분 전 체육관에서 그를 봤어.
*강한 부정의 추측을 나타내므로 can't/cannot be가 되어야 한다.

❸ 01 can't, be, true
02 had, to, apologize
03 can/may, eat, my, sandwich
04 must, be, Ted's, sister
05 Can, you, fix
06 cannot/can't, live
07 Should, we ,book
08 doesn't, have/need, to, bring
09 should/must, not, stay, up, late
10 may, be, interested, in
11 must/should, offer, your, seat
12 is, not, able, to, attend

❹ 01 Can I use your car
02 I couldn't swim
03 We should prepare
04 She may not know
05 You may leave school early
06 You should not talk back
07 He must be a funny guy
08 Could you tell me
09 Jason must not spend
10 She was not able to speak
11 You don't have to buy a ticket
12 I had to wait for an hour

Actual test p.128

1 ⑤ 2 ② 3 ③ 4 ② 5 ④ 6 ③
7 ③ 8 ① 9 ⑤ 10 ① 11 ② 12 ⑤
13 ① 14 ③ 15 1) may, not 2) can't, be
16 1) have, to 2) don't, need, to 3) was, able, to
17 Can
18 must
19 should/must not pick up
20 could not[couldn't] find/was not able to find

[해석 및 해설]

1 Jane은 다섯 살 때 글을 쓸 수 있었어요.
*when 이하가 과거 시간 표현으로 과거의 능력을 나타내는 could를 고른다.
2 우산을 가지고 가. 오후에 비가 내릴 지도 몰라.
*'~할지도 모른다'라는 의미로 추측을 나타내는 may를 고른다.
3 A: 나에게 물 한 잔 갖다 줄래?
B: 물론이야. 여기 있어.
*요청, 부탁을 나타내는 can을 고른다.
4 너는 내 전화기를 써도 좋아.
*허가, 허락을 나타내는 can은 may로 바꿔 쓸 수 있다.
5 우리는 행동하기 전에 신중하게 생각해야 해.
*의무를 나타내는 have to는 must로 바꿔 쓸 수 있다.
6 • 그는 서둘러야 해요. 그는 시간이 없어요.
• 그녀는 Sue의 쌍둥이 자매임이 틀림없어요. Sue를 꼭 닮았어요.
*의무와 강한 추측을 나타내는 조동사는 must이다.
7 • 너는 박물관에 음식을 가지고 오면 안 돼.
• Bill은 수영을 잘 하는 사람이에요. 그는 수영을 아주 잘해요.
*금지를 나타내는 shouldn't, 능력을 나타내는 조동사 can을 고른다.
8 • 너는 부모님 말씀을 들어야 해.
• 너는 걱정할 필요 없어. 모든 것이 괜찮을 거야.
*주어가 2인칭으로 have to, 불필요를 나타내는 don't have to를 고른다.
9 ① 표범은 매우 높이 점프할 수 있어요.
② 우리는 맛있는 케이크를 만들 수 있어요.
③ 그 가수는 춤을 아주 잘 춰요.
④ Becky는 독일어를 유창하게 말할 수 있어요.
⑤ 너는 파티에 친구를 데려와도 좋아.
*①, ②, ③, ④ 능력, ⑤ 허가, 허락을 나타낸다.
10 ① Sam은 캐나다인이 틀림없어.
② 너는 8시까지 집에 와야 해.
③ Kate는 이 일을 4시까지 끝내야 해.
④ 나는 중간고사를 준비해야 해.
⑤ 우리는 내일 아침에 일찍 일어나야 해.
*① 강한 추측, ②, ③, ④, ⑤ 의무를 나타낸다.
11 ① 나는 내내 걸어서 집으로 와야 했어.
② Jones는 곧 차를 운전할 수 있게 될 거야.
③ 너는 여기서 사진을 찍으면 안 돼.
④ 너는 그것에 대해 선생님께 여쭤봐야 해.
⑤ 나는 어렸을 때 발레를 출 수 있었어.
*② can은 미래형이 없기 때문에 will be able to로 미래의 능력을 나타낸다.
12 ① 너는 나에게 답장을 쓸 필요 없어.
② 우리는 더 이상 시간을 낭비하면 안 돼.
③ 너희들은 해결책을 찾을 수 있었니?
④ Clare는 너의 상황을 이해할지도 몰라.
⑤ 그는 그것을 사용하기 전에 설명서를 읽어야 해.
*⑤ 조동사는 주어의 인칭과 수에 상관없이 같은 형태로 쓴다.
13 ① 내 친구가 되어 주실래요?
② Glenn 씨와 통화할 수 있을까요?
③ 우리는 택시를 타야 하니?
④ 제가 교복을 입어야 하나요?
⑤ 저를 위해서 창문 좀 열어 주시겠어요?
*① can의 의문문은 「Can+주어+동사원형~?」의 형태이다.
14 *③ have to 의문문은 「Do+주어+have to~?」의 형태이다.
15 *1) 부정의 추측을 나타내는 may not을 쓴다.
*2) 강한 부정의 추측을 나타내는 can't be를 쓴다.
16 1) 나는 복통 약을 좀 먹어야 해.
*의무를 나타내는 must는 have to로 바꿔 쓸 수 있다.
2) 네가 원하지 않으면 그것을 사지 않아도 돼.
*don't have to는 don't need to로 바꿔 쓸 수 있다.
3) 어렸을 때 그는 빨리 달릴 수 있었어요.
*could는 「be동사의 과거형 able to」로 바꿔 쓸 수 있다.
17 • 너와 잠깐 얘기할 수 있을까?
• 이걸 좀 도와줄래?
*허가와 요청을 나타내는 조동사는 can이다.
18 • 너는 제시간에 수업에 와야 해.
• 그녀는 밤새도록 공부했어. 그녀는 피곤한 게 틀림없어.
*의무와 강한 추측을 나타내는 조동사는 must이다.

Chapter 5 조동사 II

Unit 01 will, be going to

Warm up p.135

❶ 01 be 02 Will you be
03 will 04 not come
05 Will 06 are going to

07 will be
08 to use
09 make
10 are going to
11 to paint
12 going to
13 are going to
14 am not going to
15 not going

[해석]

01 나는 오늘 저녁에 집에 있을 거예요.
02 제 친구가 되어주시겠어요?
03 Sandy는 개막식에서 노래를 부를 거야.
04 그녀는 우리와 함께 가지 않을 거야.
05 저를 위해 문을 좀 잡아주시겠어요?
06 그들은 다음 주에 이사해요.
07 우리 할머니는 내년에 70세셔.
08 이 복사기를 쓰실 건가요?
09 그녀는 다시 같은 실수를 하지 않을 거예요.
10 우리는 오늘 밤에 파티를 할 거예요.
11 그녀가 방을 혼자 페인트칠할 건가요?
12 너는 내일 또 Grace를 만날 거니?
13 우리는 내일 중요한 시험을 볼 거예요.
14 나는 Kate를 저녁에 초대하지 않을 거야.
15 그는 내일 자전거를 타고 학교에 가지 않을 거예요.

Start up p.136

❶ 01 won't go out
02 won't hurt
03 won't eat
04 won't buy
05 will be
06 will bake
07 will make
08 are not going to eat out
09 is not going to share
10 are going to stay
11 is not going to join
12 am going to meet
13 is going to sell
14 is not going to forgive

[해석]

01 비가 오고 있어. 나는 외출하지 않을 거야.
02 무서워하지 마. 나는 너를 해치지 않을 거야.
03 저 점심 먹은 거로 아직 배불러요. 저는 저녁 안 먹을게요.
04 이 치마는 너무 비싸. 나는 그것을 사지 않을 거야.
05 아주 맑을 거래. 선글라스 가지고 가.
06 오늘은 어머니의 날이야. 나는 엄마께 케이크를 구워 줄 거야.
07 나는 영화감독이 되고 싶어. 나는 언젠가 내 영화를 만들 거야.
08 우리는 외식하지 않을 거야. 엄마가 벌써 저녁을 요리하셨어.
09 엄마, Sam은 정말 이기적이에요. 자신의 쿠키를 나누지 않을 거예요.
10 우리는 호텔을 예약하지 않았어요. 우리는 이모와 같이 지낼 거예요.
11 Jeff는 체스를 좋아하지 않아. 그는 체스 동호회에 가입하지 않을 거야.
12 나는 오늘 밤 어릴 적 친구들을 만날 거야. 너무 기다려져.
13 Ron이 자신의 차를 팔 거야. 그는 요즘 돈이 모자라.
14 Monica는 심지어 나와 말도 안 해. 그녀는 나를 용서하지 않을 거야.

❷ 01 will give you
02 Will you help
03 am going to drive
04 will make you
05 will have tea
06 is not going to rain
07 will be here
08 Are you going to order
09 is going to study Chinese
10 am going to use
11 won't be late
12 is going to visit

[해석]

01 A: 내 차가 또 고장 났어!
B: 걱정 마. 내가 태워줄게.
02 A: 너 나를 도와줄래?
B: 물론이야. 내가 무엇을 해주길 바라니?
03 A: 너는 시카고에 어떻게 갈 거니?
B: 나는 직접 차를 운전할 거야.
04 A: 엄마, 저 좀 배고파요.
B: 내가 너에게 샌드위치를 만들어 줄게.
05 A: 무엇을 마시겠습니까?
B: 차를 마실게요.
06 A: 오늘 비가 오지 않을 거래.
B: 그렇다면 장화를 신을 필요 없겠네.
07 A: Ashley는 몇 시에 도착하니?
B: 그는 점심때까지 올 거예요.
08 A: 파스타를 주문할 거니?
B: 아니. 난 그냥 야채샐러드를 먹을 거야.
09 A: Jason은 방학 계획이 있니?
B: 응. 그는 중국어를 공부할 거야.
10 A: 내가 내일 너의 자전거를 빌려도 될까?
B: 미안하지만, 안 돼. 나 그걸 쓸 예정이야.
11 A: Brian, 너 또 늦었어.
B: 미안해. 다시는 늦지 않을게. 약속할게.

12 A: Jane이 내일 점심을 우리와 함께 할 거니?
B: 아니. 그녀는 조부모님 댁을 방문할 거야.

Check up & Writing p.138

❶ 01 They will not[won't] worry about us
Will they worry about us
02 My parents will not[won't] punish me for lying
Will my parents punish me for lying
03 You will not[won't] win first prize in the contest
Will you win first prize in the contest
04 Nate will not[won't] ride his new bike in the park
Will Nate ride his new bike in the park
05 They are not[aren't] going to move soon
Are they going to move soon
06 He is not[isn't] going to fix my computer
Is he going to fix my computer
07 Kelly is not[isn't] going to study Spanish abroad
Is Kelly going to study Spanish abroad
08 We are not[aren't] going to go skiing this weekend
Are we going to go skiing this weekend

[해석]

01 그들이 우리를 걱정할 거야.
→ 그들은 우리를 걱정하지 않을 거야.
→ 그들이 우리를 걱정할까요?
02 우리 부모님이 거짓말 한 거에 대해 나를 벌하실 거야.
→ 우리 부모님이 거짓말 한 거에 대해 나를 벌하지 않으실 거야.
→ 우리 부모님이 거짓말 한 거에 대해 나를 벌하실까?
03 너는 그 대회에게 1등상을 탈 거야.
→ 너는 그 대회에게 1등상을 타지 않을 거야.
→ 네가 그 대회에게 1등상을 탈까?
04 Nate는 공원에서 자신의 새 자전거를 탈 거야.
→ Nate는 공원에서 자신의 새 자전거를 타지 않을 거야.
→ Nate는 공원에서 자신의 새 자전거를 탈 거니?
05 그들은 곧 이사할 거예요.
→ 그들은 곧 이사하지 않을 거예요.
→ 그들은 곧 이사할 건가요?
06 그가 내 컴퓨터를 고칠 거야.
→ 그는 내 컴퓨터를 고치지 않을 거야.
→ 그가 내 컴퓨터를 고칠 거니?
07 Kelly는 외국에서 스페인을 공부할 거예요.
→ Kelly는 외국에서 스페인을 공부하지 않을 거예요.
→ Kelly는 외국에서 스페인을 공부할 건가요?
08 우리는 이번 주말에 스키 타러 갈 거예요.
→ 우리는 이번 주말에 스키 타러 가지 않을 거예요.
→ 우리는 이번 주말에 스키 타러 갈 건가요?

❷ 01 I, will, send, you
02 will, be, perfect
03 won't, ask, me
04 won't, go, swimming
05 Will, Dad, be, back
06 Will/Would, you, change, seats
07 not, going, to, get, angry
08 am, going, to, get, there
09 are, going, to, miss, you
10 are, going, to, spend
11 is, not, going, to, eat
12 going, to, take, part

Unit 02 would like to, had better, used to

Warm up p.141

❶ 01 would like to
02 had better
03 used to
04 used to
05 would like to
06 would like to
07 had better not
08 used to
09 had better
10 used to
11 had better
12 had better not

Start up p.142

❶ 01 had
02 to go
03 have
04 used
05 to visit
06 had
07 like
08 work
09 to dance
10 had better not
11 used
12 would like to
13 would like to
14 used to
15 used

[해석]

01 우리는 일찍 만나는 게 좋겠어.
02 나는 매일 조깅을 하곤 했어요.
03 그녀는 새끼 고양이를 키우고 싶어 해요.
04 (예전에) 바다 옆에 호텔이 있었어요.
05 나는 런던 아이에 가 보고 싶어요.
06 Nancy는 그에게 모든 것을 얘기하는 게 좋겠어.
07 그는 우주에 대해 배우고 싶어 하니?
08 너는 일을 너무 열심히 일하지 않는 게 좋겠어.
09 저랑 춤추시겠어요?

10 그는 오늘 밤 운전을 하지 않는 게 좋겠어.
11 나는 노래를 잘 하곤 했었는데 지금은 아니야.
12 Ruth는 영화배우가 되고 싶어요.
13 나는 너와 잠깐 얘기를 하고 싶어.
14 내가 어렸을 때 나는 머리가 아주 길었어.
15 우리 아버지는 작년에 매일 아침 신문을 읽곤 하셨어요.

❷ 01 had better drive
02 had better not trust
03 had better quit
04 had better not say
05 had better stay
06 had better not go
07 had better have
08 would like to go
09 would like to have
10 used to dance
11 would like to treat
12 used to be
13 used to go
14 would like to get

[해석]

01 너는 빙판길에서 천천히 운전하는 게 좋겠어.
02 Jones는 거짓말쟁이야. 너는 그를 믿지 않는 게 좋겠어.
03 너는 담배를 끊는 게 좋겠어. 그건 너에게 안 좋아.
04 나는 그것을 Carl에게 말하지 않는 것이 좋겠어. 그가 화를 낼 거야.
05 Margaret은 독감에 걸렸어. 그녀는 오늘 집에 있는 게 좋겠어.
06 그녀는 강아지를 무서워해. 그녀는 강아지 근처에 가지 않는 게 좋겠어.
07 그것은 중요한 문제야. 너는 부모님과 이야기해 보는 게 좋겠어.
08 날씨가 아름다워. 나 산책하러 나가고 싶어.
09 나는 햄버거가 먹고 싶어. 그게 내가 좋아하는 음식이야.
10 Kate는 매우 춤을 잘 췄었는데 지금은 못 춰.
11 나를 도와줘서 고마워. 내가 너에게 점심을 대접하고 싶어.
12 우리는 (예전에) 친구였는데, 지금은 인사도 안 해.
13 내가 학생이었을 때 나는 도서관에 매일 가곤 했었어요.
14 Richard는 농구 광팬이야. 그는 결승전 표를 사고 싶어 해.

Check up & Writing p.144

❶ 01 would, like, to, try
02 had, better, dress, warmly
03 would, like, to, swim
04 had, better, not, buy
05 used, to, go, skiing
06 had, better, stay, here
07 used, to, be, an, English, teacher
08 had, better, not, say, anything
09 used, to, enjoy
10 would, like, to, travel
11 Would, you, like, to, listen
12 used, to, love, sweets

❷ 01 I had better get
02 I used to be fat
03 Would you like to know
04 I would like to see
05 You had better take
06 Would you like to come
07 We used to play outside
08 We had better go
09 There used to be an old bridge
10 David would like to work
11 She used to take a long walk
12 You had better not call

Level up p.146

❶ 01 won't
02 would like to
03 had better
04 used to
05 will/is going to
06 used to
07 had better not
08 will/am going to
09 had better not
10 will not[won't]/are not going to
11 would like to
12 had better

❷ 01 to miss
02 read
03 used to
04 to try
05 will
06 to spend
07 to get
08 come
09 is going to
10 will not fight
11 to study
12 had better
13 going to
14 Are you going
15 had better not

[해석]

01 나는 네가 많이 그리울 거야.
02 저에게 이야기책을 읽어줄래요?
03 그 카페는 (예전에) 서점이었어.

04 제 스파게티 좀 드셔보실래요?
05 그는 언젠가 달을 여행할 것이다.
06 Brandon은 돈을 물 쓰듯 쓰곤 했어요.
07 나는 아침 5시에 일어나곤 했었다.
08 너는 여기에 와서 이걸 한 번 봐야 해.
09 Harry는 차를 사려고 돈을 조금씩 저축할 거예요.
10 나는 내 남동생과 다시는 싸우지 않을 게요.
11 나는 대학에서 패션 디자인을 공부하고 싶어요.
12 너는 정기적으로 치과에 가는 게 좋겠어.
13 Laura는 결혼식에서 노래를 부르지 않을 거야.
14 너는 방과 후에 태권도를 연습할 거니?
15 너 아파 보여. 너는 오늘 일하러 가지 않는 게 좋겠어.

❸ 01 going, to, be, all, right
02 used, to, work, together
03 had, better, hope
04 will, take, off, soon
05 would, like, to, learn
06 had, better, not, leave
07 not, going, to, give, up
08 Will/Would, you, show, me
09 going, to, stay, at
10 Will, you, be, at, home
11 won't, be, open
12 Would, you, like, to, go, shopping

❹ 01 Will you accept
02 going to sign up
03 will not believe
04 am not going to fail
05 used to be my best friend
06 Would you like to have lunch
07 will take care of the problem
08 had better not drink
09 are going to get married
10 would like to make an appointment
11 had better think carefully
12 used to read six books

Actual test p.150

1 ①	2 ④	3 ②	4 ④	5 ④	6 ④
7 ⑤	8 ⑤	9 ②	10 ④	11 ②	12 ④
13 ②	14 ②	15 to			

16 1) used to 2) had better 3) would like to 4) will
17 had better take the subway
18 will not accept his apology
19 are going to get/will get
20 Would you like to go out

[해석 및 해설]

1 그 수업은 2시간 후에 끝날 거예요.
*will 다음에는 동사원형이 오므로 end를 고른다.

2 나는 이번 일요일에 삼촌을 뵐 거야.
*「be going to+동사원형」의 형태로 쓰이므로 going to visit를 고른다.

3 내가 어렸을 때 우리는 알래스카에 살곤 했었어요.
*when 이하가 과거시제로 과거의 습관이나 상태를 나타내는 used to를 고른다.

4 나는 프랑스어를 배우고 싶어.
*would like 다음에는 「to+동사원형」이 온다.

5 • 너 피곤해 보여. 너는 집에 있는 게 좋겠어.
• 미안해. 다시는 그것을 하지 않을게.
*충고나 조언을 나타내는 조동사 had better와, 의지를 나타내는 조동사 will의 부정형을 won't를 고른다.

6 • 나는 Adele처럼 훌륭한 가수가 되고 싶어요.
• 우리 엄마는 (예전에) 승무원이었어요. 지금 디자이너세요.
*소망을 나타내는 조동사 would like to와 과거의 상태를 나타내는 조동사 used to를 고른다.

7 Hannah는 세계 여행을 하고 싶어 해요.
*want to는 '~하고 싶다, 원하다'라는 의미로 would like to와 의미가 같다.

8 A: 나 이 운동화가 마음에 들긴 한데 너무 비싸.
B: 나도 그렇게 생각해. 너는 그것들을 사지 않는 게 좋겠어.
*'사지 않는 게 좋겠다'라는 의미가 되어야 하므로 had better not을 고른다.

9 A: 나 오늘 오후에 테니스를 칠 거야. 너도 할래?
B: 아니, 안 할래, 내 어깨를 다치기 전엔 테니스를 좋아하긴 했었어. 더 이상은 안 쳐.
*'좋아하곤 했었다'라는 의미가 되어야 하므로 used to를 고른다.

10 ① 나를 좀 도와줄래?
② 너 Jason과 같이 영화 보러 갈 거니?
③ 너는 내일 오후에 집에 있을 거니?
④ 너 어제 TV 뉴스 봤니?
⑤ 내 사진을 한 장 찍어줄래?
*①, ⑤ 요청을 나타내는 Will, ②, ③ 미래를 나타내는 Will, ④ yesterday는 과거 시간 표현으로 Did가 되어야 한다.

11 ① 히터 좀 켜주실래요?
② 너는 다시는 늦지 않는 게 좋겠어.
③ (예전에) 여기에 큰 공원이 있었어.
④ 나는 너에 대해 더 많이 알고 싶어.
⑤ 우리는 오늘 밤에 콘서트에 갈 거야.
*② had better 부정은 「had better not+동사원형」의 형태이다.

12 ① 그는 우리와 함께 가지 않을 거야.
② 너는 지금 숙제를 시작하는 게 좋겠어.
③ 계시다가 저녁 드실래요?
④ 우리 부모님은 내 실수에 화를 내실 거야.
⑤ 나는 매주 일요일 장을 보러 가곤 했었어.
*④ will 다음에는 동사원형이 온다.

13 ① Matt가 너를 만나고 싶어 해.
② 그들이 여기에 새 학교를 건설할 예정이니?
③ 이 옷 가게는 (예전에) 식당이었어.
④ 나는 이 추운 날씨에 외출하지 않는 게 좋겠어.
⑤ 그녀는 그 사고에 대해 어떤 것도 얘기하지 않을 거야.
*② 예정을 묻고 있으므로 「Be동사+주어+going to+동사원형~?」의 형태가 되어야 한다.

14 ① A: 나는 이 수학 문제를 풀 수 없어요.
B: 걱정 마. 내가 도와줄게.
② A: 나 지난달에 3kg 쪘어.
B: 너는 운동을 하는 게 좋겠어.
③ A: 그가 약속을 지킬까?
B: 응. 그는 항상 약속을 지켜.
④ A: 여기 내 어릴 적 사진이야. 봐.
B: 너 머리가 정말 길었었구나.
⑤ A: 참치샌드위치 주세요.
B: 마실 것은 어떻게 하시겠어요?
② 살이 쪘다는 말에 운동하지 말라는 대화는 어색하다.

15 • 나는 너의 친구가 되고 싶어.
• 우리는 매우 친한 친구였어요.
*소망을 나타내는 조동사는 would like to이고, 과거의 습관이나 상태를 나타내는 조동사는 used to이므로 빈칸에는 to가 필요하다.

16 1) 나는 작년에 매일 아침 수영하러 가곤 했어.
*last year가 과거 시간 표현으로 과거의 규칙적인 습관을 나타내는 used to를 쓴다.
2) 너는 기침을 하고 콧물도 나. 너는 진찰을 받는 게 좋겠어.
*~하는 것이 좋겠다'의 의미로 had better를 쓴다.
3) 나는 네가 즐거운 생일을 보내길 바라.
*소망을 나타내는 문장으로 would like to를 쓴다.
4) A: 나 너무 피곤하고 졸려. 그런데 이걸 끝내야 해.
B: 내가 너에게 커피 하잔 갖다 줄게. 그게 네가 깨어 있는 걸 도와줄 거야.
*'하겠다'의 의미로 의지를 나타내므로 will을 쓴다.

19 *미래를 나타내므로 「will/be going to+동사원형」을 이용해서 문장을 완성한다.

20 *'~할래?'라는 의미로 「Would you like to+동사원형」을 이용해서 문장을 완성한다.

Chapter 6 문장의 형태

Unit 01 1·2형식 문장

Warm up

p.157

❶ 01 The moon(주어) rises(동사).
02 Joshua(주어) speaks(동사) quietly.
03 The girl(주어) sings(동사) sweetly.
04 She(주어) ran(동사) around the park.
05 Luke(주어) looks(동사) young for his age.
06 A good medicine(주어) tastes(동사) bitter.
07 The neighbor's dog(주어) barks(동사) loudly.
08 This fresh bread(주어) smells(동사) delicious.
09 Mr. Chris(주어) is(동사) my geography teacher.
10 The children(주어) are(동사) in the playground.
11 My baby brother(주어) cries(동사) all the time.
12 Nathan(주어) felt(동사) asleep during math class.
13 Tommy(주어) became(동사) a great soccer player.
14 My grandparents(주어) are(동사) staying healthy.

[해석]
01 달이 떠요.
02 Joshua는 조용하게 말해요.
03 그 소녀는 감미롭게 노래해요.
04 그녀는 공원 주위를 뛰었어요.
05 Luke는 그의 나에게 비해 어려 보여요.
06 좋은 약은 입에 써요.
07 이웃집 개는 시끄럽게 짖어요.
08 이 신선한 빵은 맛있는 냄새가 나.
09 Chris 씨는 내 지리학 선생님이세요.
10 아이들이 놀이터에 있어요.
11 내 어린 남동생은 항상 울어요.
12 Nathan은 수업시간에 잠이 들었어요.

13 Tommy는 훌륭한 축구 선수가 되었어요.
14 우리 조부모님은 건강을 유지하고 있어요.

Start up p.158

❶ 01 1형식 02 1형식 03 1형식
04 1형식 05 2형식 06 1형식
07 1형식 08 2형식 09 1형식
10 1형식 11 2형식 12 2형식
13 2형식 14 2형식 15 2형식

[해석 및 해설]
01 전화가 울렸어요.
02 두 마리의 고양이가 지붕에 있어요.
03 태양은 동쪽에서 떠요.
04 Sandra은 안도의 미소를 지었어요.
05 갑자기, 그녀는 어지러움을 느꼈어요.
06 우리 엄마는 조심해서 운전해요.
07 Patrick은 좋은 사람처럼 보여요.
08 그 계획은 나에게는 좋은 것처럼 들려.
09 학교는 9시에 시작해요.
10 우리 언니는 매우 천천히 걸어요.
11 날씨가 따뜻해졌어요.
12 냉장고에 있는 우유에서 상한 맛이 나요.
13 저녁 식사를 하는 동안 모두가 조용했어.
14 그 학생의 이름이 James Cooper예요.
15 미운 오리 새끼는 아름다운 백조가 되었어요.

❷ 01 goes to 02 smooth 03 ○
04 softly 05 ○ 06 bad
07 dark 08 shyly 09 looks like
10 happily 11 work at 12 ○
13 tired 14 popular 15 ○

[해석 및 해설]
01 그는 매주 일요일 교회에 가요.
*1형식 문장으로 church가 수식어구가 되어야 하므로 goes to가 되어야 한다.
02 실크는 매끄러운 느낌이에요.
03 그것은 거짓말처럼 들려.
04 바람이 솔솔 불어요.
05 그녀는 우아하게 춤췄어요.
06 이 음식은 안 좋은 냄새가 나요.
07 하늘이 어두워지고 있어요.
*grow는 2형식 문장에서 보어로 명사나 형용사가 오므로 dark이 되어야 한다.
08 그 소년은 수줍게 나에게 미소 지었어요.
09 그녀의 머리는 새 둥지처럼 보여요.
* 뒤에 명사가 있으므로 like가 필요해요.
10 그들은 그 후로 행복하게 살았어요.
11 나는 컴퓨터 회사에서 일해요.
*1형식 문장으로 a computer company가 수식어구가 되어야 하므로 work at이 되어야 한다.
12 화가 나자 내 얼굴이 새빨개졌어요.
13 오늘 밤 우리 아버지는 피곤해 보이세요.
14 그 책은 많은 인기를 얻었어요.
*become은 2형식 문장에서 보어로 명사나 형용사가 오므로 popular가 되어야 한다.
15 우리는 버스 정류장으로 급하게 뛰었어요.

Check up & Writing p.160

❶ 01 1형식, 엄마와 아빠가 오고 계셔.
02 2형식, 그의 이야기들은 거짓처럼 들려.
03 2형식, 너에게 비누 냄새가 나.
04 2형식, 너는 차분하게 있는 게 좋겠어.
05 2형식, 그 케이크는 너무 달았어요.
06 2형식, 날이 어둡고 추워지고 있어
07 1형식, Bill과 Sarah는 평화롭게 살아요.
08 1형식, 우리 엄마는 걱정을 너무 하세요.
09 2형식, Christine은 항상 매력적으로 보여.
10 1형식, Brian과 그의 여동생은 학교에 있어요.
11 2형식, 그녀는 안 좋은 소식으로 슬퍼요.
12 1형식, 우리 오빠와 나는 매일 밤 공부해요.

❷ 01 Time flies quickly
02 I felt sorry
03 Lucy laughed at his joke
04 You look like a princess
05 My sister fell sick
06 My dog barks at strangers
07 This soup tastes salty and spicy
08 The man became rich
09 remain seated
10 Something is burning
11 My grandfather's hair turned grey
12 Her children, behave well

Unit 02 3·4형식 문장

Warm up p.163

❶ 01 I need a few things. (3형식)
need: 동사 / a few things: 목적어
02 I love vanilla ice cream. (3형식)
love: 동사 / vanilla ice cream: 목적어
03 Dad scolded my brother. (3형식)
scolded: 동사 / my brother: 목적어

04 I did a lot of work today. (3형식)
동사 목적어

05 They built a strong bridge. (3형식)
동사 목적어

06 I lent her my favorite dress. (4형식)
동사 간 · 목 직 · 목

07 Pass me the pepper, please. (4형식)
동사 간 · 목 직 · 목

08 He gave her a diamond ring. (4형식)
동사 간 · 목 직 · 목

09 Mom will buy me new jeans. (4형식)
동사 간 · 목 직 · 목

10 Dave sent her a birthday card. (4형식)
동사 간 · 목 직 · 목

11 The police caught the thieves. (3형식)
동사 목적어

12 She lost her pet dog last week. (3형식)
동사 목적어

13 The pharmacist gave me the medicine.
동사 간 · 목 직 · 목 (4형식)

14 His father made him a model airplane.
동사 간 · 목 직 · 목 (4형식)

[해석]

01 나는 몇 가지가 필요해.
02 나는 바닐라 아이스크림 좋아해요.
03 아빠가 내 남동생을 꾸짖었어요.
04 나는 오늘 많은 일을 했어요.
05 그들은 튼튼한 다리를 지었어요.
06 나는 그녀에게 내가 가장 아끼는 드레스를 빌려줬어요.
07 후추 좀 저에게 건네주세요.
08 그는 그녀에게 다이아몬드 반지를 주었어요.
09 엄마가 나에게 새 청바지를 사 주실 거야.
10 Dave는 그녀에게 생일 카드를 보냈어요.
11 경찰이 도둑들을 잡았어요.
12 그녀는 지난주에 자신의 애완견을 잃어버렸어.
13 약사가 나에게 약을 줬어요.
14 그의 아버지가 그에게 모형 비행기를 만들어 주셨어요.

Start up p.164

❶ 01 in Rome
02 for
03 of
04 for us
05 on the table
06 to
07 them
08 to me
09 into the sea
10 for
11 to him
12 to
13 me a letter
14 a lot of things to us
15 you good luck

[해석 및 해설]

01 그녀는 로마에서 성악을 공부해요.
02 Paul이 나에게 마실 것을 가져다 주었어요.
03 James는 나에게 몇 가지 질문을 했어요.
04 Julia는 우리에게 샌드위치를 만들어 주었어요.
05 내가 식탁에 우유를 쏟았어요.
06 우리 선생님이 저에게 충고 몇 가지를 해 주었어요.
07 나는 그들에게 감사 카드를 보낼 거야.
08 우편배달부가 나에게 이 소포를 배달했어요.
09 어부가 바다에 그물을 던졌어요.
10 Nancy는 자신의 딸에게 우비를 사 주었어요.
11 Kelly는 그녀의 가족사진을 그에게 보여주었어요.
12 Wilson 씨는 그의 손주들에게 동화를 들려줘요.
13 Becky는 나에게 한 달에 두 번 편지를 써요.
14 책은 우리에게 많을 것을 가르쳐줄 수 있어요.
15 그 네 잎 클로버가 너에게 행운을 가져다 줄 거야.
01, 05, 09 *「주어+동사+목적어」 형태로 3형식의 완전한 문장으로 수식어구 in Rome, on the table, into the sea를 고른다.

❷ 01 me, a, postcard
02 her, breakfast
03 your, secret, to, him
04 fish, for, me
05 her, a, silly, question
06 students, letters, and, numbers
07 us, his, car
08 my, old, car, to, him
09 her, a, wooden, desk
10 a, birthday, gift, to, me
11 a, cute, kitten, for, him
12 a, concert, ticket, for, me

[해석 및 해설]

01 Tim이 나에게 엽서를 보냈어요.
02 그는 침대에 있는 그녀에게 아침을 갖다 주었어요.
03 그에게 너의 비밀을 얘기해줘.
04 엄마가 나에게 생선을 요리해 주셨어요.
05 그는 그녀에게 어리석은 질문을 했어.
06 Julian은 학생들에게 글자와 수를 가르쳐요.
07 Bill이 주말 동안 우리에게 그의 차를 빌려줬어요.
08 나는 그에게 내 낡은 자동차를 팔았어요.
09 그녀의 아버지가 그녀에게 나무 책상을 만들어 줄 거예요.
10 Jim 삼촌이 나에게 생일 선물을 보내주셨어요.
11 그의 아빠가 그에게 귀여운 고양이 한 마리를 사 주셨어요.
12 내 친구 중 한 명이 나에게 콘서트 티켓을 줬어요.
01, 02, 05, 06, 07, 09 *3형식을 4형식으로 전환하려면 부사구에서 전치사를 빼고 받는 대상(사람)을 간접목적어 자

리에 쓰고, 물건을 직접목적어로 쓴다.

03, 04, 08, 10, 11, 12 *4형식을 3형식으로 전환하려면 직접목적어와 간접목적어의 위치를 바꾸고, 전치사를 사용하여 간접목적어를 부사구로 만든다. tell, sell, give는 to를, cook, buy, get은 for를, ask는 of를 쓴다.

Check up & Writing p.166

❶ 01 lent me 5 dollars
02 sent it to me
03 ask you a favor
04 made it for me
05 tell me the truth
06 gave it to me
07 writing an email to Jessica
08 bring you some food
09 show me the way
10 bought couple shirts for them
11 teaches math to us
12 get me a glass of water

[해석]

01 A: Brian이 너에게 얼마를 빌려주었니?
B: 그는 나에게 5달러를 빌려줬어.
02 A: 여기 당신 앞으로 온 편지예요. 누구한테 온 거예요?
B: Jain이 그것을 나에게 보냈어요.
03 A: 내가 너에게 부탁 하나 해도 될까?
B: 물론이지. 그게 뭔데?
04 A: 너 정말 예쁜 팔찌 찼구나.
B: Johannah가 나에게 그것을 만들어줬어.
05 A: 너는 왜 Peter한테 그렇게 화가 났니?
B: 왜냐하면 그가 나에게 사실을 말해 주지 않기 때문이야.
06 A: 너 정말 예쁜 드레스를 입고 있구나! 어디서 샀니?
B: 이모가 그것을 나에게 주셨어.
07 A: 너는 컴퓨터로 무엇을 하고 있니?
B: Jessica에게 이메일을 쓰고 있어요.
08 A: 나 배고파요. 오늘 아무것도 먹지 못했어요.
B: 내가 금방 가서 음식을 좀 가져올게.
09 A: Central Park에 가는 길 좀 나에게 가르쳐 주시겠어요?
B: 아, 나도 거기 가는 중이에요. 같이 가요.
10 A: 어버이날이 다가오고 있어. 그들에게 드릴 선물 샀니?
B: 나는 그들에게 드릴 커플 셔츠를 샀어.
11 A: 네가 가장 좋아하는 선생님은 누구니?
B: 나는 Chris 선생님이 제일 좋아요. 그는 우리에게 수학을 가르쳐요.
12 A: 나 정말 목말라. 나에게 물 한 잔 갖다 줄래?
B: 물론이야. 잠깐만 기다려.

❷ 01 want, a, new, Barbie, doll
02 follows, me
03 sold, our, house
04 cooked, me, potato, salad
05 get, me, a, blanket
06 likes, his, job
07 teaches, them, computer, science
08 asked, me, several, questions
09 sent, him, some, foreign, coins
10 found, an, interesting, story
11 stole, some, money
12 gave, us, a, warm, welcome

Unit 03 5형식 문장

Warm up p.169

❶ 01 They named him Richard.
동사 목적어 목·보
02 We elected her speaker.
동사 목적어 목·보
03 I want you to forgive me.
동사 목적어 목·보
04 I heard someone scream.
동사 목적어 목·보
05 Dave helped me move my bed.
동사 목적어 목·보
06 He had me wash his dirty socks.
동사 목적어 목·보
07 My father told me to read a lot.
동사 목적어 목·보
08 He asked her to turn off the TV.
동사 목적어 목·보
09 They expected me to stay longer.
동사 목적어 목·보
10 She made the boy carry her luggage.
동사 목적어 목·보
11 My brother always makes me angry.
동사 목적어 목·보
12 She found the magazine very useful.
동사 목적어 목·보
13 I saw children enjoying a snowball fight.
동사 목적어 목·보
14 She ordered me to get out of her room.
동사 목적어 목·보

[해석]

01 그들은 그에게 Richard라고 이름 지었어요.

02 우리는 그녀를 연사로 선출했어요.
03 나는 네가 나를 용서했으면 좋겠어.
04 나는 누군가가 비명을 지르는 것을 들었어.
05 Dave는 내가 침대를 옮기는 것을 도와주었어요.
06 그는 나에게 자신의 더러운 양말을 빨라고 시켰어요.
07 우리 아버지는 나에게 책을 많이 읽으라고 하셨어요.
08 그는 그녀에게 TV를 꺼달라고 부탁했어요.
09 그들은 내가 좀 더 머무를 거라고 예상했어요.
10 그녀는 그 소년에게 자신의 짐을 들라고 시켰어요.
11 내 남동생은 항상 나를 화나게 만들어요.
12 Ann은 그 잡지가 매우 유용하다는 걸 알았어요.
13 나는 아이들이 눈싸움을 즐겁게 하는 것을 보았어요.
14 그녀는 나에게 자신의 방에서 나가라고 지시했어요.

Start up p.170

❶ 01 named 02 call 03 to stop
04 neat 05 fall 06 helped
07 to dress 08 smile 09 to keep
10 to do 11 swimming 12 interesting
13 to finish 14 play 15 to sleep

[해석 및 해설]

01 그는 자신의 고양이에게 'Yoyo'라고 이름 붙였어요.
02 나를 거짓말쟁이라고 부르지 마.
03 경찰은 그에게 멈추라고 말했어요.
04 그녀의 집은 정돈되어 있어요.
05 나는 무언가 떨어지는 소리를 들었어요.
*지각동사는 목적격보어로 동사원형이나 현재분사를 취한다.
06 Karen이 그가 새집을 구하는 것을 도와주었어요.
*help는 목적격보어로 동사원형 또는 to부정사를 취한다.
07 그들은 우리가 만찬을 위해 옷을 차려 입으리라고 기대하고 있어요.
08 내 아이들은 항상 나를 미소 짓게 만들어요.
09 그 노부인이 우리에게 조용히 하라고 지시했어요.
10 의사가 나에게 운동을 하라고 권했어요.
11 엄마는 우리가 바다에서 수영하는 것을 지켜보셨어요.
*지각동사는 목적격보어로 동사원형이나 현재분사를 취한다.
12 많은 학생들이 그의 수업이 재미있다는 것을 알았어요.
13 Martin은 내가 그 일을 제시간에 끝내길 원해요.
14 나는 내 아들이 하루에 30분 컴퓨터 게임을 하게 해준다.
15 우리 부모님은 내가 Jessica의 집에 자고 오는 걸 허락하지 않으셨어요.

❷ 01 to marry 02 ○
03 helpful 04 easy
05 ○ 06 to sleep
07 move/to move 08 ○
09 wash 10 take
11 Venus 12 a global star
13 to follow 14 leave/leaving
15 ○

[해석 및 해설]

01 그가 나에게 그와 결혼해달라고 부탁했어요.
02 나는 James가 현명하다고 생각해요.
*think는 목적격보어로 형용사를 취한다.
03 나는 그의 충고가 매우 유익하다는 것을 알게 되었어요.
04 과학 기술은 삶을 편하게 만들어요.
05 사람들은 그를 시장으로 선출했어요.
06 그녀가 나에게 잠을 충분히 자라고 권했어요.
07 Brad는 내가 소파 옮기는 것을 도와주었어요.
*help는 목적격보어로 동사원형 또는 to부정사를 취한다.
08 Carrie는 누군가가 자신의 머리를 당기를 것을 느꼈어요.
09 우리 아버지는 나에게 세차를 하라고 시켰어요.
10 환영해! 내가 코트를 받아줄게.
11 그들은 딸에게 Venus라고 이름 지었어요.
12 그 영화는 그녀를 세계적인 스타로 만들었어요.
*make는 명사를 목적격보어로 취하므로 명사가 되어야 한다.
13 선생님은 우리에게 규칙을 지키라고 지시했어요.
14 Max는 그녀가 떠나는 것을 보았지만 작별인사는 하지 않았어요.
15 Green 선생님이 우리가 시험에서 계산기를 쓸 수 있도록 허락해 주셨어요.

Check up & Writing p.172

❶ 01 call me a genius
02 wants me to change
03 keep our teeth clean
04 saw her coming
05 thought Tina considerate
06 let me use
07 had the hairdresser cut
08 smell something burning
09 expect us to win
10 told me to sit down and wait
11 found the candy box empty
12 made their sons famous architects

❷ 01 made, me, sick
02 heard, my, sister, cry/crying
03 makes, you, look, thin
04 lets, me, touch
05 keeps, her, house, too, warm
06 asked, him, to, join

07 ordered, me, to, apologize
08 found, the, new, student, diligent
09 elected, him, captain, of, our, team
10 advised, me, to, take, a, rest
11 saw, the, man, enter/entering
12 allowed, me, to, go, camping

Level up p.174

❶ 01 looks 02 cold
03 kindly 04 went to
05 exciting 06 to be
07 walking 08 to
09 fix 10 silent
11 to stand 12 knock
13 me a smartphone 14 enter
15 to avoid

[해석]

01 Jeremy가 정말 배고파 보여.
02 내 커피가 식었어요.
03 Nora 부인은 다정하게 말해요.
04 우리는 벼룩시장에 갔어요.
05 나는 그 영화가 매우 흥미진진하다는 것을 알았어요.
06 우리 부모님은 내가 피아니스트 되길 원해요.
07 Laura는 내가 빗속을 걷는 것을 보았어요.
08 Jean은 그녀가 가장 아끼는 목걸이를 나에게 주었어요.
09 나는 수리공에게 내 컴퓨터를 수리하게 했어요.
10 그들은 예배시간에 침묵을 지켰어요.
11 선생님이 우리에게 줄을 서라고 지시했어요.
12 나는 누군가 내 문을 노크하는 소리를 들었어요.
13 아빠가 나에게 스마트폰을 사 주셨어요.
14 우리 오빠는 내가 그의 방에 못 들어가게 해요.
15 의사는 나에게 너무 많은 설탕을 피하라고 권유했어요.

❷ 01 good 02 sounds like
03 heavy 04 ○
05 to everyone 06 in the desert
07 ○ 08 help
09 to me 10 to feel
11 crawl/crawling 12 of you
13 for him 14 ○
15 happily

[해석 및 해설]

01 이 꽃들은 냄새가 좋아요.
02 그녀의 목소리는 아기 같아요.
03 교통이 매우 혼잡해요.
04 내 친구들은 나를 '미다스'라고 불러요.
05 그가 모든 사람들에게 그 소식을 말했어요.
*tell은 4형식 문장에서 3형식 문장으로 전환할 때 to를 쓴다.
06 페넥여우는 사막에 살아요.
*1형식 문장으로 the desert는 수식어구가 되어야 하므로 in the desert가 되어야 한다.
07 Jacob은 그 공을 세게 찼어요.
08 제가 당신이 가방 드는 것을 도와줄게요.
09 내게 신문을 가져다 줄래?
*3형식 문장으로 me가 수식어구가 되어야 하므로 to me가 되어야 한다.
10 Marcus는 내가 똑같이 느낄 거라고 기대하고 있어요.
11 나는 무언가가 내 등을 기어오르는 것을 느꼈어.
12 제가 당신에게 몇 가지 간단한 질문을 할게요.
*4형식에서 3형식으로 전환할 때 ask는 of를 쓴다.
13 그의 여자 친구가 그에게 생일 케이크를 만들어 주었어요.
14 그녀는 자신의 손주에게 팝업공룡 책을 보냈어요.
15 아이들이 운동장에서 즐겁게 놀고 있어요.
*1형식 문장으로 happy는 수식어구 되어야 하므로 happily가 되어야 한다.

❸ 01 Fish, swim
02 sounds, great
03 owns, this, land
04 made, Nancy, his, secretary
05 resembles, her, mother
06 became, a, good, lawyer
07 found, the, test, difficult
08 ordered, him, to, stand, still
09 bought, Susan, a, bunch, of, flowers
10 allowed, her, to, drive
11 sent, me, the, wrong, size, shoes
12 wrote, the, girl, a, love, letter

❹ 01 fell asleep
02 keep the door open
03 tastes like a strawberry
04 sat there quietly
05 looked unhappy
06 made me cut
07 let me watch
08 cooked us seafood risotto
09 make me change my mind
10 heard people singing
11 told my secret to my best friend
12 asked me my thoughts

Actual test p.178

1 ② 2 ① 3 ① 4 ⑤ 5 ① 6 ⑤
7 ② 8 ② 9 ③ 10 ⑤ 11 ② 12 ⑤
13 ④ 14 ④
15 1) to call → call/calling 2) to → for
3) wonderfully → wonderful
16 1) strange questions of me 2) a funny story to us
3) a science book for her
17 found the book useful
18 advised him to eat healthy food
19 lent me twenty dollars/lent twenty dollars to me
20 1) Patrick swims very fast 2) The weather has become warm 3) He hurt his foot 4) Brian asked me your address 5) She saw the car accident happen

[해석 및 해설]

1 Clare는 상냥해 보여요. *감각동사는 2형식 문장에서 보어로 형용사를 취한다.
2 그는 그녀에게 자신의 옛날 사진들을 보여주었어요.
*show는 4형식에서 3형식으로 전환할 때 to를 쓴다.
3 그녀의 곱슬머리는 그녀를 더 어려 보이게 만들어요.
*'~하게 만들다'라는 의미로 5형식 문장에서 사역동사로 쓰인 make는 목적격보어로 동사원형을 취한다.
4 나는 네가 내 말을 잘 들었으면 좋겠어.
want는 목적격보어로 to부정사를 취한다.
5 *1형식 문장으로 빈칸에는 수식어구가 될 수 있는 부사가 와야 한다. shy는 형용사로 적절하지 않다.
6 *목적격보어 자리에 to부정사가 있으므로 동사원형을 목적격보어로 취하는 had은 적절하지 않다.
7 나에게 녹차를 한 잔 갖다 줄래?
*get은 4형식에서 3형식으로 전환할 때 for를 쓴다.
8 • 그 인터뷰가 나를 긴장하게 만들었어요.
• 그녀는 자신의 아이들이 뜰에서 노는 것을 지켜보았어요.
*'~하게 만들다'라는 의미로 형용사 nervous, watch는 지각동사로 동사원형 play를 고른다.
9 • 그건 정말 비싼 차 같아 보여.
• 내 부모님은 내가 머리를 염색하지 못하게 해요.
*2형식 문장으로 뒤에 명사가 있기 때문에 like, let은 목적격보어로 동사원형을 취하므로 dye를 고른다.
10 *tell은 목적격보어로 to부정사를 취해요.
11 Greg는 책상에 앉아 있었어요.
① 그것은 정말 멋진 것 같아.
② 그 개는 매우 높이 점프해요.
③ 그의 친구들은 그를 'E.T.'라고 불러요.
④ 아빠가 나에게 새 자전거를 사 주셨어요.
⑤ 그들은 욕실 벽을 페인트칠했어요.
*주어진 문장은 1형식, ① 2형식, ② 1형식, ③ 5형식, ④ 4형식, ⑤ 3형식이다.
12 학생들은 시를 읽었어요.
① 점점 어두워지고 있어.
② 나는 그녀가 길을 건너는 것을 보았어요.
③ 달이 밝게 빛나고 있어요.
④ 엄마가 나에게 쿠키를 조금 만들어주셨어요.
⑤ 나는 기차역에서 그를 만날 거야.
*주어진 문장은 3형식, ① 2형식, ② 5형식, ③ 1형식, ④ 4형식, ⑤ 3형식이다.
13 ① 갑자기 비가 내렸어요.
② 그녀는 나에게 화를 내면서 말했어요.
③ 그 소년은 부인을 친절하게 도와주었어요.
④ 이 토마토 수프는 맛있는 냄새가 나요.
⑤ 우리 어머니는 조심해서 차를 운전하세요.
*④ 2형식 문장이고, 동사가 smell이므로 주격보어로 형용사 delicious가 와야 한다.
14 ① 웃음이 너를 젊게 유지해 줄 거야.
② 그는 그녀가 첼로를 연주하는 것을 보았어요.
③ 우리 할아버지가 나에게 자신의 개를 산책시키라고 했어요.
④ 경찰이 그에게 진실을 말하라고 지시했어요.
⑤ 그 반 모든 학생은 그녀가 똑똑하다고 생각해요.
*④ 5형식 문장이고, 동사가 order이므로 목적격보어로 to부정사가 와야 한다.
15 1) 나는 네가 내 이름을 부르는 것을 듣지 못했어.
*hear는 목적격보어로 동사원형 또는 현재분사를 취한다.
2) Nancy가 나에게 베개를 가져다 주었어요.
*get은 4형식에서 3형식으로 전환할 때 for를 쓴다.
3) 이 음악이 정말 멋지게 들려요.
*sound는 2형식 문장에서 주격보어로 형용사를 취한다.
16 1) 내 아들은 항상 나에게 이상한 질문들을 해요.
2) Helen이 우리에게 재미있는 이야기를 해주었어요.
3) 내가 그녀에게 과학책을 사 주었어요.
*4형식에서 3형식으로 전환할 때 ask는 of를, tell은 to를, buy는 for를 사용한다.
17 *5형식 문장이고, 동사가 find로 「주어+동사+목적어+목적격보어(형용사)」의 형태로 문장을 완성한다.
18 *'~을 권하다'라는 의미가 되어야 하므로 「주어+advised+목적어+목적격보어(to부정사)」의 형태로 문장을 완성한다.
19 *lend는 '~에게 …주다'라는 의미로 간접목적어, 직접목적어를 써서 4형식 또는 전치사를 이용해서 3형식 문장으로 만들 수 있다. 「주어+동사+간접목적어+직접목적어」 또는 「주어+동사+목적어(+수식어구)」의 형태로 문장을 완성하다.

Review test

Chapter 1-3

p.183

❶ 01 was → is
02 twinkle → twinkling
03 Do → Are
04 lose → lost
05 didn't → wasn't
06 are → were
07 drink → drinks
08 tell → told
09 been → gone
10 cutted → cut
11 Did → Have
12 collects → collect

[해설]

01 *변하지 않는 진리는 현재형으로 써야 하므로 was는 is가 되어야 한다.
05 *과거 진행 부정문은 「be동사의 과거형+not+V-ing」의 형태이므로 didn't는 wasn't가 되어야 한다.
09 *'거 버렸다(현재 여기에 없음)'라는 의미의 현재완료의 결과 용법으로 been은 gone이 되어야 한다.
10 *cut은 불규칙 변화 동사로 과거형이 cutted가 아니라 cut이다.

❷ 01 My favorite singer was on TV
02 Did Jones go skiing
03 I didn't listen to the radio
04 We have lived here
05 Stephen has been sick
06 James takes a shower
07 Are the kids swimming in the lake
08 I have done my homework
09 Have you eaten Mexican food
10 I wasn't taking pictures of my family
11 We eat dinner at seven o'clock
12 The train is moving slowly into the station

[해석]

01 내가 좋아하는 가수가 TV에 나와요.
→ 내가 좋아하는 가수가 어젯밤에 TV에 나왔어요.
02 Jones는 겨울에 스키 타러 가나요?
→ Jones는 지난겨울에 스키 타러 갔나요?
03 나는 라디오를 듣지 않아요.
→ 나는 한 시간 전에 라디오를 듣지 않았어요.
04 우리는 10년 전에 여기에 살았어요.
→ 우리는 10년 동안 여기에 살고 있어요.
05 Stephen은 지난 주말에 아팠어요.
→ Stephen은 지난 주말부터 아파하고 있어요.
06 James는 아침에 샤워했어요.
→ James는 매일 아침에 샤워해요.
07 아이들은 호수에서 수영하나요?
→ 아이들이 지금 호수에서 수영하고 있나요?
08 나는 2시간 전에 숙제를 다 했어요.
→ 나는 벌써 숙제를 다 했어요.
09 너 어젯밤에 멕시코 음식을 먹었니?
→ 너는 전에 멕시코 음식을 먹어 본 적이 있니?
10 나는 내 가족사진을 찍지 않았어요.
→ 나는 그때 내 가족사진을 찍고 있지 않았어요.
11 우리는 어젯밤 7시에 저녁을 먹었어요.
→ 우리는 매일 7시에 저녁을 먹어요.
13 기차는 천천히 역으로 움직여요.
→ 기차는 지금 천천히 역으로 움직이고 있어요.

Chapter 4

❶ 01 can
02 may not
03 May
04 come
05 can't
06 have to
07 are able to
08 should
09 don't have to
10 must

[해석]

01 Steven은 드럼을 칠 수 있어요.
02 그는 늦지 않을지도 몰라요.
03 여보세요? Glenn과 통화할 수 있을까요?
04 우리 집에 올 수 있니?
05 Jim은 지금 학교에 있어. 그가 Jim일 리가 없어.
06 10시야. 너는 지금 잠을 자야 해.
07 카멜레온은 자신들의 색을 바꿀 수 있어요.
08 이 책은 정말 재미있어. 너는 그것을 읽어야 해.
09 우리는 시간이 충분해. 택시를 탈 필요가 없어.
10 너의 더러운 손 좀 봐. 먼저 손부터 씻어야 해.

❷ 01 May/Can/Could, I, have
02 may, snow
03 must/should, not, drive
04 must, be, very, happy
05 doesn't, have/need, to, lose, weight
06 cannot/can't, speak, a, single, word
07 was, able, to, remember, everything

Chapter 5

❶ 01 will not
02 used
03 to have
04 meet
05 to go
06 go
07 is going to
08 Would

09 had better not　10 eat

[해석]

01 나는 내 머리모양을 바꾸지 않을 거야.
02 그 도서관은 (예전에) 기차역이었어요.
03 나는 커피를 한 잔 마시고 싶어요.
04 Emma는 그를 버스 정류장에서 만날 거예요.
05 너 지금 그의 생일 파티에 갈 거니?
06 Kevin은 매일 아침 조깅을 하곤 했었어요.
07 Max는 뉴욕으로 여행을 갈 거예요.
08 내일 수영하러 갈래?
09 너는 그들을 성가시게 하지 않는 게 좋겠어.
10 우리가 떠나기 전에 뭔가 먹는 것이 좋겠어.

❷ 01 Will, you, sign, up, for
02 had, better, not, skip, breakfast
03 is, not, going, to, listen
04 would, like, to, go
05 are, going, to, open
06 used, to, live, near
07 had, better, save, some, money

Chapter 6

❶ 01 diligently　02 of
03 looks like　04 to the party
05 bitter　06 for
07 her a necklace　08 happy
09 to do　10 play

[해석 및 해설]

01 Bill은 열심히 일해요.
*1형식 문장으로 수식어구가 와야 하므로 부사 diligently를 고른다.
02 그는 나에게 부탁을 했어요.
03 그 소녀는 인형처럼 보여요.
*뒤에 a doll(명사)이 있으므로 looks like를 고른다.
04 Susan이 그 파티에 왔어.
*1형식 문장으로 수식어구가 와야 하므로 부사구 to the party를 고른다.
05 이 자몽은 쓴 맛이 나요.
06 우리 형이 나에게 장난감 자동차를 만들어 줬어요.
07 Henry는 그녀에게 목걸이를 줬어요.
08 그의 노래는 항상 나를 행복하게 만들어요.
*동사가 make이고 5형식 문장으로 '행복하게 만든다'라는 의미이므로 형용사를 고른다.
09 그녀는 내가 그녀를 위해 모든 것을 하길 원해요.
10 우리 부모님은 내가 컴퓨터 게임을 하지 못하게 해요.

❷ 01 Everyone gets older
02 The train left early
03 Matt realized his mistake
04 He gave her some advice
05 She asked me to speak
06 Kate found her car broken
07 I saw them play baseball

Chapter 4-6

❶ 01 to borrow → borrow
02 terribly → terrible
03 not will → will not
04 to talk → talk/talking
05 like → like to
06 setting → set/to set
07 is → be
08 for → to
09 preparing → prepare
10 to → for
11 not must → must not
12 used → used to

❷ 01 The air feels fresh
02 keep people safe
03 don't have to wear
04 give me more chances
05 must be a smart girl
06 is going to be nice
07 can dive off the cliff
08 had better leave
09 will enter university
10 should not throw garbage
11 may not know each other
12 saw him take the money

Achievement test

Chapter 4-6

p.190

1 ③　2 ③　3 ④　4 ①　5 ①　6 ⑤
7 ④　8 ①　9 ①　10 ②　11 ③　12 ③
13 ④　14 ②　15 ①　16 ④　17 ④　18 ②
19 ②　20 was able to
21 don't need to/need not
22 would like to
23 1) for　2) of　3) to
24 ⓐ heavily ⓑ had better not
25 ⓐ look ⓑ for
26 We should/must/have to be here
27 made me clean the bathroom
28 used to be afraid of dogs
29 have never heard my father sing
30 lent me her notebook

[해석 및 해설]

1 나는 다리가 부러졌어. 나는 도움 없이는 걸을 수 없어.
*불능을 나타내는 can't를 고른다.

2 우리는 교통 신호가 빨간색일 때 길을 건너면 안 된다.
*금지를 나타내는 must not을 고른다.

3 좋은 성적을 얻고 싶으면 Fred는 열심히 공부해야 해.
*의무를 나타내는 should를 고른다. ⑤의 have to는 주어가 단수명사로 has to가 되어야 답이 될 수 있다.

4 Jessica는 긴 비행 끝에 집에 도착했어. 그녀는 틀림없이 매우 피곤할 거야.
*강한 추측을 나타내는 조동사 must를 고른다.

5 나는 내 동생이 내가 가장 좋아하는 드레스를 입게 했다.
*let은 목적격보어로 동사원형을 취한다.

6 그들이 나에게 여기서 기다리라고 했어요.
*tell은 목적격보어로 to부정사를 취한다.

7 A: 나는 훌륭한 피아니스트가 되고 싶어.
B: 그러면 너는 열심히 피아노 연습을 해야 해.
*소망을 나타내는 would like to와 충고 또는 의무를 나타내는 조동사 should를 고른다.

8 A: 너 그 정장 입고 있으니까 정말 멋있다. 웬일이야?
B: 나 우리 이모 결혼식에 갈 거야.
*2형식 문장으로 형용사(nice), 미래의 일을 나타내는 조동사는 will을 고른다.

9 A: 나에게 너의 책 좀 빌려줄래?
B: 미안해. 오늘 내가 그것을 읽을 거야.
*lend는 4형식에서 3형식 전환할 때 to가 필요하고, 예정을 나타내는 표현은 be going to이다.

10 나에게 네 이메일 주소를 알려줄래?
*요청을 나타내는 조동사는 can, could, will, would이다. may는 「May+I+동사원형~?」의 형태로 허락이나 허가를 구하는 의문문으로 쓴다.

11 *목적격보어 자리에 to부정사가 있으므로 목적격보어로 동사원형을 취하는 make는 알맞지 않다.

12 ① 그녀는 지금 정말 바쁠지도 몰라.
② 그 소문은 사실이 아닐지도 몰라.
③ 너는 친구들과 외출해도 좋아.
④ 그가 우리와 함께 저녁 먹는 걸 원하지 않을지도 몰라.
⑤ 그 축제에 사람이 많을지도 몰라.
*①, ②, ④, ⑤ 추측, ③ 허락, 허가를 나타낸다.

13 나 숙제 다 했어요. 이제 TV 봐도 되나요?
*허락을 나타내는 may는 can으로 바꿔 쓸 수 있다.

14 우리는 에너지를 절약해야 해요.
*의무를 나타내는 must는 have to로 바꿔 쓸 수 있다.

15 그 학생들은 시험을 보는 동안 침묵을 지키고 있었어요.
① 우유에서 안 좋은 냄새가 나.
② 그 식당은 10시에 열어.
③ 그 부인이 나에게 극장에 가는 길을 가르쳐주었어요.
④ 그녀는 꽃집에서 꽃을 좀 샀어요.
⑤ 우리 형은 내가 그의 컴퓨터를 쓰지 못하게 해요.
*주어진 문장은 2형식이다. ① 2형식, ② 1형식, ③ 4형식, ④ 3형식, ⑤ 5형식이다.

16 나는 그 영화가 정말 지루하다는 것을 알았어요.
① 나는 당신 없이는 살 수 없어요.
② Jason은 좋은 이야기를 써요.
③ 너의 계획은 완벽한 것 같아.
④ 나는 내 애완견에게 'Mini'라는 이름을 붙였어요.
⑤ Max는 매주 나에게 편지를 보내요.
*주어진 문장은 5형식이다. ① 1형식, ② 3형식, ③ 2형식, ④ 5형식, ⑤ 4형식이다.

17 ① 그녀는 내게 문을 닫아달라고 부탁했어요.
② 우리는 그 음식을 차게 보관하는 게 좋겠어.
③ Eric은 그녀가 탁자를 옮기는 것을 도와줬어.
④ 이 음악은 나를 슬프게 만들어요.
⑤ 당신을 위해서 내가 이것을 할게요.
*④ '~하게 만들다'라는 의미로 쓰인 make는 목적격보어로 형용사를 취한다.

18 ① 너는 그의 충고를 들으면 안 돼.
② Greg은 어젯밤에 늦게까지 깨어있어야 했어.
③ 너는 점심을 가져올 필요 없어.
④ 여기 따뜻해. 너는 코트는 벗는 게 좋겠어.
⑤ 우리는 제시간에 공항에 도착할 수 있을 거야.
*② last night가 과거 시간 표현으로 must의 과거형 had to가 되어야 한다.

19 ① 그건 초콜릿 같은 맛이 나.
② 나는 한 시간 전에 그가 떠나는 걸 봤어.
③ Christine은 큰 회사에서 일해요.
④ 경찰이 그녀에게 몇 가지 질문을 했어요.
⑤ 할머니는 우리에게 재미있는 이야기를 해줘요.
*② 지각동사는 목적격보어로 동사원형 또는 현재분사를 취한다.

20 내가 어렸을 때 나는 높이 뛸 수 있었어요.
*과거의 능력을 나타내는 could로 「be동사의 과거형+able to」로 바꿔 쓸 수 있다.

21 우리는 서두를 필요 없어. 우리 늦지 않았어.
*don't have to는 don't need to, need not으로 바꿔 쓸 수 있다.

22 나는 놀이공원에 가고 싶어요.
*want to는 would like to로 바꿔 쓸 수 있다.

23 1) 엄마가 나에게 강아지를 사 주셨어요.
2) 그는 그녀에게 많은 질문을 했어요.
3) Colin 선생님은 학생들에게 음악을 가르쳐요.
*4형식을 3형식으로 전환할 때 buy는 전치사 for, ask는 전치사 of, teach는 전치사 to를 쓴다.

24 비가 세차게 내리고 있어. 우리는 오늘 캠핑을 가지 않는 게 좋겠어.
*ⓐ 1형식 문장으로 수식어구로 쓰이는 부사 heavily

가 되어야 한다. ⓑ had better의 부정은 had better not이다.

25 너 목말라 보여. 내가 너에게 시원한 물 한 잔 갖다 줄까?
*ⓐ 뒤에 형용사가 있으므로 look이 되어야 한다. ⓑ get은 4형식에서 3형식 전환할 때 전치사 for를 사용한다.

26 *의무를 나타내므로 「should/must/have to+동사원형」의 형태로 문장을 완성한다.

27 *make는 사역동사로 「주어+동사+목적어+목적격보어(동사원형)」의 형태로 문장을 완성한다.

28 *과거의 지속된 상태를 나타내므로 「주어+used to+동사원형」의 어순으로 쓴다.

29 *hear는 지각동사로 「주어+동사+목적어+목적격보어」의 어순으로 쓴다.

30 *lend는 수여동사로 「주어+동사+간접목적어(사람)+직접목적어(사물)」의 어순으로 쓴다.

실전모의고사 1회

1 ③	2 ③	3 ⑤	4 ④	5 ③	6 ⑤
7 ④	8 ①	9 ⑤	10 ③	11 ②	12 ④
13 ⑤	14 ③	15 ④	16 ④	17 ④	18 ③

19 ② 20 was not able to pass

21 1) nicely → nice 2) having → have

22 There are five books

23 I dropped my glasses

24 His grandma calls him a prince

25 Are you going to spend your vacation

[해석 및 해설]

1 *③ 「자음+y」로 끝나는 동사가 아니므로 동사원형에 -s를 붙인다.

2 *③ read는 불규칙 변화 동사로 과거형 read이다.

3 Chris와 나는 작년에 같은 반이었어요.
*last year가 과거 시간 표현이고, 주어가 복수명사로 were를 고른다.

4 Rachel은 첼로를 아주 잘 연주해요.
*동사가 3인칭 단수형으로 주어로 3인칭 단수 또는 단수명사가 와야 한다.

5 그는 지금 TV에서 하는 농구 경기를 보고 있어요.
*③ now는 현재 시간 표현으로 현재 진행 시제가 되어야 한다.

6 너는 바다거북을 본 적이 있니?
*현재완료 의문문으로 Have를 고른다.

7 나는 발레를 배우고 싶어요.
*소망을 나타내는 조동사는 would like to이다.

8 • Sarah가 나에게 이메일을 보냈어요.
• 나는 그가 정류장에 서 있는 것을 보았어요.
*send는 4형식에서 3형식으로 전환할 때 전치사 to를 쓰고, 지각동사는 목적격보어로 동사원형이나 현재분사가 와야 하므로 to와 stand를 고른다.

9 • 너는 나를 걱정할 필요 없어. 난 괜찮을 거야.
• 밖이 정말 추워. 너는 두꺼운 외투를 입는 것이 좋겠어.
*'걱정할 필요 없다'라는 의미가 되어야 하므로 need not 또는 don't have to를, '입는 것이 좋겠다'라는 의미가 되어야 하므로 had better를 고른다.

10 우리 아빠가 나에게 새 자전거를 사 주셨어요.
*buy는 4형식을 3형식으로 전환할 때 간접목적어 앞에 for를 쓴다.

11 *추측을 나타내는 조동사는 may이다.

12 *현재완료 부정문은 「have/has+not/never+p.p.」의 형태이다.

13 ① 너는 나에게 사실을 얘기해야 한다.
② 우리는 동물과 식물들을 보호해야 해.
③ 너희들은 너희 선생님들에게 예의를 지켜야 해.
④ 나는 내 숙제를 제시간에 제출해야 해.
⑤ 그는 그 소식에 매우 실망한 것이 틀림없어.
*①, ②, ③, ④ 의무, ⑤ 강한 추측을 나타낸다.

14 나는 차를 운전해 본 적이 없다.
① 그는 어릴 때부터 고양이를 키우고 있어요.
② 그녀는 자신의 책가방을 학교에 놓고 왔어요.
③ 우리는 하와이에 세 번 가 본 적 있어요.
④ 나는 일 년 동안 수영 강습을 받고 있어요.
⑤ Joe는 막 자신의 과학 보고서를 끝냈어요.
*주어진 문장은 경험, ①, ④ 계속, ② 결과, ③ 경험, ⑤ 완료 용법이다.

15 그들은 10년 동안 서울에 살고 있다.
① 나는 그의 이름을 잊어버렸어요.
② Elina는 자신의 스마트폰을 잃어버렸어요.
③ 나는 벌써 이를 닦았어요.
④ Brad는 지난 금요일 이후로 아파하고 있어요.
⑤ 그녀는 그 책을 세 번째 읽고 있어요.
*주어진 문장은 계속 용법, ①, ② 결과, ③ 완료, ④ 계속, ⑤ 경험 용법이다.

16 ① 엄마, 돈을 좀 주실래요?
② 나는 너에게 다시 얘기하지 않을 거야.
③ 그들은 소파에 앉아 있어요.
④ 그녀가 나를 파티에 초대할까?
⑤ 너는 그때 저녁을 요리하고 있었니?
*④ will 의문문은 「Will+주어+동사원형」의 형태이다.

17 ① 그는 훌륭한 치과 의사인가요?
② 차가 많이 막혔니?
③ 나는 스포츠에는 관심 없어.
④ 런던에는 멋진 곳들이 많이 있어.
⑤ Eric과 나는 어젯밤에 콘서트홀에 있었어.
*④ many nice places는 복수명사로 are가 와야 한다.

18 ① 오늘 추워.
② Mary는 나에게 그 사진을 보여주지 않았어.
③ 너는 손을 항상 깨끗하게 해야 해.
④ 우리 아버지는 자동차 회사에서 일해요.
⑤ Sam은 매일 아침 신문을 읽어요.
*④ keep은 목적격보어로 형용사가 오므로 clean이 되어야 한다.

19 ① A: 너 슬퍼 보여. 무슨 일 있니?
B: 우리 할아버지가 많이 편찮으셔.
② A: 내가 그에게 사과해야 하나요?
B: 아니, 그럴 필요 없어.
③ A: 내가 너의 공책을 빌려도 될까?
B: 물론이지.
④ A: 너 전에 테니스를 쳐 본 적 있니?
B: 응. 한 번 쳐 봤어.
⑤ A: 네가 그를 봤을 때 그는 무엇을 하고 있었니?
B: 그는 해변에 누워 있었어.
*② have to의 부정은 don't have to로 나타낸다.

20 나는 운전면허 시험에 통과하지 못했어.
*can은 be able to로 바꿔 쓸 수 있다.

21 1) 이 장미들은 좋은 냄새가 나요.
*smell은 감각동사로 주격보어로 형용사가 온다.
2) 나는 사랑스러운 애완동물이 하나 있었는데, 지금은 없어.
*과거의 습관이나 상태를 나타내는 조동사는 「used to+동사원형」이다.

22 *'~가 있다'라는 의미이고, five books 복수명사이므로 there are를 쓴다.

23 *'~했다'라는 의미로 일반동사 과거형 문장이다. drop은 「단모음+단자음」으로 끝나는 동사로 자음을 한 번 더 쓰고 -ed를 붙인다.

24 *5형식 문장으로 「주어+동사+목적어+목적격보어」 어순으로 문장을 완성한다.

25 *be going to 의문문은 「Be동사+주어+going to+동사원형」의 형태이다.

실전모의고사 2회

1 ①	2 ③	3 ⑤	4 ⑤	5 ④	6 ④
7 ①	8 ⑤	9 ①	10 ③	11 ③	12 ④
13 ②	14 ③	15 ①	16 ④	17 ②	18 ②
19 ④	20 of				

21 has lived in this apartment since 2010
22 The rumor can't[cannot] be true
23 I had to work late
24 Jessica can swim very fast
25 my mom was preparing dinner

[해석 및 해설]

1 *① -ie로 끝나는 동사는 -ie를 y로 바꾸고 -ing를 붙인다.

2 *③ 「단모음+단자음」으로 끝나는 동사는 자음을 한 번 더 쓰고 -ed를 붙인다.

3 어젯밤에 거리에 사람들이 많았어요.
*people이 복수명사이고, last night가 과거 시간 표현으로 were를 고른다.

4 밖이 화창해. 너는 우산을 가지고 갈 필요 없어.
*불필요를 나타내는 don't have to를 고른다.

5 그녀는 록 음악을 좋아하지 않아요. 그녀는 절대 그것을 듣지 않아요.
*3인칭 단수 현재형 부정문이 되어야 하므로 doesn't like를 고른다.

6 Ted는 어머니에게 머플러를 사 드렸어요.
*4형식에서 3형식으로 전화할 때 전치사 for를 쓰는 buy(bought)를 고른다.

7 *① 목적격보어 자리에 to동사원형이 있으므로 목적격보어로 동사원형이 오는 let을 알맞지 않다.

8 *taste는 감각동사로 주격보어로 형용사가 와야 한다. deliciously는 부사로 적절하지 않다.

9 너는 지금 TV를 봐도 좋다.
*'~해도 좋다'라는 의미로 허락을 나타내므로 may와 바꿔 쓸 수 있다.

10 *③ '~해야 한다'라는 의미로 의무를 나타내므로 have to와 바꿔 쓸 수 있다.

11 ① Ben은 정직해. 그는 거짓말쟁이가 아니야.
② 일요일이 아니야. 토요일이야.
③ 그녀는 내 여동생이야. 그녀의 이름은 Sue야.
④ 그는 지금 집에 없어요. 그는 지금 학교에 있어요.
⑤ 우리 아빠는 경찰관이 아니셔. 소방관이셔.
*①, ②, ④, ⑤ 앞뒤가 반대되는 내용으로 빈칸에는 isn't가 와야 하고, ③은 is가 와야 한다.

12 ① 나는 그 시간에 잠을 자고 있었어요.
② 내가 그녀를 봤을 때 그녀는 울고 있었어.
③ Max는 그때 바다에서 수영하고 있었어요.
④ 우리 오빠는 지금 피아노를 연주하고 있어요.
⑤ 나는 어젯밤 7시에 일하고 있었어요.
*①, ②, ③, ⑤ 과거의 한 시점을 나타내는 시간 표현이 있으므로 과거진행형 문장이 되어야 하므로 was, ④ 현재진행형 문장으로 is가 와야 한다.

13 ① 나는 브라질에 가 본 적 있어.
② 그는 벌써 자신의 숙제를 끝냈어.
③ 나는 그 영화를 여러 번 본 적 있어.
④ 그녀는 멕시코 음식을 먹어 본 적이 있어요.
⑤ 너는 최근에 그녀와 얘기해 본 적이 있니?
*①, ③, ④, ⑤ 경험 용법, ② 완료 용법이다.

14 ① 그녀는 신발을 벗었어요. → 그녀는 신발을 벗지 않

았어요.
② 너는 그것을 다시 해야 해. → 너는 그것을 다시 하면 안 돼.
③ 우리는 지금 집에 가는 게 좋겠어. → 우리는 지금 집에 가지 않는 게 좋겠어.
④ 그들은 다음 주 월요일에 떠날 거예요. → 그들은 다음 주 월요일에 떠나지 않을 거예요.
⑤ 소녀들이 음악에 맞춰 춤을 추고 있어요. → 소녀들이 음악에 맞춰 춤을 추고 있지 않아요.
*had better 부정은 had better not이다.

15 *① looks 다음에 명사가 있으므로 looks like가 되어야 한다.

16 ① 나는 그들이 경기에서 이길 것이라고 예상하지 않았다.
② 엄마가 내게 식탁을 치워달라고 부탁하셨어요.
③ 그녀는 고양이를 'Kiki'라고 이름 붙였어요.
④ 내 친구들은 나를 행복하게 만들어요.
⑤ 창문을 열어두자.
*④ make는 '~하게 만들다'라는 의미로 쓰일 경우 목적격보어로 형용사가 오므로 happy가 되어야 한다.

17 ① Erica는 나를 믿지 않아요.
② 나는 하루에 7시간 자요.
③ 나는 점심으로 해산물 스파게티를 먹었어요.
④ Ryan은 일주일에 한 번 세차해요.
⑤ 내 남동생은 작년에 12cm가 자랐어요.
*② I는 1인칭 단수로 동사원형이 와야 하므로 sleep가 되어야 한다.

18 ① Brian은 엄청 배고픈 게 틀림없어.
② 이 드레스를 입어보고 싶어요.
③ 그녀가 나에게 그녀의 사진첩을 보여주었어.
④ 그는 누군가가 자신의 이름을 부르는 것을 들었다.
⑤ Carl은 10분 전에 부엌에 있었어요.
*① must 다음에는 동사원형이 온다. ③ 4형식 문장은 「주어+동사+간접목적어+직접목적어」의 어순으로 me her photo album이 되어야 한다. ④ 지각동사는 목적격보어로 동사원형 또는 현재분사가 온다. ⑤ ten minutes ago가 과거 시간 표현으로 was가 되어야 한다.

19 ① A: 나에게 물 한 잔 갖다 줄래?
B: 응, 갖다 줄게.
② A: 도와드릴까요?
B: 괜찮아요. 그냥 둘러보는 중이에요.
③ A: 너 컴퓨터 게임 하니?
B: 아니. 예전에 많이 했었어. 그런데 이제는 안 해.
④ A: 시간이 늦어지고 있어. 너의 부모님이 걱정하실지도 몰라.
B: 알았어. 이렇게 늦은 시간에 그들에게 전화하지 않을게.
⑤ A: 너는 이번 여름 방학에 무엇을 할 거니?
B: 나는 토론토에 사시는 조부모님을 방문할 거야.
*④ 문맥상 부모님이 걱정하실 지도 모른다는 말에 전화를 하는 게 것이 좋겠다라는 내용이 오는 것이 자연스럽다.

20 그들은 그에게 많은 질문을 했어.
*ask는 4형식에서 3형식으로 전환할 때 of를 쓴다.

21 Sarah는 2010년에 이 아파트로 이사 왔어요. 그녀는 아직도 여기에 살고 있어요.
→ Sarah는 2010년부터 이 아파트에 살고 있어요.
*현재완료는 have/has+p.p.의 형태이고 since 다음에는 시작 시점이 온다.

22 *'~일 리가 없다'라는 의미의 강한 부정의 추측은 can't be로 나타낸다.

23 *의무를 나타내는 must의 과거형은 had to로 나타낸다.

24 *1형식 문장으로 「주어+동사+수식어구」의 어순으로 문장을 완성한다.

25 *과거 진행형으로 「주어+be동사의 과거형+V-ing」의 어순으로 문장을 완성한다.

실전모의고사 3회

1 ③	2 ②	3 ③	4 ⑤	5 ②	6 ②
7 ③	8 ⑤	9 ①	10 ②	11 ⑤	12 ②
13 ③	14 ④	15 ④	16 ⑤	17 ③	18 ③
19 ②	20 to, for, of				

21 reading → read
22 We had better finish our homework
23 You must/should not go out
24 I found the information helpful
25 She is not going to give up

[해석 및 해설]

1 *③ ch로 끝나는 동사는 동사원형에 -es를 붙여야 하므로 brushes가 되어야 한다.

2 *② e로 끝나는 동사는 e를 빼고 -ing를 붙여야 하므로 smiling이 되어야 한다.

3 Lena는 지금 전화통화를 하고 있어요.
*now는 현재 시간 표현으로 현재진행형을 고른다.

4 우리 부모님은 내가 열심히 공부하길 바라세요.
*want는 목적격보어로 to동사원형이 온다.

5 Kate와 나는 10년째 친구로 지내고 있어요.
*현재완료 문장이고 ten years는 상태가 지속된 기간이므로 for를 고른다.

6 나는 매일 아침에 조깅을 하곤 했었는데 지금은 하지 않아.
*뒤에 '지금은 하지 않는다'라는 내용이 있으므로 과거의 규칙적인 습관을 나타내는 used to를 고른다.

7 A: 식사 맛있게 하셨어요?
B: 네, 그랬어요.
*③ 주어가 2인칭 단수, 일반동사 과거 의문문으로 1인

칭 단수와 did로 대답한다.

8 A: 너의 가족에 대해 얘기해 줄래?
B: 물론이야.
*'~해 주시겠어요?'라는 의미로 요청을 나타내는 문장이다. '해도 좋다'라는 의미로 허락을 구하는 may는 알맞지 않다.

9 *let은 목적격보어로 동사원형을 취하므로 알맞지 않다.

10 우리는 내일 학교에 가지 않아도 돼.
*불필요를 나타내는 don't have to는 need not으로 바꿔 쓸 수 있다.

11 나는 외국에서 예술을 공부하고 싶어요.
*want to는 would like to로 바꿔 쓸 수 있다.

12 ① 나는 겨울 스포츠를 굉장히 좋아해요.
② 피자에서 맛있는 냄새가 나요.
③ 엄마가 수박을 반으로 자르셨어요.
④ Jones는 항상 선글라스를 써요.
⑤ 우리 언니는 그 밴드에서 드럼을 연주해요.
*①, ③, ④, ⑤ 「주어+동사+목적어(+수식어구)」의 형태로 3형식, ② 「주어+동사+주격보어」의 형식을 2형식 문장이다.

13 ① 겨울에는 눈이 많이 내려요.
② 우리 이모는 호주에 살아요.
③ 오늘이 내 남동생의 생일이야.
④ 내 바이올린 레슨은 다섯 시에 시작해.
⑤ Steven은 지하철을 타고 회사에 가요.
*①, ②, ④, ⑤ 「주어+동사(+수식어구)」의 형태로 1형식, ③ 「주어+동사+주격보어」의 형태로 2형식 문장이다.

14 ① 나는 골프 동아리에 가입할 거야.
② 그들이 파티를 열 거야.
③ Peter는 새집을 살 거야.
④ 우리는 놀이공원에 가고 있는 중이야.
⑤ 오늘 오후에는 흐릴 거야.
*①, ②, ③, ⑤ 「be going to+동사원형」은 '~할 것이다, ~할 예정이다'라는 의미로 미래의 일이나 계획을 나타내고, ④ 「be going to+장소」는 '~에 가는 중이다'라는 의미로 현재진행형이다.

15 ① 그는 학교에 없을지도 몰라.
② 우리는 콘서트에 늦을지도 몰라.
③ Kelly가 이 그림들을 좋아할지도 몰라.
④ 네가 원하면 이 인형을 가져도 좋아.
⑤ Sam은 충분한 돈이 없을지도 몰라.
*①, ②, ③, ⑤ '~일지도 모른다'라는 의미로 추측을, ④ '~해도 좋다'라는 의미로 허락, 허가를 나타낸다.

16 ① 내가 Christine에게 미안하다고 얘기해야 할까?
② 그녀는 병원에서 지내야 하나요?
③ 너는 외국어를 할 수 있니?
④ 너 내일 나랑 스케이트 타러 갈래?
⑤ 빵을 좀 드실래요?
*would like to의 의문문은 「Would+주어+like to」의 형태이다.

17 ① 내가 큰 실수를 했어.
② 새 한 마리가 교실 안으로 날아들었어요.
③ Brown 선생님은 작년에 과학을 가르치셨어요.
④ 그가 한 시간 전에 이 상자들을 옮겼어.
⑤ 그녀는 그 드레스에 모든 돈을 써버렸어요.
*teach는 불규칙 변화 동사로 과거형이 taught이다.

18 ① 나는 전에 어디선가 저 남자를 본 적이 있어.
② 우리는 벌써 보고서를 끝냈어.
③ 나는 어제 학교에 가지 않았어.
④ 너는 10년 동안 하나도 안 변했구나.
⑤ Kelly는 이틀 동안 잠을 자지 못했어.
*③ yesterday는 과거 시간 표현으로 didn't가 와야 한다.

19 ① A: 아픈 지 얼마나 되셨어요?
B: 지난 금요일부터요.
② A: 오늘 밤에 영화 보러 가자.
B: 미안하지만, 난 못 가. 우리 무슨 영화 볼까?
③ A: 저 표지판을 봐. 우리 여기서 수영하면 안 돼.
B: 나도 알고 있어. 정말 깊은가 봐.
④ A: 아빠, 방금 쥐 보셨어요?
B: 응. 차고로 뛰어가는 걸 보았어.
⑤ A: 아기 이름을 뭐라고 지으셨어요?
B: Bella라고 지었어요.
*② 제안에 거절하는 말을 하고 어떤 영화를 볼 건지 묻고 있으므로 자연스럽지 않다.

20 • 나는 내 차를 Greg에게 빌려줬어.
• 엄마가 우리에게 맛있는 샌드위치를 만들어 주셨어.
• 그가 나에게 Ben의 전화번호를 물었어요.
*4형식에서 3형식으로 전환할 때 lend는 to, make는 for, ask는 of를 간접목적어 앞에 쓴다.

21 이 책은 지루해 보이지만, 정말 재미있어. 너는 그것을 읽어봐야 해.
*should 다음에는 동사원형이 온다.

22 *had better를 써서 문장을 완성한다.

23 *must 또는 should의 부정형을 써서 문장을 완성한다.

24 *5형식 문장으로 「주어+동사+목적어+목적격보어」 어순으로 문장을 완성한다.

25 *be going to의 부정문은 「be동사+not going to+동사원형」의 형태이다.

Longman

GRAMMAR MENTOR JOY

롱맨
그래머
멘토
조이
시리즈

Grammar mentor Joy Pre
Grammar Mentor Joy Early Start 1
Grammar Mentor Joy Early Start 2
Grammar mentor Joy Start 1
Grammar mentor Joy Start 2
Grammar mentor Joy 1
Grammar mentor Joy 2
Grammar mentor Joy 3
Grammar mentor Joy 4
Grammar mentor Joy plus 1
Grammar mentor Joy plus 2
Grammar mentor Joy plus 3
Grammar mentor Joy plus 4

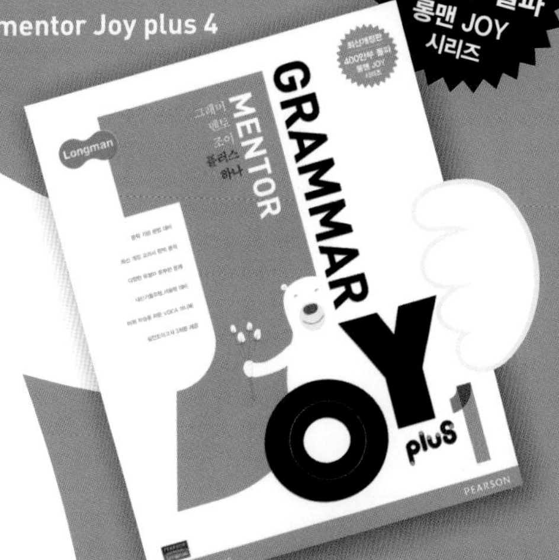

[12–13] 다음 중 문장의 형태가 나머지 넷과 다른 것을 고르시오.

12 ① I like winter sports a lot.
② The pizza smells delicious.
③ Mom cut a watermelon in half.
④ Jones wears sunglasses all the time.
⑤ My sister plays the drums in the band.

13 ① It snows a lot in winter.
② My aunt lives in Australia.
③ Today is my brother's birthday.
④ My violin lesson starts at five.
⑤ Steven goes to work by subway.

[14–15] 다음 밑줄 친 부분의 쓰임이 나머지 넷과 다른 것을 고르시오.

14 ① I am going to join a golf club.
② They are going to have a party.
③ Peter is going to buy a new house.
④ We are going to an amusement park.
⑤ It is going to be cloudy this afternoon.

15 ① He may not be at school.

19 다음 짝지어진 대화가 어색한 것은?

① A: How long have you been sick?
B: Since last Friday.
② A: Let's go to the movies tonight.
B: Sorry, but I can't. What movie are we going to watch?
③ A: Look at that sign. We must not swim here.
B: I know. It must be very deep.
④ A: Dad, did you just see the mouse?
B: Yes. I saw it running into the garage.
⑤ A: What did you name your baby?
B: We named her Bella.

20 다음 문장의 빈칸에 알맞은 전치사를 쓰시오.

• I lent my car ______ Greg.
• Mom made delicious sandwiches ______ us.
• He asked Ben's phone number ______ me.

21 다음 문장에서 어법상 어색한 부분을 찾아 바르게 고치시오.
5점

This book looks boring, but it is very interesting. You should reading it.
→ ____________________.

Grammar Mentor Joy Plus 1 | 실전모의고사 3회

• 3점: 5문항
• 4점: 15문항
• 5점: 5문항

이름 :   점수 :

1 다음 중 동사의 3인칭 단수형이 잘못 연결된 것은? (3점)

① do - does
② pass - passes
③ brush - brushs
④ attend - attends
⑤ promise - promises

2 다음 중 동사의 –ing형이 잘못 연결된 것은? (3점)

① die - dying
② smile - smileing
③ fight - fighting
④ enjoy - enjoying
⑤ begin - beginning

[3–7] 다음 빈칸에 들어갈 말로 알맞은 것을 고르시오.

3 (3점)

Lena ____________ on the phone now.

7

A: Did you enjoy your meal?
B: Yes, ____________.

① I am
② I do
③ I did
④ you do
⑤ you did

[8–9] 다음 빈칸에 들어갈 말로 알맞지 않은 것을 고르시오.

8

A: ________ you tell me about your family?
B: Sure.

① Would
② Could
③ Will
④ Can
⑤ May

4 3점

My parents want me __________.

① study hard ② studies hard
③ studied hard ④ studying hard
⑤ to study hard

5 3점

Kate and I have been friends __________ ten years.

① yet ② for
③ once ④ since
⑤ already

6

I __________ go jogging every morning, but I don't now.

① have to ② used to
③ had better ④ am able to
⑤ would like to

① let ② saw
③ heard ④ watched
⑤ listened to

[10-11] 다음 문장의 밑줄 친 부분과 바꿔 쓸 수 있는 것을 고르시오.

10

We <u>don't have to</u> go to school tomorrow.

① cannot ② need not
③ must not ④ may not
⑤ should not

11

I <u>want to</u> study art abroad.

① have to
② used to
③ had better
④ am able to
⑤ would like to

⑤ Sam <u>may</u> not have enough money.

[16-18] 다음 밑줄 친 부분이 <u>잘못된</u> 것을 고르시오.

16 ① <u>Should I say</u> sorry to Christine?
② <u>Does she have to</u> stay in hospital?
③ <u>Can you speak</u> any foreign languages?
④ <u>Will you go</u> skating with me tomorrow?
⑤ <u>Do would you like to</u> have some bread?

17 ① I <u>made</u> a big mistake.
② A bird <u>flew</u> into the classroom.
③ Mr. Brown <u>teached</u> science last year.
④ He <u>carried</u> these boxes an hour ago.
⑤ She <u>spent</u> all her money on the dress.

18 ① I <u>have seen</u> that man somewhere before.
② We <u>have already finished</u> our report.
③ I <u>haven't gone</u> to school yesterday.
④ You <u>haven't changed</u> in ten years.
⑤ Kelly <u>hasn't slept</u> for two days.

22 5점

우리는 먼저 숙제를 끝내는 게 좋겠다. (finish)

→ ______________________ first.

23 5점

너는 이렇게 늦은 시간에 외출하면 안 된다. (go out)

→ ______________________ at this late hour.

[24-25] 다음 우리말과 같은 뜻이 되도록, 주어진 단어를 바르게 배열하여 문장을 완성하시오.

24 5점

나는 그 정보가 도움이 된다는 것을 알았다.
(found, I, helpful, the information)

→ ______________________.

25 5점

그녀는 자신의 꿈을 포기하지 않을 것이다.
(not, she, give up, going to, is)

→ ______________________ her dream.

13 다음 밑줄 친 부분의 쓰임이 나머지 넷과 다른 것은?

① I have been to Brazil.
② He has already done his homework.
③ I have seen the movie several times.
④ She has eaten Mexican food before.
⑤ Have you talked to her lately?

14 다음 긍정문을 부정문으로 고친 것 중 잘못된 것은?

① She took her shoes off.
→ She didn't take her shoes off.
② You must do it over again.
→ You must not do it over again.
③ We had better go home now.
→ We had not better go home now.
④ They're going to leave next Monday.
→ They're not going to leave next Monday.
⑤ The girls are dancing to the music.
→ The girls are not dancing to the music.

15 다음 우리말을 영어로 잘못 옮긴 것은?

① Isabel은 인형처럼 생겼어.
→ Isabel looks a doll.
② 이번 주말에는 눈이 내릴 거야.
→ It will snow this weekend.
③ 그가 나에게 메시지를 남겼나요?

19 다음 짝지어진 대화가 어색한 것은?

① A: Will you get me a glass of water?
B: Yes, I will.
② A: May I help you?
B: No thanks. I'm just looking around.
③ A: Do you play computer games?
B: No. I used to play a lot. But I don't any more.
④ A: It's getting late. Your parents may be worried.
B: Okay. I won't call them at this late hour.
⑤ A: What are you going to do this summer vacation?
B: I'll visit my grandparents in Toronto.

20 다음 두 문장이 같이 뜻이 되도록 빈칸에 알맞은 말을 쓰시오.

They asked him a lot of questions.
= They asked a lot of questions _______ him.

21 다음 주어진 단어를 이용하여, 현재완료 문장을 완성하시오.
5점

Sarah moved to this apartment in 2010. She still lives here. (live in)
→ Sarah ____________________________ 2010.

Grammar Mentor Joy Plus 1 | 실전모의고사 2회

- 3점: 5문항
- 4점: 15문항
- 5점: 5문항

이름 : 점수 :

1 다음 중 동사의 –ing형이 잘못 연결된 것은?
3점

① tie - tieing ② hit - hitting
③ learn - learning ④ watch - watching
⑤ change - changing

2 다음 중 동사의 과거형이 잘못 연결된 것은?
3점

① have - had ② speak - spoke
③ plan - planed ④ buy - bought
⑤ teach - taught

[3–6] 다음 빈칸에 들어갈 말로 알맞은 것을 고르시오.

3
3점

There ____________ a lot of people on the streets last night.

[7–8] 다음 빈칸에 들어갈 말로 알맞지 않은 것을 고르시오.

7

Jason ____________ me to wait here.

① let ② told
③ asked ④ wanted
⑤ ordered

8

This cake tastes ____________.

① bad ② good
③ sweet ④ terrible
⑤ deliciously

[9–10] 다음 밑줄 친 부분과 바꾸어 쓸 수 있는 것을 고르시오.

4 3점

It's sunny outside. You ____________ take an umbrella with you.

① can't　② won't
③ should　④ would like to
⑤ don't have to

5 3점

She ____________ rock music. She never listens to it.

① like　② likes
③ isn't like　④ doesn't like
⑤ don't likes

6

Ted ____________ a muffler for his mother.

① sent　② gave
③ asked　④ bought
⑤ brought

③ should　④ used to
⑤ had better

10

You <u>must</u> finish this work by six.

① can　② may
③ have to　④ used to
⑤ is able to

[11-12] 다음 빈칸에 들어갈 말이 나머지 넷과 다른 것을 고르시오.

11
① Ben is honest. He ________ a liar.
② It ________ Sunday. It's Saturday.
③ She ________ my sister. Her name is Sue.
④ He ________ at home now. He is at school.
⑤ My dad ________ a police officer. He is a firefighter.

12
① I ________ sleeping at that time.
② She ________ crying when I saw her.
③ Max ________ swimming in the sea then.
④ My brother ________ playing the piano now.
⑤ I ________ working at seven o'clock last night

⑤ 너는 점심을 가져올 필요 없어.
→ You don't have to bring your lunch.

[16-17] 다음 밑줄 친 부분이 잘못된 것을 고르시오.

16 ① I didn't expect them to win the game.
② Mom asked me to clean the table.
③ She named her new cat "Kiki."
④ My friends make me happily.
⑤ Let's leave the window open.

17 ① Erica doesn't trust me.
② I sleeps seven hours a day.
③ I ate seafood spaghetti for lunch.
④ Ryan washes his car once a week.
⑤ My young brother grew 12 cm last year.

18 **다음 중 어법상 옳은 문장을 고르면?**

① Brian must is very hungry.
② I would like to try on this dress.
③ She showed her photo album me.
④ He heard someone to call his name.
⑤ Carl is in the kitchen ten minutes ago.

5점 그 소문은 사실일 리가 없다. (the rumor, true)

→ ______________________.

23 5점 나는 어제 늦게까지 일해야 했다. (work late)

→ ______________________ yesterday.

[24-25] 다음 우리말과 같은 뜻이 되도록, 주어진 단어를 바르게 배열하여 문장을 완성하시오.

24 5점 Jessica는 수영을 매우 빨리 할 수 있다.
(very fast, can, Jessica, swim)

→ ______________________.

25 5점 내가 집에 들어왔을 때 엄마는 저녁을 준비하고 계셨다.
(preparing, my mom, dinner, was)

→ When I came home, ______________________
______________________.

13 다음 문장의 밑줄 친 부분의 의미가 나머지 넷과 다른 것은?

① You must tell me the truth.
② We must protect animals and plants.
③ You must be polite to your teachers.
④ I must hand in my homework on time.
⑤ He must be very disappointed at the news.

[14–15] 다음 밑줄 친 부분과 쓰임이 같은 것을 고르시오.

14

I have never driven a car.

① He has had cats since he was young.
② She has left her schoolbag at school.
③ We have been to Hawaii three times.
④ I have taken swimming lessons for a year.
⑤ Joe has just finished his science report.

15

They have lived in Seoul for ten years.

① I have forgotten his name.
② Elina has lost her smartphone.
③ I have already brushed my teeth.

19 다음 짝지어진 대화가 어색한 것은?

① A: You look sad. What's wrong?
B: My granddad is very sick.
② A: Do I have to apologize to him?
B: No, you have not to.
③ A: May I borrow your notebook?
B: Of course, you can.
④ A: Have you played table tennis before?
B: Yes. I have played once.
⑤ A: What was he doing when you saw him?
B: He was lying on the beach.

20 다음 두 문장이 같이 뜻이 되도록 빈칸에 알맞은 말을 쓰시오.

I couldn't pass the driving test.
= I ______________ the driving test.

21 다음 문장에서 어색한 부분을 찾아 바르게 고치시오.
5점

1) These roses smell nicely.

→ ______________

2) I used to having a lovely pet, but I don't have now.

Grammar Mentor Joy Plus 1 | 실전모의고사 1회

• 3점: 5문항
• 4점: 15문항
• 5점: 5문항

이름 :　　　　　점수 :

1 다음 중 동사의 3인칭 단수형이 잘못 연결된 것은?
3점

① fix -fixes　② have - has
③ pray - praies　④ miss - misses
⑤ exercise - exercises

2 다음 중 동사의 과거형이 잘못 연결된 것은?
3점

① go - went　② hear - heard
③ read - readed　④ stop - stopped
⑤ hurry - hurried

[3–7] 다음 빈칸에 들어갈 말로 알맞은 것을 고르시오.

3
3점

Chris and I ____________ in the same class last year.

[8–9] 다음 빈칸에 들어갈 말이 바르게 짝지어진 것을 고르시오.

8

• Sarah sent an email ________ me.
• I saw him ________ at the bus stop.

① to - stand　② to - to stand
③ of - standing　④ for - stand
⑤ for - standing

9

• You ______ worry about me. I'll be okay.
• It's very cold outside. You ______ wear a thick coat.

① can't be - must　② have to - should
③ should - used to　④ need not - had better not
⑤ don't have to - had better

GRAMMAR MENTOR JOY plus 1

Vocabulary

미니북

be동사

01	reporter 기자 [ripɔ́ːrtər]	My uncle is a newspaper **reporter**. 우리 삼촌은 신문 기자이다.
02	genius 천재 [dʒíːnjəs]	She is a **genius** in math. 그녀는 수학 천재이다.
03	lucky 운이 좋은 [lʌ́ki]	Today is not a **lucky** day for me. 오늘은 나에게 운이 좋지 않은 날이다.
04	garage 차고 [gərάːdʒ]	I put my car in the **garage**. 나는 내 차를 차고에 둔다.
05	proud 자랑스러운 [praud]	Koreans are **proud** of their history. 한국인들은 그들의 역사를 자랑스럽게 여긴다.
06	member 일원, 회원 [mémbər]	I'm a **member** of the book club. 나는 북 클럽의 회원이다.
07	playground 운동장 [pléigràund]	They are playing soccer on the **playground**. 그들은 운동장에서 축구를 하고 있다.
08	clever 영리한 [klévər]	The dolphin is a **clever** animal. 돌고래는 영리한 동물이다.
09	pianist 피아니스트 [piǽnist]	The lady is a very famous **pianist**. 그 부인은 매우 유명한 피아니스트이다.
10	musician 음악가 [mju(ː)zíʃən]	He became a great **musician**. 그는 위대한 음악가가 되었다.
11	theater 극장 [θí(ː)ətər]	The movie is playing at **theaters** now. 그 영화는 지금 극장에서 상영되고 있다.
12	vegetable 채소 [védʒitəbl]	I had a **vegetable** salad for lunch. 나는 점심으로 야채샐러드를 먹었다.
13	normal 평범한, 보통의 [nɔ́ːrməl]	Brian is a **normal** little boy. Brian은 평범한 어린 소년이다.
14	teenager 10대 [tíːnèidʒər]	**Teenagers** spend a lot of time with their friends. 십대들은 친구들과 많은 시간을 보낸다.
15	absent 결석한, 결근한 [ǽbsənt]	She was **absent** from school for a week. 그녀는 일주일 동안 결석했어요.

16	liar 거짓말쟁이 [láiər]	Everybody calls him a liar. 모든 사람이 그를 거짓말쟁이라고 부른다.
17	neighbor 이웃 [néibər]	I get along well with my neighbors. 나는 내 이웃들과 잘 지낸다.
18	thirsty 목마른 [θə́ːrsti]	He was thirsty because of the hot weather. 더운 날씨 때문에 그는 목이 말랐다.
19	excited 흥분한, 신이 난 [iksáitid]	The kids are excited about their summer vacation. 아이들은 여름방학으로 신이 나 있다.
20	correct 옳은 [kərékt]	Tina gave the correct answer to the question. Tina가 문제의 정답을 맞혔다.
21	talkative 수다스러운 [tɔ́ːkətiv]	Mrs. Green is friendly and talkative. Green 아줌마는 친절하고 수다스럽다.
22	strict 엄격한 [strikt]	Johnson is strict with his children. Johnson은 아이들에게 엄격하다.
23	broken 고장 난 [bróukən]	The elevator is broken again. 엘리베이터가 또 고장이 났다.
24	light 가벼운 [lait]	This laptop computer is small and light. 이 노트북 컴퓨터는 작고 가볍다.
25	almost 거의 [ɔ́ːlmoust]	Sarah and I see each other almost every day. Sarah와 나는 거의 매일 본다.
26	ghost 유령 [goust]	She often tells us ghost stories. 그녀는 종종 우리에게 유령이야기를 해준다.
27	lonely 외로운 [lóunli]	I feel lonely when I'm alone. 나는 혼자 있을 때 외로움을 느낀다.
28	debate 토론, 토의 [dibéit]	We had a debate about school rules. 우리는 교칙에 관한 토론을 했다.
29	accident 사고 [ǽksidənt]	The accident happened because of bad weather. 그 사고는 나쁜 날씨 때문에 일어났다.
30	drugstore 약국 [drʌ́gstɔ̀ːr]	There is a drugstore on the corner. 모퉁이에 약국이 있어요.

1 다음 우리말 뜻에 해당하는 영어 단어를 쓰세요.

01 차고
02 음악가
03 10대
04 흥분한, 신이 난
05 수다스러운
06 외로운
07 토론, 토의
08 사고
09 일원, 회원
10 영리한
11 결석한, 결근한
12 목마른
13 옳은
14 운이 좋은
15 기자

② 다음 영어 단어에 해당하는 우리말 뜻을 쓰세요.

01 genius

02 broken

03 light

04 drugstore

05 strict

06 neighbor

07 theater

08 vegetable

09 pianist

10 playground

③ 다음 우리말과 일치하도록, 빈칸에 알맞은 단어를 쓰세요.

01 Brian is a(n) ____________ little boy.
Brian은 평범한 어린 소년이다.

02 Everybody calls him a(n) ____________.
모든 사람이 그를 거짓말쟁이라고 부른다.

03 She often tells us ____________ stories.
그녀는 종종 우리에게 유령이야기를 해준다.

04 Koreans are ____________ of their history.
한국인들은 그들의 역사를 자랑스럽게 여긴다.

05 Sarah and I see each other ____________ every day.
Sarah와 나는 거의 매일 본다.

일반동사

01	invent 발명하다 [invént]	I'll **invent** a homework robot. 나는 숙제 로봇을 발명할 것이다.
02	act 행동하다 [ækt]	Glen always **acts** like a gentleman. Glen은 항상 신사처럼 행동한다.
03	relax 휴식을 취하다 [rilǽks]	I'm going to **relax** at home this weekend. 이번 주말에는 집에서 쉴 거야.
04	delay 미루다, 연기하다 [diléi]	We should **delay** the decision until next month. 우리는 그 결정을 다음 달까지 미뤄야 한다.
05	treat 대하다 [tri:t]	My dad always **treats** me like a little kid. 우리 아빠는 항상 나를 어린 아이 취급하신다.
06	belong (제 자리에) 있다, 속하다 [bilɔ́(:)ŋ]	Jacob **belongs** to the Boy Scouts. Jacob은 소년단원에 속해 있다.
07	sour 신 [sauə*r*]	A lemon has a **sour** taste. 레몬은 신 맛을 가지고 있다.
08	fluently 유창하게 [flú(:)əntli]	I want to speak Spanish **fluently**. 나는 유창하게 스페인어를 말하고 싶다.
09	pray 기도하다 [prei]	She **prays** for my health and safely. 그녀는 나의 건강과 안전을 위해 기도한다.
10	male 수컷(의) [meil]	A rooster is a **male** chicken. "rooster"는 수탉이다.
11	colorful 화려한 [kʌ́lə*r*fəl]	Laura always wears **colorful** clothes. Laura는 항상 화려한 옷을 입는다.
12	feather 깃털 [féðə*r*]	The crow has black **feathers**. 독수리는 검은색 깃털을 가지고 있다.
13	advice 충고 [ədváis]	He took my **advice** and changed his mind. 그는 내 충고를 받아들여 결정을 바꿨다.
14	used 중고의 [ju:st]	I'm looking for a cheap **used** piano. 나는 값이 싼 중고 피아노를 찾고 있어요.
15	bill 고지서, 청구서 [bil]	I pay my **bills** through Internet banking. 나는 인터넷 뱅킹으로 요금을 납부한다.

16	future 미래 [fjúːtʃər]	You should plan for your future. 너는 미래를 위해 계획을 세워야 한다.
17	abroad 해외에서, 해외로 [əbrɔ́ːd]	Paul wants to study music abroad. Paul은 외국에서 음악을 공부하고 싶어 한다.
18	ceiling 천장 [síːliŋ]	The living room has a high ceiling. 거실은 천장이 높다.
19	publish 출판하다 [pʌ́bliʃ]	They publish children's books. 그들은 아동 도서를 출판한다.
20	nowadays 요즘 [náuədèiz]	Nowadays a lot of people travel abroad. 요즘 많은 사람들이 해외여행을 합니다.
21	raise 키우다, 기르다; 올리다, 들다 [reiz]	Steve raises cows on his farm. Steve은 농장에서 소를 기른다.
22	during ~동안 [djú(ː)əriŋ]	Please be quiet during the movie. 영화가 상영되는 동안에는 조용해 주세요.
23	geography 지리학 [dʒiάgrəfi]	Geography is my favorite subject. 지리학은 내가 가장 좋아하는 과목이야.
24	stomachache 복통 [stʌ́məkeik]	I have a terrible stomachache. 나는 배가 정말 아프다.
25	chat 수다 떨다 [tʃæt]	Rachel and I often chat on the phone. Rachel과 나는 종종 전화로 수다를 떤다.
26	practice 연습하다 [prǽktis]	She practices the piano after school. 그녀는 방과 후에 피아노를 연습한다.
27	situation 상황 [sìtʃuéiʃən]	We are in a difficult situation. 우리는 어려운 상황에 처해 있다.
28	lesson 수업, 교습; 교훈 [lésən]	I take piano lessons twice a week. 나는 일주일에 두 번 피아노 수업을 받는다.
29	straight 곧장, 곧바로 [streit]	Ben always goes straight home after school. Ben은 방과 후에 곧장 집으로 간다.
30	storm 폭풍우, 폭풍 [stɔːrm]	A big storm is coming. 큰 폭풍이 몰려오고 있다.

Check Up

1 다음 우리말 뜻에 해당하는 영어 단어를 쓰세요.

01 행동하다
02 신
03 ~동안
04 수컷(의)
05 연습하다
06 상황
07 천장
08 지리학
09 키우다, 기르다
10 발명하다
11 고지서, 청구서
12 수다 떨다
13 유창하게
14 출판하다
15 곧장, 곧바로

2 다음 영어 단어에 해당하는 우리말 뜻을 쓰세요.

01 feather

02 delay

03 colorful

04 stomachache

05 belong

06 nowadays

07 lesson

08 storm

09 future

10 relax

3 다음 우리말과 일치하도록, 빈칸에 알맞은 단어를 쓰세요.

01 Paul wants to study music ______________.
Paul은 외국에서 음악을 공부하고 싶어 한다.

02 She ______________ for my health and safely.
그녀는 나의 건강과 안전을 위해 기도한다.

03 I'm looking for a cheap ______________ piano.
나는 값이 싼 중고 피아노를 찾고 있어요.

04 My dad always ______________ me like a little kid.
우리 아빠는 항상 나를 어린 아이 취급하신다.

05 He took my ______________ and changed his mind.
그는 내 충고를 받아들여 결정을 바꿨다.

시제

01	shine 빛나다 [ʃain]	The sun **shines** during the day. 해는 낮 동안 빛난다.
02	feed 먹이를 주다 [fiːd]	I **feed** my cat twice a day. 나는 하루에 두 번 내 고양이에게 먹이를 준다.
03	frozen 언, 얼어붙은 [fróuzən]	We went skating on a **frozen** lake. 우리는 언 호수로 스케이트를 타러 갔다.
04	riverside 강변 [rívərsàid]	I took a walk along the **riverside**. 나는 강변을 따라 산책했다.
05	repairman 수리공 [ripέərmæ̀n]	His TV was broken, so he called a **repairman.** 그의 TV가 고장 나서 그는 수리공을 불렀다.
06	machine 기계 [məʃíːn]	This **machine** is not working again. 이 기계가 또 작동하지 않는다.
07	dinosaur 공룡 [dáinəsɔ̀ːr]	**Dinosaurs** died out a long time ago. 공룡은 아주 오래 전에 멸종되었다.
08	drought 가뭄 [draut]	The rain ended the long **drought**. 그 비로 긴 가뭄이 끝났다.
09	prepare 준비하다 [pripέər]	Animals **prepare** for the winter in their own ways. 동물들은 자신들의 방식으로 겨울을 준비한다.
10	factory 공장 [fǽktəri]	Peter works nights at the **factory**. Peter는 밤에 공장에서 일한다.
11	competition 대회; 경쟁 [kɑ̀mpitíʃən]	Mark became the winner of the **competition**. Mark가 그 대회에서 우승을 차지했다.
12	several 몇몇의 [sévərəl]	I called you **several** times yesterday. 내가 어제 너에게 몇 번 전화했다.
13	toothache 치통 [túːθèik]	I have a bad **toothache**. It really hurts. 나 치통이 심해. 정말 아파.
14	somewhere 어딘가에 [sʌ́mhwὲər]	She has left her umbrella **somewhere**. 그녀는 어딘가에서 우산을 놓고 왔다.
15	nothing 아무것도 [nʌ́θiŋ] ~(아니다, 없다)	I know **nothing** about their plan. 나는 그들의 계획에 대해 아무것도 모른다.

16	evidence 증거 [évidəns]	There isn't enough evidence for life on Mars. 화성에 생명체가 있다는 충분한 증거가 없다.
17	decline 거절하다 [dikláin]	He offered me a ride, but I declined. 그가 나에게 태워다 주겠다고 했지만, 나는 거절했다.
18	secret 비밀 [sí:krit]	I share my secrets with my best friend. 나는 내 가장 친한 친구와 내 비밀을 공유한다.
19	twinkle 반짝거리다, 반짝반짝 빛나다 [twíŋkl]	His eyes are twinkling with excitement. 그의 눈이 흥분으로 빛나고 있다.
20	matter 문제, 사안 [mǽtər]	You should talk to your parents about the matter. 너는 그 문제에 대해 부모님과 상의해야 한다.
21	behind ~ 뒤에 [biháind]	The parking lot is behind the building. 주차장은 건물 뒤에 있다.
22	land 착륙하다 [lænd]	The airplane landed at the airport. 비행기가 공항에 착륙했다.
23	change 바꾸다, 갈아입다 [tʃeindʒ]	Sam changes his car every three years. Sam은 3년 마다 차를 바꾼다.
24	invitation 초대(장) [ìnvitéiʃən]	I accepted her invitation to the dinner party. 나는 저녁 식사 파티에 오라는 그녀의 초대를 받아들였다.
25	rumor 소문 [rú:mər]	Everybody in the town is talking about the rumor. 마을의 모든 사람이 그 소문에 대해 이야기하고 있다.
26	lately 최근에 [léitli]	I haven't seen Sarah at school lately. 나는 최근 학교에서 Sarah를 보지 못했다.
27	purse 지갑 [pə:rs]	She looked into her purse for some coins. 그녀는 동전을 찾느라 지갑을 들여다 보았다.
28	curly 곱슬곱슬한 [kə́:rli]	Ed has short curly hair. Ed는 짧은 곱슬머리를 하고 있다.
29	decide 결정하다 [disáid]	Think carefully before you decide. 결정하기 전에 신중하게 생각하라.
30	view 경관, 전망 [vju:]	I'd like a room with a view of the sea. 바다 경관이 보이는 방으로 주세요.

Check Up

1 다음 우리말 뜻에 해당하는 영어 단어를 쓰세요.

01 초대(장)

02 증거

03 지갑

04 치통

05 대회; 경쟁

06 착륙하다

07 경관, 전망

08 아무것도 ~(아니다, 없다)

09 빛나다

10 강변

11 언, 얼어붙은

12 가뭄

13 거절하다

14 준비하다

15 ~ 뒤에

2 다음 영어 단어에 해당하는 우리말 뜻을 쓰세요.

01 machine

02 secret

03 lately

04 matter

05 curly

06 change

07 decide

08 factory

09 twinkle

10 dinosaur

3 다음 우리말과 일치하도록, 빈칸에 알맞은 단어를 쓰세요.

01 I ______________ my cat twice a day.
나는 하루에 두 번 내 고양이에게 먹이를 준다.

02 She has left her umbrella ______________.
그녀는 어딘가에서 우산을 놓고 왔다.

03 I called you ______________ times yesterday.
내가 어제 너에게 몇 번 전화했다.

04 Everybody in town is talking about the ______________.
마을의 모든 사람이 그 소문에 대해 이야기하고 있다.

05 His TV was broken, so he called a(n) ______________.
그의 TV가 고장 나서 그는 수리공을 불렀다.

조동사 I

01	solution 해결책 [səljúːʃən]	We are looking for the best **solution** to the problem. 우리는 그 문제에 최선의 해결책을 찾고 있다.
02	improve 개선하다, 향상시키다 [imprúːv]	I need to **improve** my Chinese. 나는 내 중국어 실력을 향상시켜야 한다.
03	noisy 시끄러운 [nɔ́izi]	The children are very **noisy** today. 아이들이 오늘 정말 시끄럽다.
04	traffic 교통(량) [trǽfik]	There is a lot of **traffic** on Friday evenings. 금요일 저녁에는 교통이 혼잡하다.
05	shelf 선반 [ʃelf]	I can't reach the top **shelf** of the bookcase. 나는 책장 위 칸에 손이 닿지 않는다.
06	deadline 마감 시간, 기한 [dédlàin]	The **deadline** for the project is March 20th. 프로젝트 마감 시간이 3월 20일이다.
07	firefighter 소방관 [fáiərfáitər]	My son wants to become a **firefighter**. 내 아들은 소방관이 되고 싶어 한다.
08	burning 불타는 [bə́ːrniŋ]	A man ran out of the **burning** building. 한 남자가 불타는 건물에서 뛰어나왔다.
09	parrot 앵무새 [pǽrət]	Have you ever heard a **parrot** speak? 앵무새가 말하는 것을 들어 본 적이 있니?
10	both 둘 다(의) [bouθ]	**Both** of his parents are Canadians. 그의 부모님은 두 분 모두 캐나다인이시다.
11	safely 무사히, 안전하게 [séifli]	The pilot landed the airplane **safely**. 조종사는 비행기를 안전하게 착륙시켰다.
12	without ~없이 [wiðáut]	People can't live **without** air. 사람들은 공기 없이는 살 수 없다.
13	protect 보호하다, 지키다 [prətékt]	We must **protect** the environment. 우리는 환경을 보호해야 한다.
14	wildlife 야생 동물 [wáildlàif]	I have been so interested in **wildlife**. 나는 야생 동물에 관심이 많다.
15	entrance 입학; (출)입구; 가입 [éntrəns]	He passed his college **entrance** exam. 그는 대학 입학시험에 합격했다.

16	careful 조심하는, 주의 깊은 [kɛ́ərfəl]	Be **careful** with the glass vase. 유리 꽃병 조심하세요.
17	among ~ 사이에 [əmʌ́ŋ]	Greg is very popular **among** his friends. Greg은 친구들 사이에서 매우 인기가 있다.
18	allergic 알레르기가 있는 [ələ́ːrdʒik]	I'm **allergic** to cats. 나는 고양이 알레르기가 있다.
19	polite 예의 바른 [pəláit]	She is always **polite** to everyone. 그녀는 항상 모든 사람에게 예의 바르다.
20	trash 쓰레기 [træʃ]	They are picking up the **trash** in the park. 그들은 공원에서 쓰레기를 줍고 있다.
21	fasten 매다, 채우다 [fǽsən]	Can you **fasten** your seat belt? 안전띠를 매줄래?
22	wet 젖은 [wet]	My sneakers are **wet** with rain. 비에 내 운동화가 젖었다.
23	attention 주의, 주목 [ətènʃʌ́n]	We should pay **attention** to our health. 우리는 건강에 주의를 기울어야 한다.
24	agree 동의하다 [əgríː]	I don't **agree** with your idea. 나는 너의 의견에 동의하지 않는다.
25	bite 물다, 베어 물다 [bait]	My dog never **bites** people. 내 개는 절대 사람을 물지 않는다.
26	fingernail 손톱 [fíŋgərnèil]	I cut my **fingernails** once a week. 나는 일주일에 한 번 손톱을 깎는다.
27	basement 지하 [béismənt]	The house has a large **basement**. 그 집은 지하실이 크다.
28	complete 마치다, 완성하다 [kəmplíːt]	All students should **complete** the course. 모든 학생들은 그 과정을 끝내야 한다.
29	public 공공의 [pʌ́blik]	Don't run in **public** places. 공공장소에서는 뛰지 마라.
30	messy 엉망인, 지저분한 [mési]	His house is small and **messy**. 그의 집은 작고 지저분하다.

1 다음 우리말 뜻에 해당하는 영어 단어를 쓰세요.

01 예의 바른

02 입학; (출)입구; 가입

03 불타는

04 물다, 베어 물다

05 선반

06 젖은

07 시끄러운

08 마치다, 완성하다

09 엉망인, 지저분한

10 해결책

11 조심하는, 주의 깊은

12 손톱

13 보호하다, 지키다

14 앵무새

15 지하

② 다음 영어 단어에 해당하는 우리말 뜻을 쓰세요.

01 improve
02 allergic
03 trash
04 fasten
05 traffic
06 wildlife
07 attention
08 among
09 public
10 firefighter

③ 다음 우리말과 일치하도록, 빈칸에 알맞은 단어를 쓰세요.

01 I don't ____________ with your idea.
나는 너의 의견에 동의하지 않아.

02 People can't live ____________ air.
사람들은 공기 없이는 살 수 없다.

03 ____________ of his parents are Canadians.
그의 부모님은 두 분 모두 캐나다인시이다.

04 The pilot landed the airplane ____________.
조종사는 비행기를 안전하게 착륙시켰다.

05 The ____________ for the project is March 20th.
프로젝트 마감 시간이 3월 20일이다.

조동사 II

01	scared [skɛərd]	무서워하는, 겁먹은	Children are scared of the dark. 아이들은 어둠을 무서워한다.
02	director [diréktər]	감독; 책임자; (회사의) 임원	Steven Spielberg is a great movie director. Steven Spielberg는 훌륭한 영화감독이다.
03	childhood [tʃáildhùd]	어린 시절	Sadly, she didn't have a happy childhood. 불쌍하게도, 그녀는 행복한 어린 시절을 보내지 않았다.
04	selfish [sélfiʃ]	이기적인	Liam is very rude and selfish. Liam은 매우 무례하고 이기적이다.
05	share [ʃɛər]	나누다, 나눠 갖다; 공유하다	Bella and I share our secrets and worries. Bella와 나는 비밀과 걱정거리를 공유한다.
06	forgive [fərgív]	용서하다	Let's just forgive and forget. 용서하고 잊어버리자.
07	break down	고장 나다	My car breaks down a lot these days. 요즘 내 차가 자주 고장이 난다.
08	punish [pʌ́niʃ]	벌주다, 처벌하다	My parents punished me for coming home late. 우리 부모님이 집에 늦게 들어왔다고 나를 벌주셨다.
09	perfect [pə́:rfikt]	완벽한	Hawaii is the perfect holiday place. 하와이는 완벽한 휴양지이다.
10	take part in	참가하다	I'll take part in a piano competition next month. 나는 다음 달에 피아노 대회에 참가할 거야.
11	space [speis]	우주; 공간	The earth looks so beautiful from space. 우주에서 보면 지구는 정말 아름다워 보인다.
12	icy [áisi]	빙판의, 얼음에 뒤덮인	I slipped on an icy road this morning. 나는 오늘 아침에 빙판 길에서 미끄러졌다.
13	quit [kwit]	그만두다, 그만하다	Ben quit the job because of his illness. Ben은 병 때문에 일을 그만두었다.
14	upset [ʌpsét]	속상한	I'm so upset about my silly mistake. 나는 내 어리석은 실수로 정말 화가 난다.
15	important [impɔ́:rtənt]	중요한, 중대한	I've made an important decision today. 나는 오늘 중대한 결정을 내렸다.

16	thank 감사하다, [θæŋk] 고마워하다	We thank you for your invitation. 저희를 초대해 주셔서 감사해요.
17	until ~(때) 까지 [əntíl]	The kids played outside until it got dark. 아이들은 어두워 질 때까지 밖에서 놀았다.
18	desert 사막 [dézərt]	It hardly rains in the desert. 사막에는 비가 거의 내리지 않는다.
19	hate 몹시 싫어하다 [heit]	Annie and Kate hate each other. Annie와 Kate는 서로 싫어한다.
20	dentist 치과 의사, 치과 [déntist]	I'm going to the dentist this evening. 나는 오늘 저녁에 치과에 갈 거야.
21	regularly 정기적으로 [régjələrli]	They meet regularly, twice a month. 그들은 한 달에 두 번 정기적으로 만난다.
22	together 함께, 같이 [təgéðər]	My family always spends Christmas together. 우리 가족은 항상 크리스마스를 같이 보낸다.
23	take off 이륙하다	The plane took off two hours late. 비행기는 두 시간 늦게 이륙했다.
24	give up 포기하다	Bob gives up everything so easily. Bob은 모든 것을 너무 쉽게 포기한다.
25	luxury 사치, 호화 [lʌ́kʃəri]	We stayed at a luxury hotel during our trip. 우리는 여행을 하는 동안 고급 호텔에서 묵었다.
26	accept 받아들이다, [əksépt] 수락하다	She should accept their decision. 그녀는 그들의 결정을 받아들여야 한다.
27	sign up 등록하다, 신청하다	I signed up for a yoga class. 나는 요가 수업에 등록했다.
28	believe 믿다 [bilíːv]	She still believes all his lies. 그녀는 아직도 그의 모든 거짓말을 믿고 있다.
29	fail 실패하다; [feil] (시험에) 떨어지다	You will fail, if you don't try hard. 열심히 하지 않으면 너는 실패할 거야.
30	appointment 약속 [əpɔ́intmənt]	I'd like to make an appointment with the doctor. 의사 선생님과 약속을 잡고 싶습니다.

Check Up

1 다음 우리말 뜻에 해당하는 영어 단어를 쓰세요.

01 함께, 같이

02 빙판의, 얼음에 뒤덮인

03 어린 시절

04 완벽한

05 벌주다, 처벌하다

06 이기적인

07 치과 의사, 치과

08 이륙하다

09 무서워하는, 겁먹은

10 참가하다

11 그만두다, 그만하다

12 사치, 호화

13 약속

14 사막

15 포기하다

② 다음 영어 단어에 해당하는 우리말 뜻을 쓰세요.

01 director

02 break down

03 believe

04 thank

05 share

06 until

07 hate

08 upset

09 fail

10 sign up

③ 다음 우리말과 일치하도록, 빈칸에 알맞은 단어를 쓰세요.

01 Let's just ____________ and forget.
용서하고 잊어버리자.

02 She should ____________ their decision.
그녀는 그들의 결정을 받아들여야 한다.

03 They meet ____________, twice a month.
그들은 한 달에 두 번 정기적으로 만난다.

04 I've made a(n) ____________ decision today.
나는 오늘 중대한 결정을 내렸다.

05 The earth looks so beautiful from ____________.
우주에서 보면 지구는 정말 아름다워 보인다.

문장의 형태

01	bitter 쓴 [bítər]	I like the bitter taste of cocoa. 나는 코코아의 쓴 맛을 좋아한다.
02	fall asleep 잠들다	Jason often falls asleep during reading. Jason은 종종 책을 읽다가 잠든다.
03	relief 안도, 안심 [rilíːf]	The little boy felt relief when he saw his mother. 그 어린 소년은 엄마를 보자 안도감을 느꼈다.
04	dizzy 어지러운 [dízi]	I feel dizzy and have a headache. 나는 어지럽고 머리가 아프다.
05	smooth 매끄러운 [smuːð]	Rachel has a smooth skin. Rachel은 피부가 매우 매끄럽다.
06	blow 불다 [blou]	A cold wind is blowing hard outside. 밖에 찬바람이 강하게 불고 있다.
07	anger 화 [ǽŋgər]	Her face turned red with anger. 화가 나서 그녀의 얼굴이 붉어졌다.
08	false 사실이 아닌, 틀린 [fɔːls]	He gave the police false information. 그는 경찰에게 잘못된 정보를 주었다.
09	calm 차분한, 침착한 [kɑːm]	My sister is always calm and careful. 우리 언니는 항상 차분하고 신중하다.
10	charming 매력적인 [tʃáːrmiŋ]	Fred is a friendly and charming man. Fred는 다정하고 매력적인 남성이다.
11	fever 열 [fíːvər]	I've had a fever for two days. 나는 이틀째 열이 나고 있다.
12	spicy 매운 [spáisi]	This soup is too spicy for me. 이 수프는 나에게 너무 맵다.
13	performance 공연 [pərfɔ́ːrməns]	Their first performance was a huge success. 그들의 첫 공연은 대성공이었다.
14	behave 행동하다 [bihéiv]	Her children are polite and behave well. 그녀의 아이들은 예의 바르고, 바르게 행동한다.
15	scold 꾸짖다, 야단치다 [skould]	Mom scolded me for watching too much TV. 엄마가 TV를 너무 많이 본다며 나를 꾸짖었다.

16	pharmacist [fɑ́ːrməsist]	약사	The **pharmacist** told me to take vitamin C. 의사가 나에게 비타민 C를 섭취하라고 했다.
17	spill [spil]	쏟다	I **spilled** milk on the floor by accident. 나는 실수로 바닥에 우유를 쏟았다.
18	mailman [méilmæ̀n]	우편집배원, 우체부	The **mailman** left my package at the front door. 우편집배원이 내 소포를 현관에 놓고 갔다.
19	deliver [dilívər]	배달하다	We will **deliver** your order before six. 저희가 6시 전에 주문하신 물건을 배달해 드리겠습니다.
20	favor [féivər]	부탁; 호의, 친절	I want you to do me a **favor**. 네가 내 부탁 하나 들어주면 좋겠어.
21	foreign [fɔ́ːrin]	외국의	Can you speak any **foreign** languages? 너는 외국어를 구사할 수 있니?
22	welcome [wélkəm]	환영; 환영하다	Peter and his family gave us a warm **welcome.** Peter와 그의 가족은 우리를 반갑게 맞이해 주었다.
23	elect [ilékt]	선출하다	Next week, Korea will **elect** a new President. 다음 주 한국은 차기 대통령을 선출할 것이다.
24	expect [ikspékt]	기대하다, 예상하다	Our team **expects** to win the championship. 우리 팀은 우승할 거라고 기대하고 있다.
25	neat [niːt]	깔끔한, 정돈된	Her house is always **neat** and clean. 그녀의 집은 항상 정돈되고 깨끗하다.
26	advise [ədváiz]	조언하다, 충고하다	The doctor **advised** him to lose weight. 의사는 그에게 살을 좀 빼라고 조언했다.
27	technology [teknɑ́lədʒi]	(과학) 기술	He is studying computer **technology** at university. 그는 대학에서 컴퓨터 공학을 공부하고 있다.
28	considerate [kənsídərit]	사려 깊은, 배려하는	Rachel is always kind and **considerate**. Rachel은 항상 친절하고 사려 깊다.
29	silent [sáilənt]	조용한, 침묵을 지키는	The students became **silent** as the teacher walked in. 선생님이 들어오자 아이들은 조용해졌다.
30	avoid [əvɔ́id]	피하다	**Avoid** the sun from 11 to 15 on hot summer days. 더운 여름날에는 11시부터 15시까지 해를 피하라.

Check Up

1 다음 우리말 뜻에 해당하는 영어 단어를 쓰세요.

01 우편집배원, 우체부

02 불다

03 매력적인

04 공연

05 매끄러운

06 부탁; 호의, 친절

07 안도, 안심

08 차분한, 침착한

09 꾸짖다, 야단치다

10 환영; 환영하다

11 사려 깊은, 배려하는

12 조언하다, 충고하다

13 쏟다

14 매운

15 잠들다

2 다음 영어 단어에 해당하는 우리말 뜻을 쓰세요.

01 dizzy

02 bitter

03 fever

04 pharmacist

05 elect

06 technology

07 neat

08 avoid

09 deliver

10 silent

3 다음 우리말과 일치하도록, 빈칸에 알맞은 단어를 쓰세요.

01 Her face turned red with ____________.
화가 나서 그녀의 얼굴이 붉어졌다.

02 He gave the police ____________ information.
그는 경찰에게 잘못된 정보를 주었다.

03 Can you speak any ____________ languages?
너는 외국어를 구사할 수 있니?

04 Our team ____________ to win the championship.
우리 팀은 선수권대회에 우승할 거라고 기대하고 있다.

05 Her children are polite and ____________ well.
그녀의 아이들은 예의 바르고, 바르게 행동한다.

단어장 해답

Chapter 01. be동사

❶ 01 garage 02 musician 03 teenager 04 excited 05 talkative
06 lonely 07 debate 08 accident 09 member 10 clever
11 absent 12 thirsty 13 correct 14 lucky 15 reporter

❷ 01 천재 02 고장 난 03 가벼운 04 약국 05 엄격한
06 이웃 07 극장 08 채소 09 피아니스트 10 운동장

❸ 01 normal 02 liar 03 ghost 04 proud 05 almost

Chapter 02. 일반동사

❶ 01 act 02 sour 03 during 04 male 05 practice
06 situation 07 ceiling 08 geography 09 raise 10 invent
11 bill 12 chat 13 fluently 14 publish 15 straight

❷ 01 깃털 02 미루다, 연기하다 03 화려한 04 복통
05 (제 자리에) 있다, 속하다 06 요즘 07 수업, 교습; 교훈
08 폭풍우, 폭풍 09 미래 10 휴식을 취하다

❸ 01 abroad 02 prays 03 used 04 treats 05 advice

Chapter 03. 시제

❶ 01 invitation 02 evidence 03 purse 04 toothache 05 competition
06 land 07 view 08 nothing 09 shine 10 riverside
11 frozen 12 drought 13 decline 14 prepare 15 behind

❷ 01 기계 02 비밀 03 최근에 04 문제, 사안 05 곱슬곱슬한
06 바꾸다, 갈아입다 07 결정하다 08 공장
09 반짝거리다, 반짝반짝 빛나다 10 공룡

❸ 01 feed 02 somewhere 03 several 04 rumor 05 repairman

Chapter 04. 조동사 I

❶ 01 polite 02 entrance 03 burning 04 bite 05 shelf
06 wet 07 noisy 08 complete 09 messy 10 solution
11 careful 12 fingernail 13 protect 14 parrot 15 basement

❷ 01 개선하다, 향상시키다 02 알레르기가 있는 03 쓰레기
04 매다, 채우다 05 교통(량) 06 야생 동물 07 주의, 주목 08 ~ 사이에
09 공공의 10 소방관

❸ 01 agree 02 without 03 Both 04 safely 05 deadline

Chapter 05. 조동사 II

❶ 01 together 02 icy 03 childhood 04 perfect 05 punish
06 selfish 07 dentist 08 take off 09 scared 10 take part in
11 quit 12 luxury 13 appointment 14 desert 15 give up

❷ 01 감독; 책임자 02 고장 나다 03 믿다 04 감사하다, 고마워하다
05 나누다, 나눠 갖다; 공유하다 06 ~(때) 까지 07 몹시 싫어하다 08 속상한
09 실패하다; (시험에) 떨어지다 10 등록하다, 신청하다

❸ 01 forgive 02 accept 03 regularly 04 important 05 space

Chapter 06. 문장의 형태

❶ 01 mailman 02 blow 03 charming 04 performance 05 smooth
06 favor 07 relief 08 calm 09 scold 10 welcome
11 considerate 12 advise 13 spill 14 spicy 15 fall asleep

❷ 01 어지러운 02 쓴 03 열 04 약사 05 선출하다
06 (과학) 기술 07 깔끔한, 정돈된 08 피하다 09 배달하다
10 조용한, 침묵을 지키는

❸ 01 anger 02 false 03 foreign 04 expects 05 behave